«PANDORA»

BARBARA TAYLOR BRADFORD

LE RAGAZZE DI CAVENDON HALL

Traduzione di Sofia Mohamed

Sperling & Kupfer

Questa è un'opera di fantasia. Nomi, personaggi e avvenimenti qui raffigurati sono frutto dell'immaginazione dell'autrice e qualsiasi rassomiglianza con persone realmente esistenti o esistite, fatti o località reali è puramente casuale.

Pubblicato per

Sperling & Kupfer

da Mondadori Libri S.p.A.
© 2018 Mondadori Libri S.p.A., Milano
The Secrets of Cavendon
Copyright © Barbara Taylor Bradford 2017
Originally published in the English language
by HarperCollins Publishers Ltd.

ISBN 978-88-200-6417-4

I Edizione febbraio 2018

Anno 2018-2019-2020 - Edizione 1 2 3 4 5 6 7 8 9 10

A Bob con tutto il mio amore, sempre

Personaggi

INGHAM

Gli Ingham nel 1949

Miles Ingham, settimo conte di Mowbray, 50 anni. Proprietario e custode di Cavendon Hall. È sposato con Cecily Swann, 48 anni, settima contessa di Mowbray.

I figli del conte e della contessa

David, erede al titolo di conte, 20 anni, si fregia del titolo di onorevole. Walter, 18 anni; Venetia, 16 anni e Gwen, 8 anni.

Sorelle del conte

Lady Diedre Ingham Lawson, sorella del conte, 56 anni. È sposata con William Lawson, coetaneo, e vive a Londra con lui e suo figlio Robin Drummond, 22 anni. Lavora presso il War Office. Passano i fine settimana a Cavendon nella loro villa a Little Skell Manor.

Lady Daphne Ingham Stanton, sorella del conte, 53 anni,

sposata con Hugo Ingham Stanton, 68 anni. Vivono permanentemente a Cavendon Hall nell'ala sud. Hanno cinque figli che abitano a Londra e vengono a trovarli a Cavendon durante i fine settimana. Alicia, 35 anni; Charles, 31 anni; i gemelli Thomas e Andrew, 28 anni e Annabel, 25 anni.

Lady Dulcie Ingham Brentwood, sorella minore del conte, 41 anni. Vive a Londra e a Skelldale Manor a Cavendon. È sposata con sir James Brentwood, 56 anni, uno dei più grandi attori d'Inghilterra, nominato cavaliere da re Giorgio VI. Hanno tre figli: le gemelle Rosalind e Juliet, 20 anni, e Henry, 17 anni.

Il personale di casa chiama le tre sorelle del conte le Tre Dee.

SWANN

La seconda famiglia: gli Swann

La famiglia Swann è stata al servizio della famiglia Ingham per quasi duecento anni e le loro esistenze si sono intrecciate in molti modi diversi. Generazioni di Swann hanno vissuto nel villaggio di Little Skell che confina con il parco Cavendon e ancora ci vivono. Gli attuali Swann sono devoti e leali agli Ingham come lo erano stati i loro avi e difenderebbero qualsiasi membro della famiglia con la vita. Gli Ingham si fidano incondizionatamente di loro e viceversa.

Gli Swann nel 1949

Walter Swann, 71 anni, padre di Cecily e Harry. Patriarca della famiglia Swann è a capo della sicurezza a Cavendon Hall.

Alice Swann, sua moglie, anni 68, madre di Cecily e di

Harry. Coordina gli eventi del villaggio e dà una mano a gestire il Women's Institute assieme alla contessa vedova.

Harry, il figlio, 51 anni, ex apprendista giardiniere a Cavendon Hall, dirige ora la proprietà. Ha creato anche splendidi giardini che sono meta dei visitatori.

Cecily, la figlia, 48 anni. Sposata con Miles, è una famosa stilista.

Paloma Swann, 38 anni, moglie di Harry e madre dei loro figli: Edward, 10 anni; Patricia, 8 anni, e Charles, 6 anni. È una famosa fotografa.

Altri Swann

Percy, fratello minore di Walter, 68 anni. Capo guardacaccia a Cavendon Hall.

Edna, moglie di Percy, 69 anni. Lavora saltuariamente a Cavendon.

Joe, loro figlio, 48 anni. Lavora con il padre come aiuto guardacaccia.

Bill, primo cugino di Walter, 63 anni. Capo giardiniere a Cavendon, vedovo.

Ted, primo cugino di Walter, 74 anni. Capo della manutenzione interna e della falegnameria a Cavendon. Vedovo.

Paul, figlio di Ted, 50 anni, lavora con il padre come progettista e falegname a Cavendon.

Eric, fratello di Ted, primo cugino di Walter, 69 anni. Maggiordomo a Cavendon Hall. Scapolo.

Charlotte, zia di Walter e Percy, 81 anni, ora contessa vedova di Mowbray. Charlotte è la matriarca delle famiglie Swann e Ingham. Viene trattata con grande affetto e rispetto da tutti. Charlotte è stata segretaria e assistente personale di David Ingham, il quinto conte, fino alla sua morte. Ha sposato il sesto conte, deceduto durante la seconda guerra mondiale, nel 1926.

Dorothy Pinkerton, nata Swann, 66 anni, cugina di Charlotte. Vive a Londra ed è sposata con Howard Pinkerton, 66 anni, ispettore di Scotland Yard. Lavora con Cecily nella casa di moda Cecily Swann Couture.

ALTRI PERSONAGGI DI CAVENDON HALL

Peggy Swift Lane, governante
Lois Waters, cuoca
Mary Lowden, capo cameriera
Vera Gower, cameriera
Philip Carlton, autista

ALTRI DIPENDENTI

Angela Chambers, bambinaia di Gwen, figlia di Cecily.

LAVORATORI NELLA TENUTA

Una magione grande come Cavendon Hall, con migliaia di acri di terra e una vasta brughiera abitata da galli cedroni impiega molte persone della zona. È questo il suo scopo d'essere come pure fornire una dimora per una grande famiglia. Offre lavoro agli abitanti del villaggio e terra ai fittavoli. I villaggi che circondano Cavendon erano stati costruiti da diversi conti di Mowbray per fornire alloggi ai dipendenti; erano state costruite chiese e scuole e in seguito anche uffici postali e piccoli negozi. I villaggi attorno a Cavendon si chiamano Little Skell, Mowbray e High Clough.

Ci sono numerosi dipendenti che lavorano all'esterno: un capo guardacaccia con altri cinque guardacaccia, battitori e fiancheggiatori assunti per la stagione della caccia quando a Cavendon arrivano i Fucilieri. Ci sono inoltre guardaboschi che in alcuni periodi dell'anno si occupano delle riserve di caccia. Dei giardini si prende cura un capo giardiniere con una squadra di cinque giardinieri.

La stagione della caccia ai galli cedroni inizia in agosto e termina in dicembre. La stagione della caccia alle pernici inizia a settembre e in questo periodo si spara anche ad anatre e altri volatili selvatici. La caccia ai fagiani comincia il primo di novembre e prosegue fino a dicembre. Gli uomini che si radunano per la caccia a Cavendon sono di solito nobili e, dato che usano fucili, tutti li chiamano i Fucilieri.

PARTE PRIMA

Uno squarcio nel tessuto
1949

L'intreccio di ieri è irreversibile come ieri.
Potrei non sfilare i fili, ma cambiare la spoletta.

MURIEL STRODE-LIEBERMAN, *My Little Book of Life*

1

CECILY Swann Ingham, settima contessa di Mowbray, dai gradini della dépendance, guardava oltre le scuderie, gli occhi fissi su Cavendon Hall appollaiata sulla collina.

Era una piacevole mattina di giugno e la luce a nord creava un alone sul tetto e sui camini che scintillavano sotto un cielo luminoso e sereno.

Com'è stupenda oggi la casa, pensò, imponente e sicura. Sorrise ironicamente. Sicura in realtà non lo era per niente.

Per quanto grandiosa apparisse quella mattina, ancora una volta stava affrontando gravi problemi e lei era sinceramente preoccupata per il suo futuro, per il futuro di tutta la proprietà, compresa la brughiera in cui vivevano i galli cedroni, per non parlare della stessa famiglia Ingham.

Sospirò e chiuse gli occhi, cancellando il panorama. Cavendon li aveva dissanguati per anni e aveva richiesto un enorme quantità del loro tempo. Avevano fatto grandi sacrifici e la casa era diventata un pozzo senza fondo che fagocitava denaro.

Aprì gli occhi e si chiese come avrebbero fatto a evitare di essere travolti dai problemi. Non ne aveva idea. Per una volta in vita sua si sentiva impotente, incapace di formulare un piano d'azione a prova di bomba.

Nei suoi pensieri s'inserì un rumore di zoccoli e scorse suo fratello Harry attraversare il cortile della scuderia con Miles che camminava a fianco del cavallo.

Appena suo marito la notò, alzò una mano per salutarla e le sorrise... quel sorriso speciale riservato soltanto a lei, e il cuore perse un colpo nel constatare la felicità sul viso di Miles che non s'era aspettato di vederla.

Harry si unì al saluto e lei agitò la mano in risposta e osservò il fratello uscire dal cortile per i suoi soliti giri della tenuta del sabato mattina. Harry amava il suo lavoro e il suo impegno aveva fatto un'enorme differenza in più di un modo. I nuovi giardini, che aveva ideato e realizzato dopo essere stato congedato dalle forze aeree per invalidità, erano stupendi e avevano attratto numerosi visitatori.

Miles la raggiunse e le cinse la vita con un braccio. «Mi sei mancata a colazione. Per quanto adorabili siano i nostri figli, non possono di certo prendere il tuo posto, tesoro.»

«Avevo bisogno di rivedere i conti che zia Dottie mi ha spedito da Londra, prima della riunione.»

«Maledizione! Mi sono dimenticato della riunione», esclamò Miles, in tono irritato. «Allora spicciati e preparati alla battaglia. Non hai alternative e lo sai.»

«Già.» Cecily sorrise. «Me ne vado, ma non ci sarà nessuna battaglia, magari qualche lamentela, ma niente di più.» Gli lanciò un bacio.

«Lo so, ma ricorda che la prossima settimana saremo soli con i ragazzi e zia Charlotte. Il resto della famiglia sarà partita per le vacanze, grazie a Dio.»

«Non vedo l'ora», ammise. Attraversò il cortile della scuderia, diretta alla terrazza che si allungava per tutto il retro della casa, sul parco di Cavendon.

Una volta raggiunta, vide che né le tre cognate né zia Charlotte erano ancora arrivate per il loro abituale aggiornamento settimanale. Si accomodò su una sedia in vimini, lo sguardo sulla tenuta che diradava fino al villaggio di Little Skell.

A sinistra del parco nuotava una coppia di cigni bianchi. Era stato il primo conte, Humphrey Ingham, a stabilire che a Cavendon ci sarebbero dovuti essere sempre dei cigni in onore del suo fedele assistente James Swann.

Il panorama mozzafiato non era cambiato nel corso degli anni, sin da quando era stata costruita la casa nel diciassettesimo secolo. Non si poteva dire lo stesso del resto. Le cose ora erano diverse... niente era più come prima.

Le tornarono alla mente gli ultimi quattro anni. Nel 1945 quando la guerra era finita con la vittoria e la gente si era sentita euforica. Sfortunatamente quel senso d'orgoglio, trionfo e sollievo si era rapidamente spento. Il Paese era in rovina, il grande impero britannico si stava sgretolando e il popolo si lamentava e non vedeva l'ora che le cose migliorassero. *Cosa che non succedeva*. Come se non bastasse Churchill era stato rimosso, il partito laburista aveva vinto le elezioni e aveva eletto Clement Attlee come primo ministro.

I consigli comunali erano senza risorse e faticavano a funzionare. Le zone bombardate, enormi voragini nel terreno come pugni negli occhi in ogni grande città, non venivano ricostruite per mancanza di fondi. Gli edifici distrutti erano cumuli di macerie che ricordavano la guerra e il cibo e alcuni beni di prima necessità erano ancora razionati.

A Cecily pareva che il Paese fosse rimasto immobile. Ora, nel 1949, sperava che le cose migliorassero. La gente era più ottimista e nell'aria c'era un senso di allegria. Il matrimonio della principessa Elisabetta, celebrato diciotto mesi prima, aveva risollevato gli spiriti.

La Gran Bretagna, però, era ancora un Paese di vecchi, donne e bambini. Centinaia di migliaia di giovani non erano tornati dai campi di battaglia, caduti in terre straniere. Sapeva quanto questo avesse danneggiato Cavendon, una grande proprietà che aveva perso molti dei giovani delle fattorie e dei villaggi, intere famiglie devastate dalle perdite per la seconda volta nel giro di una generazione. La loro era una tenuta agricola che aveva bisogno di uomini robusti per arare i campi, mietere il raccolto e occuparsi del bestiame.

Miles diceva che erano fortunati perché due delle ragazze di campagna, le Land Girl, erano rimaste e gestivano numerose fattorie e grazie agli annunci sui giornali locali, Harry era riuscito ad assumere tre famiglie che si erano trasferite nelle fattorie a Mowbray e a High Clough. Nel sentire delle voci, Cecily si girò e si alzò. Attraverso la portafinestra vide zia Charlotte che stava parlando con Eric Swann, il maggiordomo di Cavendon.

«Buongiorno, non m'aspettavo di vederti oggi, zia», salutò Cecily entrando nella biblioteca. Come lei, la prozia era una Swann, sposata a un Ingham, anche se nel suo caso a tarda età. Ora contessa vedova di Mowbray, l'anziana donna conservava il portamento eretto di quando era ragazza, anche se il volto ora era segnato da rughe e i capelli erano bianchi.

«Ciao, cara. Perché no? È l'ultima delle riunioni estive. È giusto che sia presente.»

«Vedo che ha portato il caffè», notò Cecily guardando Eric. «Ne gradirei una tazza, per favore. E tu, zia Charlotte?»

«Sì, volentieri, ma prima che arrivino le altre, vorrei parlarti a quattr'occhi.»

«Subito, milady», rispose Eric, girandosi verso il vassoio sul tavolo.

Charlotte si sedette accanto al caminetto e fece segno a Cecily di unirsi a lei. «C'è qualcosa che devo dirti... in privato.»

Prima di poter aggiungere altro, la porta della biblioteca si aprì ed entrò lady Diedre. La maggiore delle sorelle

Ingham era un'elegante cinquantaseienne sempre alla moda, con i biondi capelli ora striati di grigio. Oggi indossava i suoi pantaloni preferiti a gamba larga con una morbida camicetta in seta.

Cecily lanciò un'occhiata alla zia, la loro conversazione privata avrebbe dovuto aspettare. Si alzò per salutare la cognata che era considerata il cervello delle sorelle, avendo lavorato per anni al War Office. Non sopportava gli stupidi e la sua acuta intelligenza aveva sempre vivacizzato qualsiasi riunione.

Alle spalle di Diedre entrò lady Dulcie, la minore delle sorelle Ingham. Madre di tre figli, si era arrotondata con l'età, ma nonostante i quarant'anni, rimaneva agli occhi di tutti ancora la piccola di casa. Appena tutte si furono sedute, Diedre si rivolse a Cecily. «Voglio congratularmi con te per il successo del negozio di souvenir. Hai fatto uno splendido lavoro e i guadagni sono stati molto utili.»

«Grazie», rispose Cecily. Di solito era Diedre a fare da paciere quando sorgevano piccoli alterchi e battibecchi. «Sinceramente non avevo idea che la gente si sarebbe interessata a così tanti oggetti legati a Cavendon.»

Poi rivolgendosi a Dulcie chiese: «Quanto a lungo vi fermerete a Hollywood? Miles ha detto che James deve girare due film per la MGM stando al vecchio contratto».

«Sì, ma penso che torneremo in tempo per Natale. Almeno questo è il nostro programma. Inoltre James vuole mettere in scena un pezzo teatrale nel West End l'anno prossimo.»

«Mi fa piacere», ammise Cecily. «Il Natale senza di voi non sarebbe lo stesso.» Adorava l'affascinante cognata, divertente e realista come era sempre stata, malgrado il successo del marito a Hollywood.

In quel momento si aprì la porta e fece il suo ingresso Daphne, l'ultima delle sorelle Ingham. Cecily restò a bocca aperta per la sorpresa. Era evidente che la cognata era pronta per partire molto più che per un fine settimana a Cavendon.

Daphne salutò tutti con freddezza. «Sono venuta solo per salutarvi. Non resto per la riunione», fece una pausa guardandole con un'espressione risoluta. «In ogni caso, non mi ascolta mai nessuno.»

Cecily indietreggiò sconvolta. Daphne era da ogni punto di vista la castellana di Cavendon. Da quando sua madre le aveva abbandonate, era stata lei a gestire la tenuta e aveva sempre vissuto qui.

«Hugo e io partiremo tra poco», riprese Daphne. «Desideriamo cenare con i nostri figli a Londra e domani, come sapete, andremo a Zurigo. Volevo solo avvertirvi che non torneremo per un lungo periodo. Forse un anno.»

«Accidenti, Daphne, hai intenzione di stare via un anno intero!» esclamò Diedre sbigottita. «Proprio tu te ne vuoi andare da Cavendon? Perché?»

«Perché non sopporto più come vanno le cose qui», rispose con calma. «Non ce la faccio a vivere tra sconosciuti che si aggirano per la casa e i giardini. Sono ovunque. Li incrocio di continuo. È insopportabile.»

S'interruppe e fissò a lungo Cecily. «Per me è tutto troppo commerciale, Ceci. Mi sembra un enorme emporio, un prolungamento di Harte's, con i negozi, il caffè e la galleria d'arte. Temo che tu abbia trasformato Cavendon in un'orrenda attrazione turistica.» Scosse la testa, l'espressione triste, e senza pronunciare un'altra parola, uscì dalla biblioteca chiudendosi silenziosamente la porta alle spalle.

Nella stanza cadde il silenzio.

Le due sorelle si scambiarono un'occhiata. Quella decisione le aveva prese alla sprovvista lasciandole di stucco.

Zia Charlotte parlò per prima. «Penso che dobbiamo giustificare Daphne e le sue parole. È esaurita. Ha messo tutta se stessa in Cavendon. Credo che alcune settimane di pace e tranquillità a Zurigo la faranno sentire meglio.»

«Incolpa me», sussurrò Cecily. «È dalla fine della guerra che non ha fatto che ripetere che stavo rendendo Cavendon troppo commerciale. Lei e Hugo non hanno mai smesso di lamentarsi... soprattutto delle visite alla casa. Ultimamente è stata molto fredda con me.»

«Ma sono i soldi che guadagniamo grazie al pubblico che ci permettono di tirare avanti!» gridò Dulcie. «E dà anche a me la colpa, perché mi hai permesso di aprire la mia galleria d'arte. Ma tutti i profitti vanno nelle casse di Cavendon, non a me.»

«Non lasciatevi influenzare dalle sue parole», cercò di calmarle Diedre. «Francamente, sono d'accordo con zia Charlotte, Daphne è spossata da anni e ritengo che si meriti un lungo riposo e lei adora la villa a Zurigo. Si rimetterà in forze e tornerà presto quella di sempre.»

«In che senso è spossata?» domandò Dulcie, facendo scorrere lo sguardo da Diedre alla zia Charlotte. «Pensate che Daphne sia *malata*?»

«No», rispose zia Charlotte. «Ma si è dedicata con così tanto trasporto alla casa che... ecco...» S'interruppe prima di continuare. «È come se fosse un po' *possessiva*.»

«Il pubblico le dà sui nervi, ma senza le visite e i negozi...» Diedre alzò le mani in un gesto d'impotenza. «Non so dove saremmo.»

«Rovinati», finì per lei Cecily. «Ecco, non del tutto, ma quasi.»

«Per fortuna la gente è affascinata da Cavendon Hall e dai giardini», fece notare Dulcie. «Pagano un prezzo esorbitante per il privilegio di visitarli.»

Rise, seguita dalle altre, e l'umore cambiò.

«Forse dovremmo saltare la riunione e dedicarci ai nostri affari», suggerì Diedre.

«Se non c'è altro, credo che andrò a finire di fare i bagagli», annunciò Dulcie alzandosi. «Ho qui un sacco di vestiti che voglio portare a Beverly Hills.»

«A proposito di fare i bagagli, sarà bene che li faccia anch'io», intervenne Diedre. «Will e io partiremo per Beaulieu-sur-Mer agli inizi della settimana prossima.» Lanciando un'occhiata a Cecily, aggiunse: «Ambrose, il fratello di Will, ci lascia la casa nel Sud della Francia per sei settimane e a noi farebbe un enorme piacere se tu e Miles veniste a trovarci, Cecily. E perché non vieni anche tu, zia Charlotte?»

«Grazie per l'invito cara, e potrei davvero accettarlo, a patto che Cecily e Miles si uniscano a me. Adesso preferisco viaggiare con qualcuno, sai, comincio a essere una vecchia signora.»

«Che sciocchezza!» esclamò Diedre. «Non hai né l'aspetto né l'atteggiamento di una persona della tua età e sei sana come un pesce, ma ti capisco. Facci soltanto sapere quando puoi venire.»

Cecily le rivolse un sorriso distratto. Sentiva accendersi le emozioni, ma non disse nulla fin quando le cognate non furono uscite dalla stanza, poi si avvicinò alla finestra e fissò i terreni.

«Di che cosa volevi parlarmi?» la sollecitò Cecily.

«Della tenuta», rispose Charlotte. «È inutile che ti rammenti che ero l'assistente personale di David Ingham, il quinto conte, e come tale la conosco meglio di tutti gli altri, anche di Miles. Una decina di giorni fa mi è tornata in mente la prozia Gwen e ho ripensato che non aveva alcun diritto di lasciare Little Skell Manor a Diedre, perché in realtà non le apparteneva. E non apparteneva neppure a sua sorella, che l'aveva lasciata alla prozia Gwen. Cavendon Hall, tutti gli edifici nella tenuta, le migliaia di acri di terra, la brughiera del gallo cedrone e il parco appartengono al conte, chiunque egli sia. Eppure, negli ultimi cinquantacinque anni i conti che si sono avvicendati hanno concesso ai membri della famiglia di vivere nelle due case senza pagare l'affitto.»

«Vuoi dire», domandò Cecily, «che James e Dulcie dovrebbero pagare un affitto perché vivono a Skelldale House e così pure Diedre e Will perché occupano Little Skell Manor?»

«Proprio così», confermò Charlotte. «Per esserne assolutamente sicura, ho controllato gli schedari che avevo compilato anni fa e mi sono imbattuta in importanti documenti che hanno confermato quello che ti ho appena detto.»

«Dovremo convincere Miles, potrebbe non volerlo fare.»

«Gli scritti che ho ritrovato lo provano», ricordò Charlotte a Cecily. «So che il quinto conte li aveva trascurati, perché ho lavorato con lui, e ovviamente il sesto conte ha fatto lo stesso. Ora il settimo può raddrizzare le cose.»

Cecily non ne era tanto sicura. Conosceva suo marito e sapeva che avrebbe detestato l'idea, in particolare perché le sue sorelle credevano di aver ricevuto in dono le due case. E avrebbe dato, ancora una volta, la percezione che gli Swann s'intromettessero nell'operato e nella gestione degli Ingham.

Si alzò stancamente e si congedò.

2

Nei momenti di tristezza o di preoccupazione, Cecily andava in un posto particolare di Cavendon dove stare da sola e calmarsi.

Non era più il giardino delle rose che aveva usato per anni come rifugio, anche se non aveva smesso di andarci di tanto in tanto anche ora. In questo periodo si recava alla tomba di DeLacy, dove si sedeva e parlava con la sua più cara amica. DeLacy Ingham era stata tragicamente uccisa durante la guerra quando la casa in South Street era stata colpita da una bomba e Cecily continuava ad avere nostalgia dell'amica d'infanzia, la sorella mancante delle Quattro Dee, come erano conosciute.

S'incamminò verso il cimitero che si trovava dall'altra parte del parco, vicino ai boschi. Appena arrivata notò che qualcun altro era stato lì prima di lei. Il vaso sulla tomba era pieno di rose rosa tardive.

Rimase senza fiato, commossa al pensiero che un altro membro della famiglia avesse recentemente sentito la necessità di andare a trovare DeLacy. Era così che pensava a queste visite, *andare a trovare DeLacy*, non andare alla tomba di DeLacy. Quell'idea le era insopportabile. Si sedette sull'erba e si appoggiò alla pietra tombale. Con l'occhio della mente poteva vedere l'amica come se fosse stata davanti a lei, sentire la sua voce allegra dirle qualcosa di speciale, e le loro risate che riecheggiavano nell'aria...

Lacy le mancava così tanto che la faceva soffrire fisicamente, un dolore interiore, una tremenda nostalgia per qualcuno che aveva amato e perduto, qualcuno che non avrebbe più potuto abbracciare o con la quale non avrebbe più potuto ridere. La prematura morte di DeLacy era la sua più profonda perdita.

Cecily pensò agli anni durante i quali erano cresciute insieme, qui a Cavendon, sempre intime, mai lontane una dall'altra. Avevano la stessa età, le stesse necessità. Mentre DeLacy era una Ingham, una delle quattro figlie del conte, e Cecily una Swann, che serviva l'aristocratica famiglia, la divisione sociale non aveva avuto alcun senso per loro. Eravamo un tutt'uno, come un'unica persona, pensò all'improvviso Cecily, intrecciate come un bel tessuto, e pensavamo e dicevamo le stesse cose.

Le sfuggì un sospiro e chiuse gli occhi, ricordando la loro tremenda lite. Non si erano parlate per anni ed era stato Miles a provocare la riconciliazione implorata da Lacy, e Cecily aveva acconsentito a dimenticare e perdonare, e l'aveva fatto con tutto il cuore. Quando erano tornate amiche, era stato tanto facile, tanto naturale, come se non fossero mai state separate. In un attimo erano tornate nuovamente una persona sola.

Per Cecily, DeLacy era sempre stata la più bella delle quattro sorelle, anche se lady Daphne era stata scelta come la bellezza della famiglia dal loro padre.

Le sorelle di suo marito erano tutte bionde con occhi azzurro cielo... Diedre, Daphne, DeLacy e Dulcie, ciascuna con il proprio titolo onorifico di lady, in quanto figlie di un conte. Le sue cognate, le sue amiche. Proprio per questo le parole che Daphne aveva pronunciato poco prima l'avevano ferita profondamente.

Fino a dopo la guerra non c'erano mai stati screzi seri tra gli Ingham e gli Swann. Era stato *allora* che il tessuto della famiglia era stato stracciato all'improvviso e inaspettatamente. Tutto a causa dell'impellente bisogno di soldi per pagare le nuove tasse governative e per la gestione della tenuta. Miles era consapevole di essere il guardiano di un'antica stirpe, uno dei più importanti conti d'Inghilterra, ma la sua eredità era un fardello pesante e questo Cecily lo sapeva. Molte antiche tenute erano state messe in vendita negli anni dopo la prima guerra mondiale e ora la seconda aveva reso il mantenimento ancora più arduo. Un vecchio ordine mondiale era scomparso per sempre: il mondo in cui le grandi dimore erano piene di servitori e il denaro fluiva nelle casse, era ormai un lontano ricordo.

Quando poco prima si erano separate, zia Charlotte le aveva detto che era la prima volta, a memoria d'uomo che erano sorti dei problemi tra le due famiglie. E lei doveva saperlo. Zia Charlotte era stata la custode dei registri della famiglia Swann per tutta la sua vita da adulta. Erano stati scritti da James Swann fin da quando era stata costruita Cavendon, al tempo del primo conte. In quei libri c'erano tutti i segreti degli Swann e degli Ingham, ma li potevano vedere solo gli Swann.

Agli Ingham non era mai stato permesso leggerli. Ora erano nelle sue mani e Cecily avrebbe tenuto i libri che sarebbero passati a un altro Swann solo dopo la sua morte.

Cecily si concentrò sulla zia che aveva una posizione privilegiata nelle due famiglie, matriarca degli Swann e, come contessa vedova di Mowbray, matriarca degli Ingham. Aver lavorato per il nonno di Miles, David Ingham, il quinto conte, molto prima di sposare il sesto conte, Charles, avanti negli anni, significava che non c'era molto che non sapesse delle due famiglie. Che fortuna per loro che adesso si fosse ricordata che le due residenze, Little Skell Manor e Skelldale House, appartenevano al settimo conte e non alle donne che vi avevano vissuto nel corso degli anni.

Cecily sperò che suo marito non si sarebbe comportato da sciocco, rimanendo sul suo piedistallo e sostenendo che le sue sorelle dovevano continuare a viverci senza pagare un affitto.

A ben pensarci, anche Daphne viveva gratis con il marito e i figli nell'ala sud di Cavendon. Avevano mai versato un contributo? Avrebbero dovuto iniziare a farlo adesso? Non sapeva rispondere.

Cecily provò un improvviso fiotto di risentimento. Sua cognata la incolpava per l'intrusione nella propria vita privata dei visitatori e lei dovette ammettere di esserne ferita, visto tutto ciò che aveva fatto negli anni. Più e più volte aveva salvato Cavendon dal disastro, consolidandola con introiti provenienti dalla propria casa di moda.

Inaspettatamente le lacrime presero a rigarle le guance. Stava piangendo per la perdita della sua amata DeLacy, ma anche per le accuse che le aveva rivolto Daphne, parole assolutamente ingiuste.

Rimase seduta accanto alla tomba riprendendo il controllo delle proprie emozioni. Mentre tornava verso casa, vide Alice percorrere in tutta fretta il sentiero dal villaggio di Little Skell.

«Stavo venendo a cercarti, Cecily», l'abbracciò sua madre un secondo più tardi. «Tuo padre mi ha detto che lady Daphne e il signor Hugo sono partiti per Zurigo e che lei non ha neppure partecipato alla riunione di famiglia.»

«Oh... la rete di comunicazione Swann si muove alla svelta», ribatté Cecily, con un accenno di umorismo nella voce. «Immagino tu sappia anche che dà a me la colpa per la commercializzazione di Cavendon, l'apertura al pubblico e via dicendo.»

«Lo so», confermò Alice. «Se penso a tutto il denaro che hai girato alla famiglia per conservare Cavendon, mi ribolle il sangue. Migliaia di sterline. Avevi dato il tuo contributo anche quando la Swann Couture stava iniziando a decollare, e in seguito avevi acquistato quel mucchio di gioielli Ingham e poi avevi fatto avere al conte assegni annuali dai ricavi della tua collezione delle copie.» Alice scosse la testa e sospirò. «Povera Daphne, secondo me non sta bene. Forse è esaurita. So che nel profondo del cuore ti vuole molto bene, tesoro. Ma mi sembra che tu abbia pianto. Non per Daphne, spero?»

«No, no, è che mi manca DeLacy. Però al momento mi sento ferita, ma passerà.» Cambiò rapidamente argomento. «Zia Dottie non vede l'ora di rivedere te e papà.»

Sua madre sorrise. «Anch'io sono contenta. È sempre così allegra e amabile.»

Miles si girò e balzò in piedi nel vedere la moglie entrare nel suo studio. «Eccoti qui, tesoro», esclamò, il volto soffuso d'amore. «Mi stavo chiedendo dov'eri.»

La prese sottobraccio e la portò al divano.

«Non c'è stata alcuna riunione...» iniziò con rammarico Cecily. «Daphne...»

«È passata di qui», la interruppe. «Con Hugo al seguito che mi ha comunicato che sarebbero andati a vivere a Zurigo per alcuni mesi. Poco dopo è venuta zia Charlotte a parlarmi della sua piccola macchinazione, neppure tanto piccola a dire il vero.» La fissò e con la punta delle dita le asciugò dolcemente una guancia umida. «Hai pianto. Mi auguro non per Daphne.»

«No. Sono andata a sedermi accanto a Lacy per alcuni

minuti. Mi manca.» Mentre parlava, si passò le mani sulla faccia, si raddrizzò e rivolse al marito un sorriso smagliante.

Miles la scrutò. Cecily aveva quarantotto anni ed era ancora una bella donna, con folti capelli rossi, la carnagione chiara e quegli insoliti occhi color lavanda. Ci fossero state delle rughe attorno agli occhi, non le avrebbe notate. Era la sua donna, sua moglie, la sua compagna, la sua anima gemella e la sua salvatrice. Senza di lei sarebbe stato perso.

Lui ne aveva cinquanta, portati bene, i capelli sale e pepe, e gli occhi qualche volta appesantiti dalle occhiaie. D'altra parte, cinquanta erano cinquanta. Faceva di tutto perché nessuno si accorgesse di quanto fosse stanco, anche se sospettava che questa donna che aveva amato per tutta la vita, lo sapesse benissimo. Cecily Swann, la ragazza di cui si era innamorato dall'infanzia. Oggi Cecily Ingham, sua moglie. Non c'era mai stata un'altra. Il suo breve matrimonio con Clarissa, un matrimonio imposto, era stato una farsa. Grazie a Dio ora al suo fianco aveva la sua Cecily, una donna amorevole e leale.

Si chinò verso di lei e le baciò la fronte. «Non permetterò a nessuno di incolparti per avere trasformato Cavendon in un'impresa commerciale. Tutti noi abbiamo sostenuto questo progetto e abbiamo dovuto farlo per sopravvivere.» S'interruppe, agitò la mano verso la finestra, indicando l'intera tenuta.

«Zia Charlotte ti ha detto che Daphne *rimprovera* me?»

«Sì. E con ogni probabilità accusa Dulcie di avere aperto la galleria d'arte. E Harry per avere creato quei fantastici giardini che attirano fiumane di visitatori. Suo figlio Charles per avere scritto un libro su di noi che richiama e porta ancora più visitatori. E Paloma per avere realizzato un libro fotografico sui giardini di Harry che va a ruba. E sono sicuro che le sue peggiori accuse sono rivolte a me. Suo fratello, il settimo conte, che ha permesso che accadessero tutte queste cose orrende.» Sorrise. «Per piacere, non prestare ascolto alle sue parole. Tu ci hai salvati, non ci hai rovinati. E tutti noi ti abbiamo aiutata e appoggiata.»

«Oh, Miles, mi fai sentire meglio. Ero un po' depressa, temo che l'atteggiamento di Daphne mi abbia angustiata per tutto l'anno. Lei e Hugo non hanno fatto altro che brontolare, per non dire di peggio. Hai intenzione di seguire il consiglio di zia Charlotte? Farti pagare un affitto per Little Skell Manor e Skelldale House?»

«Mi ha convinto a pensarci.» Miles non aveva intenzione di sbilanciarsi.

«Se lo possono permettere entrambi. James e Will sono ricchi e Diedre lavora.»

«Lei è sempre stata più che disponibile ad aiutare e in realtà quelle due case sono tassate come parte integrante della tenuta.»

«Allora non hai scelta», concluse Cecily.

Miles si alzò, si avvicinò alla finestra e osservò la brughiera. Dopo un lungo silenzio tornò a sedersi accanto a lei. «La partenza di Daphne sarà un altro peso per te», riprese, afferrandole la mano. «Credo che dovremmo discutere dei problemi ora e liberarcene.»

«Dovrò restare tutto il tempo a Cavendon e gestirla io, vero?» domandò Cecily, percependo la serietà nella sua voce.

«Temo di sì. Devi assumerti tutte le tue responsabilità di castellana. Dopotutto, sei la settima contessa e devi condurre tutti gli eventi dei tre villaggi e far parte della vita di tutti e tre.»

«È quello che ho fatto nel corso di molti anni», protestò Cecily. «Mi rendo conto che Daphne ha sempre messo mano alla supervisione di Cavendon Hall, specialmente quando si trattava di mantenere l'arredamento delle stanze, controllare le infiltrazioni e compilare liste. E ha tenuto sempre informati Ted e Paul Swann, mostrando loro i danni.»

«Quello non è un compito difficile, Ceci. Chiederemo a ogni membro della famiglia di tenere gli occhi aperti. Temo che in un certo senso Daphne abbia esagerato con questo aspetto della casa, sempre a controllare la falegnameria, incalzando soprattutto Paul.»

«Lo so», ammise Cecily. «Non dimentichiamo che Eric e Peggy non sono partiti con lei per Zurigo.» Con una punta di sarcasmo, aggiunse: «Sono *loro* che gestiscono il lato domestico di Cavendon. Sono anni che Daphne non se ne occupa più. Eric ha ereditato il testimone da Hanson ed è un ottimo maggiordomo e Peggy è una governante straordinaria... Non credo che abbiano bisogno che io stia loro addosso».

«Questo è vero. Ma tu hai trascorso un sacco di tempo a Londra e, a dire il vero, la contessa dovrebbe essere qui regolarmente.»

«Ero a Londra per affari, non per divertirmi!»

Lui le strinse la mano. «Non litighiamo. Ciò che dobbiamo fare è concepire un piano, definire come potrai fare entrambe le cose...»

«Dovrò imparare a delegare», lo interruppe Cecily, «dato che dovrò dirigere i miei affari da qui. Promuoverò zia Dottie e Greta Chalmers. Sono sicura che sono in grado di farlo. Entrambe affronteranno bene una maggiore responsabilità nell'attività.»

«Non ti darà fastidio?»

«Certo che no. Devo essere pratica.»

La gioia gli pervase il volto. La guardò raggiante e nei suoi occhi era tornato quello scintillio che mancava da tempo.

Cecily si sentì morire. Che lei, la contessa, fosse qui tutto il tempo era ciò che desiderava Miles, ciò di cui aveva bisogno. Ma prendendo in considerazione i seri problemi della propria attività, i debiti, la mancanza di denaro, comprese che dedicare meno tempo al proprio lavoro sarebbe stato un disastro. Fu quasi sul punto di confidarsi con lui, ma cambiò idea.

Quest'anno non avrebbe potuto versare soldi nelle casse di Cavendon. La sua attività era in rosso. Ma Cavendon sarebbe sopravvissuta senza il suo contributo? Non ne era sicura.

Perché rovinare il fine settimana? pensò. Gliene parlerò lunedì, gli darò allora le cattive notizie.

«Andiamo a pranzo», lo invitò, alzandosi e regalandogli un sorriso amorevole. Ma, per quanto lo mascherasse, il suo cuore era gonfio di preoccupazioni, sapendo che Cavendon poteva sprofondare.

3

Alicia Ingham Stanton, la figlia maggiore di lady Daphne e Hugo Stanton, fissandosi nello specchio del bagno, rimase sbalordita dal suo aspetto. Gli occhi azzurri erano cerchiati di rosso con occhiaie scure e la delicata carnagione di pesca aveva oggi uno strano colore grigiastro.

Non era sorpresa d'avere un aspetto tanto orribile. La sera prima lei e Charlie avevano bevuto troppi cognac e più tardi non era riuscita ad addormentarsi. Ora, alle sei del mattino, si sentiva completamente spossata.

Rabbrividì ripensando alla serata trascorsa con i genitori e i fratelli. La cena al *Savoy Hotel* prima della partenza dei suoi per Zurigo era iniziata bene, ma era degenerata in una lite violenta. Sapendo di essere l'unica capace di evitare polemiche, si era alzata di colpo e aveva minacciato di andarsene immediatamente. Consapevole che faceva sempre seguire l'azione alle parole, Charlie si era tirato indietro e la loro madre si era zittita.

Suo padre era poi riuscito a placare l'imminente tempesta e aveva ricreato una specie di tregua tra loro. Ma per Alicia la cena era stata un disastro, rovinata dall'asprezza della madre riguardo Cavendon.

Studiandosi nuovamente allo specchio, prese una salvietta, la immerse nell'acqua gelida e se la applicò sulle guance. Non era particolarmente vanitosa, ma sapeva che doveva prendersi cura del suo aspetto, dal momento che era un'attrice cinematografica. La cinepresa poteva compiere miracoli, ma anche sottolineare i difetti. Tra due settimane avrebbe iniziato a girare una nuova pellicola e doveva apparire al meglio, essere in ottima forma.

Tornata a letto si infilò sotto la coperta, decisa a dormire per un paio d'ore. Avrebbe pranzato con Charlie e sapeva di dover essere riposata e sveglia prima di incontrarlo.

Alicia non criticava il fratello per il fiasco della sera precedente, la colpa era della madre. Erano rimasti tutti sconcertati dai commenti pungenti di Daphne su Cecily, compreso il padre. Charlie, come al solito, non era stato capace di trattenersi e si era lanciato in un'accesa difesa di Cecily prima che lei riuscisse a fermarlo. Come sempre, quel contrattacco verbale era stato per sua madre come una bandiera rossa per il toro.

Eppure era più che giustificato, pensò ora Alicia. Charlie aveva avuto ragione a difendere la donna che più di una volta aveva salvato la famiglia dalla catastrofe. Sua madre invece aveva avuto torto ad attaccarla. Perché mai Daphne si era comportata così?

Pur non avendone parlato ad anima viva, Alicia temeva che la madre fosse malata. Ultimamente aveva notato piccoli indizi. A volte un tremore alle mani, un'esitazione nel cercare di ricordare qualcosa, un'irritabilità imprevedibile.

Il padre conosceva la verità? Teneva nascosto qualcosa ai figli? Forse. Hugo non avrebbe mai rivelato nulla ai figli che riguardava la loro madre. Li amava, ne era certa, ma la sua principale priorità era la sua splendida Daphne. Lui era sempre stato il suo cavaliere nell'armatura scintillante. Era iniziata così... amore a prima vista per lui e da quel momento era stato incantato dalla sua bellezza e dal suo fascino, devoto e solidale. Forse avrebbe dovuto parlarne con Charlie, riferirgli le sue preoccupazioni. Doveva inoltre discolparlo per avere parlato apertamente, rassicurarlo che aveva avuto ragione. Era sicura che suo fratello stesse ancora covando la rabbia della sera precedente.

A trentacinque anni, Alicia, quattro più di Charlie, l'aveva protetto fin dall'infanzia, si era sempre presa cura di lui. Erano come gemelli, più di Andrew e Thomas che lo erano realmente.

Lo squillo del telefono interruppe le sue riflessioni. Sollevò il ricevitore. «Pronto?»

«Sono io», borbottò una voce.

«Brin? Sei tu?» esclamò Alicia.

«Chi altri potrebbe chiamarti a quest'ora impossibile?»

«Qualcosa non va? Hai la voce strana.»

«Sono rimasto in piedi tutta la notte. Sto per collassare, forse morire. Vengo da te, d'accordo?»

«Vengo a prenderti. Dove sei?» gridò lei, allarmata.

«Sono appena uscito da Albany, la casa di Jake Stafford... sono in una cabina telefonica a Piccadilly.»

«Questo l'ho capito.»

«Dimmi che mi fai entrare... Vuoi che mi arrestino per vagabondaggio?»

«Sali subito su un taxi. Hai dei soldi?»

«Sì.»

«Ti aspetto.»

«Maledizione, lo spero proprio.»

La linea cadde e lei fissò a lungo il ricevitore prima di rimetterlo sulla forcella. Nell'anno della loro intensa e appassionata storia d'amore non era mai successa una cosa simile. Gli piaceva bere, era vero, ma reggeva bene l'alcol e non perdeva mai il controllo. Al telefono sembrava non perfettamente in sé e non poté evitare di chiedersi se fosse ancora ubriaco.

Balzò giù dal letto, corse in cucina e mise la caffettiera sul fuoco. Tornò di corsa in camera da letto, s'infilò una vestaglia di seta, entrò in bagno, si tolse la crema, si lavò la faccia e i denti e si spazzolò i capelli. Pronta a tutto, borbottò.

In cucina si mise a preparare un vassoio, ma fu interrotta dal suono del campanello. Facendosi coraggio, andò ad aprire la porta, incerta su cosa aspettarsi.

Lo chiamava Brin, dal nome del suo giocattolo preferito da bambina. In realtà si chiamava Bryan MacKenzie Mellor, nato trentun anni prima a Edimburgo da madre scozzese e padre inglese. Un attore pure lui, era alto, bello, avvenente ed era ritenuto il secondo uomo più affascinante sul palcoscenico del West End. Il primo era suo zio, James Brentwood, considerato ancora oggi il più grande idolo della folla di tutti i tempi.

Brin era orgoglioso del suo aspetto e dei suoi abiti Savile Row alla moda e di solito non aveva un capello fuori posto.

Non questa mattina, pensò Alicia, colpita da ciò che vide. Assomigliava a un barbone che viveva in strada e che si era appena alzato da un canale di scolo.

Il gessato blu era tutto stropicciato e aveva la giacca macchiata. Da un taschino pendeva una cravatta in seta blu, la camicia bianca era macchiata di sangue sul davanti e il colletto era strappato. Notò poi un taglio sopra l'occhio destro e lividi su una guancia appena sotto la barba di due giorni. Ciondolava contro lo stipite della porta e pareva stesse per scivolare a terra.

Lei gli afferrò le braccia e lo tirò nell'appartamento. Lui inciampò e fu sul punto di cadere, ma riuscì a ritrovare un minimo di stabilità. Poi barcollò verso la camera da letto, borbottando: «Bagno».

Alicia lo seguì in camera e gli strinse un braccio. «Forza, tesoro, ora ti metto comodo.»

Lui non protestò, quando lei lo condusse nel salotto, e si lasciò cadere sul divano, con un sospiro di sollievo.

«Vuoi un bicchiere d'acqua? Meglio sarebbe del caffè.»

«Whisky.»

«Assolutamente no. Puzzi come un birrificio.»

«Un rimedio post sbornia», borbottò lui e tentò di sorridere, ma trasalì e rabbrividì.

«Hai fatto a botte, Brin?» domandò lei, chinandosi in avanti e scrutando il taglio sopra il sopracciglio e il gonfiore sulla guancia.

Lui scosse la testa, poi chiuse gli occhi e sospirò profondamente.

Alicia andò in cucina e preparò il caffè. Poi prese una pagnotta, ne tagliò una fetta, vi spalmò sopra del burro, quindi sbucciò una banana e la tagliò a rondelle. Portò il vassoio in salotto e scosse leggermente Bryan.

«Bevi il caffè. Ti farà bene e mangia anche il pane.»

Lui si raddrizzò a fatica e bevve lunghe sorsate di caffè. «Ho fame», ammise, afferrando il pane. «Non ricordo di avere cenato.»

«Che ti è successo ieri sera?»

«Niente. Ero uscito con gli amici... Un giro di pub. Troppi, immagino.» Finì di mangiare.

«Come sei finito da Jake Stafford?»

«Tony Flint e io l'abbiamo portato a casa sua. Era il più malconcio di noi. Ubriaco perso. Ci siamo addormentati sui divani nel suo elegante salotto, troppo stanchi per trascinarci a casa.»

«Stanno bene tutti e due?»

«Quando sono uscito dormivano come sassi.» La bocca si stirò in un debole sorriso e nei suoi occhi verdi iniettati di sangue si accese una luce divertita.

«Mi spiace... di essere capitato qui così, Alsi, ma dove altro sarei potuto andare?»

Lei andò a sedersi accanto a lui. «Hai fatto la cosa giusta, non sono arrabbiata, solo preoccupata per te.»

«Sto bene, grazie al caffè e al pane.» Le cinse le spalle con un braccio e l'attirò a sé.

Di colpo lei si staccò e sorrise. «Puzzi, Brin. Di birra stantia, di whisky, di fumo e di sudore. Di corsa sotto la doccia!»

Si alzò e lo afferrò per un braccio. Lui non si oppose, ma si fece condurre in camera da letto, dove lei lo aiutò a spogliarsi.

Appena fu sotto la doccia, lei trasse un sospiro di sollievo. Si era resa conto che non era ubriaco, che soffriva soltanto dei postumi della sbronza. Il che era rassicurante, ma continuava a essere perplessa. Non era da lui essere trasandato e i suoi abiti malandati l'avevano stupita. Lui che era così pignolo sul suo aspetto e orgoglioso della sua eleganza. Appena sentì che l'acqua non scorreva più, prese un grande asciugamano e glielo porse.

«Grazie», mormorò Bryan. «Mi sento meglio.»

Lei annuì e andò in camera da letto lanciando un'occhiata all'orologio sul comodino. Erano quasi le otto, non aveva più senso tornare a letto. La notte scorsa aveva promesso di andare da Charlie verso le undici per leggere alcuni capitoli del suo nuovo libro e non aveva alcuna intenzione di deluderlo.

Quando si rese conto che Brin era in piedi alle sue spalle, si girò e alzò gli occhi su di lui. Alicia era alta un metro e settantotto, ma lui almeno un metro e ottantacinque, con un ampio torace, un uomo imponente, ma senza un solo grammo di grasso. La luce del sole che entrava dalla finestra gli faceva brillare i capelli biondi e quando lui l'attirò a sé i suoi occhi erano colmi di tenerezza.

«Andiamo a letto», la invitò lui dolcemente.

«Non posso», mormorò Alicia. «Ho promesso a Charlie di aiutarlo con un paio di capitoli questa mattina.»

In punta di piedi baciò la guancia di Brin. «Ma *tu* faresti meglio a dormire. Proprio là.» Con la mano indicò il letto. «Avevi detto che avresti passato il fine settimana con me.»

Lui sorrise. «Sei in debito con me per la notte scorsa... Mi hai abbandonato per cenare con i tuoi invece che con me.»

«Un grosso errore.»

Lui strinse gli occhi e le lanciò una breve occhiata. «Problemi? Non con Charlie, spero.»

«Ci conosci proprio bene. Ma non è stata colpa di Charlie.» Gli prese la mano e lo condusse al letto. «Su, dormi un po' e io tornerò il più presto possibile.»

4

CECILY Swann Ingham era consapevole che stava per affrontare la peggior crisi della sua vita.

Non sapeva più che fare. Per giorni aveva riflettuto sugli enormi problemi che la assillavano. Cavendon stava toccando il fondo, era sull'orlo del disastro. Continuava a pensare che anche il minimo alito di vento avrebbe spazzato via la casa dal bordo del precipizio dove vacillava pericolosamente. Svanita in un batter d'occhio. Bastava un niente. Rabbrividì involontariamente.

La sua amata casa di moda, l'unica costante nella sua vita, il suo pilastro, stava affrontando una crisi finanziaria e per questo non poteva aiutare Miles con le tasse governative, salvando così Cavendon. Nel passato ci era riuscita molte volte, ma adesso non poteva più farlo. *Sfortunatamente*.

Ogni volta che era stata sul punto di rivelargli l'amara verità, aveva perso il coraggio. Gli aveva invece promesso che d'ora in poi avrebbe compiuto il suo dovere quale settima contessa di Mowbray.

Sarebbe rimasta per sempre a Cavendon e non sarebbe più andata a Londra per gestire la sua attività. L'avrebbe fatto da lontano. Si sarebbe assunta i doveri di cui si era fatta carico sua cognata Daphne, prima di andarsene. Cavendon era ora nelle sue mani.

Se Miles si aspettava delle rimostranze o qualche compromesso, si sarebbe dovuto avvedere e presto avrebbe scoperto che il suo appoggio era incondizionato e senza riserve.

Cecily aveva accettato di fare quello che lui voleva, perché era abbastanza realista da capire di non avere altra scelta. Questa era la tradizione famigliare delle dimore storiche. La contessa regnava. Avrebbe dovuto redigere i menu e sovrintendere alla gestione della casa. Sarebbe intervenuta in tutte le attività a Little Skell, avrebbe inaugurato le feste tradizionali in tutti e tre i borghi, distribuito premi nelle scuole dei villaggi e avrebbe fatto parte del Women's Institute.

Una volta, molto tempo prima, Emma Harte l'aveva messa in guardia dal non sacrificare il matrimonio sull'altare dell'ambizione. «Prima il marito, poi gli affari», le aveva raccomandato Emma. «E sii contenta di avere questa opzione. Alcune donne hanno dovuto scoprire sulla loro pelle, che un registro di cassa non tiene caldo il didietro di notte.» Mentre attraversava il parco, sorrise al ricordo di quel consiglio.

Non erano ancora le sette di mercoledì mattina quando Cecily sgusciò fuori casa. Sentiva il bisogno di camminare, di respirare aria fresca, di schiarirsi le idee. E di riflettere. Miles non era a conoscenza del suo dilemma, non sapeva che era disperata. Se non altro, lei sapeva come mostrarsi sorridente e fingere che andasse tutto bene e fosse tutto sotto controllo.

Guardandosi in giro, non poté evitare di pensare a quanto fosse bello il parco di Cavendon quel mattino. I maestosi alberi frondosi, vecchi di secoli, erano lussureggianti sotto un cielo di un pallido azzurro, punteggiato da nuvole bianche che scorrevano veloci. Non c'era sole, ma neppure alcun presagio di pioggia e la luce settentrionale era chiarissima.

Sorrise pensando a quanto poco le importassero le condizioni meteorologiche quando doveva affrontare questioni molto pressanti.

Il problema era che non vedeva soluzioni e non era da lei. Per la prima volta da anni aveva la testa completamente vuota, priva di ispirazioni o di un piano d'azione.

Ho finito la benzina. Questo pensiero tremendo la bloccò di colpo. Che cosa mi sta succedendo? In quel momento vide la porta del giardino delle rose, l'aprì, scese i gradini e si diresse verso la sua panchina preferita. Si sedette e chiuse gli occhi.

Si sentì avvolgere dalla pace, il profumo delle rose tardive le parve un balsamo per la stanchezza. Come si è potuti arrivare a questo punto, si chiese? E di colpo seppe la risposta. *La guerra*. La guerra non aveva solo ucciso gli uomini, raso al suolo le città, lasciato in rovina il Paese e allo sbando l'impero britannico, aveva anche distrutto la sua attività, sia la linea couture sia quella di abiti prêt-à-porter. Si vendevano solo gli accessori e il profumo Rosa Bianca.

Erano state colpite molte altre attività, il denaro scarseggiava, la gente non comperava. La guerra che avevano vinto aveva lasciato la sua impronta in molti modi. Il Paese era in rovina.

Il rumore di uno sbattere di ali di uccelli che si levavano in volo la fece alzare. Si guardò in giro, ma non c'era nessuno, niente li aveva disturbati. Avevano semplicemente deciso di abbandonare gli alberi del parco. *Anche lei avrebbe voluto andarsene. Ma non poteva.*

Si erano levati in aria sparpagliati, ma nel giro di pochi secondi si erano riuniti in formazione, come diretti da una gigantesca mano nascosta. Formarono una enorme V e rimasero in posizione come una squadriglia, volando verso la brughiera dove vivevano i galli cedroni, in formazione perfetta, ogni uccello al suo posto.

Come facevano a sapere come farlo? si chiese stupita. Ecco, forse è nei loro geni. Erano nati sapendo come formare quelle squadriglie e quando volare verso climi più caldi. Quanto era straordinaria la natura.

Erano nati sapendolo.

Suo figlio David, vent'anni, era nato sapendo di essere l'erede della tenuta e che un giorno sarebbe diventato l'ottavo conte di Mowbray. Figlio suo e di Miles, in parte Ingham, in parte Swann. Le due famiglie, unite attraverso i figli, portavano per la prima volta la discendenza congiunta sotto il nome Ingham.

Non poteva deluderlo. Doveva escogitare qualcosa, trovare una soluzione per risolvere i problemi. Doveva vincere. Per David, suo figlio. Il futuro.

Questo pensiero le portò una nuova e inattesa carica. Spalancò gli occhi. Tutto attorno a lei spiccava luminoso. Quanto era bello il miscuglio delle varie sfumature rosa delle rose contro le antiche mura in mattoni rossi; mentre usciva dal giardino e s'inoltrava nel parco, alzò gli occhi verso Cavendon Hall, appollaiata sulla collina. Era di un bianco candido e pareva scintillare nella brillante luce mattutina. Gli alberi regalavano varie sfumature di verde e i prati che declinavano dalla terrazza sembravano rotoli di verde smeraldo che si allungavano verso di lei. Alla sua sinistra i cigni immacolati nuotavano nel lago blu.

Technicolor, pensò. Questa mattina tutto è tanto vivido. Sbatté le palpebre, consapevole che stava vedendo ogni cosa in modo diverso. Era come se le fosse stato sollevato un velo dagli occhi.

Tra un mese, all'arrivo di agosto, la brughiera, ora di un marrone spento, si sarebbe coperta di erica, un mare color porpora che si stendeva fino all'orizzonte. E sarebbe iniziata la stagione della caccia. C'è così tanto da salvare e devo farlo io, si disse.

Automaticamente iniziò a percorrere il sentiero che portava al boschetto e ai carri degli zingari.

«Non piangere, piccola Ceci», le disse la rom, seduta sui gradini del carro, appena la vide.

«Non sto piangendo», ribatté Cecily, entrando nella radura vicino al bosco dove era parcheggiato il carro di Ginevra.

«Stai piangendo nel cuore», la contraddisse Ginevra. «Ma non ce n'è motivo... non c'è bisogno di piangere. Swann domina, lo sai, è quello che ti ho sempre detto.»

Cecily annuì e si sedette sulla sedia che Ginevra sistemava sempre per lei. «Me lo hai detto e io ho sempre creduto alle tue parole, ma al momento non stiamo dominando molto bene.»

«Un bel guaio, lo so, ragazza mia. Ma tu sei dotata, piccola Ceci, hai molti talenti. Come nessun'altra persona che conosco.»

Cecily rimase in silenzio, riflettendo sulle parole di Ginevra. La zingara aveva cinquant'anni, la stessa età di Miles, ma possedeva ancora il suo aspetto esotico e una presenza giovanile.

«Sono molte le strade che portano a Roma, sai», incalzò Ginevra.

«Io non ne conosco neppure una. Ho la mente vuota.»

«No, non ancora, contessa Cecily. La preoccupazione ti acceca. *Swann domina*. Io prevedo il futuro. *Swann vince*.»

«Non so che fare...» La voce di Cecily si affievolì e si sentì impotente.

Ginevra rimase seduta immobile, fissando Cecily prima di parlare con voce ferma. «Va' dagli Swann. Hai bisogno degli Swann.» Un sorriso divertito guizzò sul volto di Ginevra che aggiunse: «In questi giorni più Swann che Ingham. Va' a parlare con Eric... ti aiuterà, piccola Ceci».

Ginevra ha ragione, a Cavendon al momento ci sono più Swann che Ingham, pensò mentre tornava lentamente verso casa.

Miles era l'unico Ingham presente nella villa ora che le sue sorelle erano andate via; lady Daphne a Zurigo, lady Dulcie a Los Angeles e lady Diedre in Francia. Zia Charlotte e lei erano Ingham per matrimonio e i suoi quattro figli erano metà Ingham e metà Swann.

Cecily credeva profondamente in Ginevra, sapeva che era una veggente. Nel corso degli anni le sue previsioni si erano rivelate corrette. Sarebbe andata da Eric Swann, primo cugino di suo padre. Ora maggiordomo a Cavendon, aveva lavorato per gli Ingham per tutta la vita, come sua sorella Laura che era deceduta con DeLacy nella casa in South Street colpita da una bomba volante.

Pochi secondi dopo s'imbatté invece in Percy Swann.

«Buongiorno, vostra signoria», la salutò lui. Come tutti gli altri Swann, si rivolgeva a lei in modo formale. Capo guardacaccia a Cavendon, era il fratello minore di suo padre.

«Buongiorno, Percy», rispose lei sorridendogli. Era uno dei suoi parenti preferiti e una miniera di informazioni sulla tenuta. «Come sta la brughiera dei galli cedroni?»

«Mai andata meglio», affermò Percy. «L'abbiamo tenuta in ottime condizioni durante l'inverno, l'abbiamo curata bene, direi quasi coccolata. In agosto gli uccelli saranno numerosi.»

«Ottima notizia. Congratulazioni. So quanto sia preziosa la brughiera per la tenuta e sono felice che lei e Joe ne siate responsabili. Ho sentito che alcuni Fucilieri arriveranno il 12 agosto, all'apertura della stagione della caccia dei galli cedroni.»

«Esatto, milady.» Percy le si avvicinò e a bassa voce aggiunse: «Questo è solo un suggerimento, se può esserle utile. Dica a sua signoria che molte altre famiglie importanti con distese abitate da galli cedroni stanno ricavando soldi dalla caccia. Invitano i cacciatori, ma si fanno pagare».

Cecily lo fissò a bocca aperta. «Farli pagare! Chi diavolo sono?»

«Ricchi americani», rispose Percy. «Restano in casa come ospiti paganti, vitto e alloggio. L'attività si sta espandendo. Dovremmo farlo anche noi.»

«Ora ricordo», esclamò Cecily. «Ne avevo già sentito parlare dalla signora Harte che mi aveva raccontato che alcuni magnati americani venivano spesso in Inghilterra durante la stagione della caccia. Grazie per il suggerimento. Ne parlerò di certo con Miles.»

Lui si mise il fucile in spalla e le fece l'occhiolino. «Brava ragazza», disse a voce tanto bassa che Cecily lo udì a stento. Mentre saliva i gradini della terrazza ed entrava in casa sorrise tra sé.

Cinque paia di occhi la fissarono mentre entrava nel soggiorno e quattro voci gridarono all'unisono. «Buongiorno, mamma!»

Miles si alzò e la baciò, gli occhi brillanti, mentre le sue labbra le sfioravano la guancia.

«Buongiorno», rispose Cecily ai figli, poi rivolta al marito: «Ti amo. E buongiorno».

«Altrettanto», fu il suo unico commento, ma le strinse il braccio e la accompagnò alla sedia.

«Sono venuto a cercarti nella dépendance, tesoro», le disse Miles. «Dove eri?»

«Sono andata a fare una passeggiata. Avevo bisogno di una boccata d'aria fresca.»

«Scusami se ho iniziato a mangiare prima del tuo arrivo, mamma», cinguettò Gwen, «ma avevo fame.»

Cecily sentì crescere una risata nel guardare la figlia minore, la sua piccola del tempo di guerra, come la chiamava, che ora aveva otto anni. «Be', mi conosci, riesco sempre ad arrivare in ritardo. E non importa che tu non mi abbia aspettata, tesoro.»

«Posso versarti una tazza di tè?» si offrì Venetia. «O vuoi la colazione completa?»

«Il tè andrà bene, grazie.» Girandosi verso David che tanto le assomigliava, disse: «Sei molto elegante, questa mattina. Vai forse da qualche parte?»

«Con papà. Deve vedere il suo avvocato a Harrogate e mi ha invitato ad accompagnarlo.»

Cecily guardò il marito, inarcando un sopracciglio.

«Solo per la compagnia, niente di speciale», spiegò Miles nel notare la preoccupazione nei suoi occhi. «Guiderà David.»

Prima che Venetia potesse versarle il tè, arrivò Eric che mise davanti a Cecily tazza e piattino. Lei lo ringraziò. «A che ora possiamo parlare questa mattina, Eric?» gli chiese sottovoce.

«Quando vuole, sua signoria. Verso le undici? Può andarle bene?»

«Perfetto, verrò nel suo ufficio.»

«Posso servirle la colazione milady?»

«No, grazie, mi basta il tè.»

Eric si ritirò nello stanzino dietro il soggiorno, mentre tutti facevano colazione in silenzio.

Walter, il secondogenito, parlò per primo. «Ho un messaggio per te, mamma, da parte di zia Dottie da Londra. Ha detto che ricambiava la tua telefonata e che sarebbe rimasta nell'atelier tutto il giorno. Scusami se non te l'ho riferito appena sei arrivata.»

35

«Nessun problema, Walter», lo tranquillizzò Cecily. A diciotto anni, Walter era alto e di bell'aspetto, un vero Ingham con capelli biondi e occhi azzurri. Amava gli sport e pareva inconsapevole dell'effetto che aveva sulle ragazze. «Spero che zia Dottie e Greta confermino il programma della loro visita. La richiamerò dopo colazione.»

«Ma mamma», intervenne Venetia, sedici anni, sempre pronta a prendere in giro il fratello, «è bello essere qui, solo noi sei.»

«Sette», la corresse Walter. «Dimentichi zia Charlotte.»

«E va bene, sette. Ma sono contenta che siamo solo noi», mormorò Venetia, guardando il padre che adorava. «Non lo pensi anche tu, papà?»

Miles soffocò la risata che gli stava salendo in gola e annuì. «È un cambiamento», rispose diplomaticamente.

«Sono d'accordo con te, Venetia», s'intromise Gwen. «Ora che i cugini sono partiti, ci sei solo tu a comandarmi a bacchetta.»

«Non ti comando mai», replicò lei indignata.

«Sì, che lo fai», confermò Walter, sorridendo a Gwen, come al solito in combutta con lei. «Tu credi di essere l'esempio da seguire.»

«I cugini americani sono molto prepotenti», commentò Gwen.

«Non sono americani», la corresse aspramente Venetia. «Vivono solo là per una parte dell'anno.»

«Sono comunque prepotenti», ribadì Gwen. «Come te.»

«Non fare la bambina...» iniziò Venetia, interrompendosi bruscamente nel vedere l'espressione sul viso del padre.

«Adesso basta», intervenne Miles. «Saremo soli per tutta l'estate e dovremmo essere felici quando qualcuno viene a trovarci. Smettetela di bisticciare, oppure porterò vostra madre in vacanza e lascerò che ve la caviate da soli.»

Cecily sorrise tra sé, lanciando un'occhiata a Gwen che

era avvampata. La figlia minore le assomigliava nei lineamenti e nel colore del capelli, ma le ricordava Dulcie alla sua stessa età. Vivace, indipendente e capace di difendersi da sola. Gwen non sarebbe mai stata motivo di preoccupazione, sarebbe diventata una donna emancipata. Una guerriera come la zia.

Più tardi quel mattino Cecily andò nel vecchio ufficio di Hanson, occupato ora da Eric Swann. Bussò alla porta, l'aprì e guardò dentro. «Posso?»

«Naturalmente!» esclamò lui, balzando in piedi per salutarla.

«Questa stanza mi ricorda sempre Hanson», disse Cecily sedendosi sulla sedia che Eric le aveva allungato.

«Immagino. Non ho toccato nulla. Quando mi sono insediato qui, ho sentito che questo posto aveva un'aura speciale, quasi sacra.»

«Ne abbiamo già discusso lunedì, subito dopo la partenza per Zurigo di lady Daphne», iniziò Cecily andando subito al punto, «ma ho un paio di domande, Eric.»

«Prego, milady. Risponderò come meglio posso.»

«So che la gente visita le sale nell'ala est e quella nord e la galleria dove sono in mostra i quadri e gli arazzi. Più un paio di sale da pranzo, ma non salgono nelle camere da letto, no? O sbaglio?»

Eric scosse la testa. «No, non sbaglia milady. Visitano solo le sale che ha menzionato.»

«Penso che dovremmo chiudere i piani superiori di quelle due ale. Perché tenerle aperte solo per pulirle? Potremmo coprire i mobili con dei teli e ripararli così dalla polvere, no?»

«Ci ho sempre pensato anch'io. Si toglierebbe del lavoro pesante alle cameriere che sarebbero disponibili per altre mansioni. E sicuramente un aiuto in più per Peggy.»

«Hanson teneva un registro della cantina e della scorta dei vini. Sono certa che lei l'ha mantenuto aggiornato.»

«Naturalmente. È importante sapere cosa abbiamo.»

«È una riserva di bottiglie notevole, vero?»

«Enorme, sua signoria, e a volte mi preoccupa.»

«Perché?»

«Temo che alcuni vini inacidiscano. Nel corso degli anni il quarto, il quinto e il sesto conte hanno fatto scorte di parecchi vini d'annata, ma anche quando c'è la famiglia al completo, le riserve non vengono sensibilmente attaccate, non si beve molto vino.»

«Lo so. Stavo pensando di far venire un enologo da Londra, per stilare un inventario. Forse potremmo mettere all'asta alcune bottiglie.»

Eric la fissò a bocca aperta. «Pensa che sua signoria sarebbe d'accordo?»

«Non ne sono sicura. Ma vale la pena ascoltare l'opinione di un esperto, soprattutto se ritenesse che alcuni vini potrebbero andare a male. Sarebbe un tale spreco! Credo valga la pena tentare.»

«Concordo sul sentire un'opinione, ma penso che il conte si opporrebbe a una vendita all'asta», insisté Eric.

«Forse.» Rivolse al cugino una lunga occhiata, poi sussurrò: «Quando parlo a Miles in un certo modo, mi ascolta sempre, Eric, e il denaro ci farebbe comodo. Siamo a corto di soldi».

«Lo so, sua signoria. A proposito, ieri, mentre stavo sistemando il nuovo baule per i registri Swann nel solaio, mi sono imbattuto in una grande cassa di legno che contiene alcuni quadri. Sono di Travers Merton...» S'interruppe sapendo che toccava un tasto sensibile. «Credo che appartenessero a lady DeLacy.»

«Le aveva regalato alcune tele...» iniziò Cecily, poi si bloccò fissandolo. Entrambi ricordarono la notte in cui Travers era deceduto. Erano andati insieme nello studio dell'artista per portare via DeLacy da quella scena tremenda. Era stata una notte terribile e la vita di DeLacy non era più stata felice.

«Quei dipinti», ammise Cecily, «hanno un grande valore, ma non so a chi della famiglia appartengono. Dovrò cercare il testamento di DeLacy. So dove è.»

«Quando li ho visti ieri, ho pensato che provenissero dall'appartamento di lady DeLacy a Londra. Mi è parso di riconoscerli», ammise Eric.

«Con ogni probabilità li ha lasciati a Miles, o al Fondo per la Ristrutturazione di Cavendon», mormorò Cecily. «Che strano pensare che potrebbe esserci d'aiuto dopo la sua morte... ma in un certo senso è anche dolce.»

5

Le quattro donne erano sedute all'ombra del bersò del parco di Cavendon. Era una calda mattinata, ma la posizione del gazebo, vicino a una ombrosa quercia secolare e le sue pareti aperte, lo rendevano un luogo fresco e piacevole per la loro riunione.

Era venerdì primo luglio e, nella sua mente, Cecily Swann Ingham l'aveva chiamato il D-Day. Era decisa a trovare una soluzione per la sua attività in crisi e sapeva che sarebbe stata dura. Ciononostante doveva farcela. Non aveva altra scelta, il fallimento avrebbe portato alla catastrofe.

Guardò le altre tre. Erano donne di età diverse, ben vestite, che qualcuno avrebbe potuto considerare normali, ordinarie e con ogni probabilità le avrebbe liquidate come poco interessanti. Lei sapeva che non era affatto così.

Ognuna di loro era una fucina di idee e di ambizioni. Possedevano nervi d'acciaio e una volontà di ferro. Erano inoltre il suo pilastro. Con loro al suo fianco non poteva perdere. Formavano una grande squadra, una squadra vincente.

I suoi occhi guizzarono su zia Charlotte, nata Swann, Ingham per matrimonio. Zia di suo padre, Charlotte le aveva prestato il denaro per avviare la sua carriera tanti anni prima.

Zia Dottie, sessantasei anni, anche lei una Swann e, come Charlotte, dimostrava molti meno anni e godeva di ottima salute. Sposata con un ispettore di Scotland Yard, era stata consigliera e aiutante di Cecily fin dal primo giorno in cui avevano aperto il loro piccolo negozio.

C'era poi Greta Chalmers, la sua assistente personale, con la quale aveva stretto un legame fin dal primo giorno in cui si erano conosciute, quando Greta era una giovane vedova. La quarantaduenne aveva lavorato al fianco di Cecily per molti anni ed erano sempre andate d'accordo. Cecily trasse un profondo respiro, sorrise e lanciò un'occhiata a Dottie e a Greta. «Grazie per essere venute e per avermi ascoltata parlare e parlare.» Si rivolse poi alla contessa vedova seduta accanto a lei. «Sono contenta che tu abbia insistito a partecipare alla riunione, zia Charlotte. Dopotutto senza di te forse non ci sarebbe mai stata una casa di moda chiamata Cecily Swann Couture.»

«Oh, no, ci sarebbe stata eccome», replicò la zia. «Alla fine ce l'avresti fatta anche da sola, mia cara. Il mio aiuto è servito solo ad accelerare i tempi.»

«Mi trovo in acque agitate», annunciò Cecily. «Tutte noi sappiamo che la Cecily Swann Couture è in crisi e che potrebbe affondare da un momento all'altro. Ho contratto debiti, ma non voglio dichiarare bancarotta. Devo fare alla svelta e solo delle mosse drastiche potranno tirarmi fuori da questo disastro.»

«Siamo qui per darti una mano», la rassicurò zia Dottie. «Come ci hai chiesto ieri sera, dobbiamo dirti la verità, senza peli sulla lingua. Io ho alcune idee e così pure Greta, e quello che dobbiamo fare deve essere radicale. Non c'è altra soluzione.»

«Per prima cosa, ti devi liberare delle due fabbriche a Leeds», attaccò Greta, chinandosi in avanti, gli occhi fissi su

Cecily. «Una è vuota e l'altra non ci serve, dal momento che la linea di abiti prêt-à-porter non si vende più.»

«D'accordo», rispose immediatamente Cecily. «Lunedì ne parlerò con Emma Harte al *Pennistone Royal*. Le ho già anticipato che ho bisogno che mi aiuti a trovare un compratore per le due fabbriche a Leeds.»

«Secondo me è essenziale metterle sul mercato insieme», riprese zia Dottie. «È dalla fine della guerra, da quando abbiamo smesso di confezionare divise militari, che la grande fabbrica è solo un fardello finanziario. Affittarla di tanto in tanto non ha rimpinguato le nostre casse e dobbiamo sbarazzarcene. Senza gli abiti prêt-à-porter non abbiamo bisogno dell'altra.»

Cecily annuì, quindi si rivolse a Greta: «Cosa ti fa pensare che gli abiti confezionati in serie non si vendano più?»

«All'inizio ero perplessa quanto te», replicò Greta. «Quando ne ho parlato con mia sorella, Elise li ha definiti *noiosi*. Secondo lei gli abiti erano ben confezionati, ma fuori moda. Andavano bene negli anni Trenta e durante la guerra, con il problema del razionamento, ma, ammettiamolo, mancano solo sei mesi al 1950. Ora il mondo è diverso, il mercato è cambiato. Le vite delle donne sono cambiate.»

«Penso che dovremmo anche cambiare il nome degli abiti couture», s'intromise zia Charlotte. «Quella linea dovrebbe chiamarsi Cecily Swann o semplicemente Swann, come Chanel in Francia o Hartnell qui in Inghilterra. Lui ha persino abbandonato il nome Norman. C'è anche Hardy Amies, un altro tuo concorrente, che usa per lo più soltanto il cognome. Allora, qual è il verdetto?»

«Sì!» esclamò Cecily. «In effetti il termine couture scoraggia la gente, perché significa soldi a lettere maiuscole. Si tratterà sempre di abiti d'alta moda, ma non lo dichiareremo. Che ne pensi Greta? Zia Dottie?»

«Sono d'accordo», rispose Greta.

«Anch'io», si unì zia Dottie.

«Bene, allora vendiamo le due fabbriche. Questo è il primo passo. Cambiamo il nome in Swann, che preferisco a Cecily Swann. Poi mi concentro sulla linea couture. Che altro dovremmo fare?»

«Ridurre le spese. *Drasticamente*», continuò Dottie. «Chiudere il negozio più piccolo. Mantenere solo il negozio iniziale, che è il marchio di riconoscimento, una sorta di istituzione. E dobbiamo liberarci degli uffici. Trovare uno spazio più piccolo e licenziare parte del personale.»

Cecily recuperò dalla tasca un foglio di carta, lo guardò e sorrise. «Liberarci degli uffici e ridurre il numero del personale è in cima alla mia lista. A quanto pare siamo sulla stessa lunghezza d'onda.»

«Proprio come è giusto che sia», convenne Greta. «Dopotutto, abbiamo lavorato insieme per anni e con successo. Ma come è accaduto per altre attività, siamo finite nei guai dopo la fine della guerra. La gente non era pronta a spendere in vestiti. A questo proposito, Cecily, ritengo che dopo la nostra partenza dovresti iniziare a creare una nuova linea. Dal momento che ora vivi qui per la maggior parte del tempo, questo è il posto ideale per l'ispirazione, non credi?»

«Qualche allusione? Tu ed Elise ritenete che anche la linea couture sia *noiosa*?»

«A dire il vero, sì», rispose lei. «Il taglio e la linea dei tuoi capi sono fantastici, ma c'è una nuova tendenza ora. La gente vuole volant e balze e tessuti in colori pastello, floreali e in chiffon. Non sto dicendo che devi copiare qualcuno, ma devi inventare una linea che abbia la stessa attrattiva degli abiti di Christian Dior del 1947. Il New Look.»

«Conosco i suoi abiti e li adoro», ammise Cecily, un tono entusiasta nella voce. «E trarrò ispirazione qui... dai fantastici giardini di Harry. Se iniziassi a lavorare la prossima settimana, potrei avere pronta una collezione per la primavera...»

«No!» la riprese aspramente zia Dottie. «Crea una collezione per il *prossimo autunno*. Prima dobbiamo rimettere in sesto l'attività, cosa che possiamo fare Greta e io, con i tuoi consigli. Ricorda, dobbiamo assumere qualche altra brava cucitrice per la linea couture e scovare tessuti e tutte le altre solite cose di cui hai bisogno. Non essere precipitosa, Cecily.»

«Dottie ha ragione», osservò zia Charlotte. «Ricorda il vecchio detto: 'Qualunque cosa venga prodotta frettolosamente, tra i rifiuti finisce facilmente'. Vediamo di non farlo. Mettici tutto il tuo talento e la tua genialità e prenditi tutto il tempo che ti serve per creare una collezione assolutamente unica e nuova. Spettacolare. E non dimenticare che stanno organizzando il Festival della Gran Bretagna. L'anno prossimo potrebbe rivelarsi il giro di boa per il Paese. *E per noi*. Parliamo ora dei debiti. Davvero una grossa preoccupazione.»

Cecily si raddrizzò e le guardò con circospezione. «Ho bisogno di quindicimila sterline per liberarmi di tutte le pendenze ed essere pronta a ripartire da zero», spiegò. «E avrò bisogno di denaro anche per l'affitto del negozio, l'ufficio e gli stipendi del personale. Abbiamo bisogno di acquistare tessuti e tutto il materiale che serve per le confezioni. Stipendi per le donne che cuciono a mano, indispensabili se vogliamo venderli come abiti d'alta moda.» Fece una pausa e aggiunse con aria avvilita: «La guerra è finita da quattro anni e in questi quattro anni abbiamo perso denaro e clientela. A causa di questo mio fallimento, non posso dare a Miles i soldi per pagare le tasse sulla tenuta. E lui questo ancora non lo sa. Mi dispiace ammettere che non ho avuto il coraggio di dargli questa brutta notizia».

Cadde il silenzio. Nessuna parlò. Ciascuna si mise comoda, riflettendo sui problemi finanziari che doveva affrontare Cecily e, indirettamente, loro.

«Se l'idea ti va», ruppe il silenzio Greta, «mi piacerebbe diventare tua socia, vedi...»

«Accidenti, no!» esclamò Cecily interrompendola. «Non te lo permetterò. Se perdessi i tuoi soldi, non me lo perdonerei mai. So benissimo che Elise e Kurt dipendono da te.»

«Per favore, Cecily, ascoltami. Quando mio padre è morto, ha lasciato i suoi soldi a Elise e Kurt. Sapeva che io avrei ereditato da mia nonna. Mia madre era figlia unica e dopo la sua morte sono diventata unica erede della nonna. Come ben sai, la nonna è deceduta lo scorso anno e io ho messo sul mercato la sua casa a Hampstead. Ha richiesto un po' di tempo, ma potevo permettermi di aspettare fino a quando avessi ottenuto il prezzo giusto.

«La scorsa settimana l'ho finalmente venduta e stanno redigendo il contratto. Vedi anche tu che posso permettermi di investire in Swann.» Greta si schiarì la voce. «Ma solo in Swann», aggiunse cauta. «Non posso investire in Cavendon.»

«Non te lo permetterei mai», le disse dolcemente Cecily. «E grazie per la tua offerta, dovrò rifletterci su, Greta. Avere un socio finanziario è una responsabilità.»

«Hai parlato con Miles del consiglio di Howard?» volle sapere Dottie. «A proposito di mettere all'asta i vini?»

«Non ancora.»

«Quando glielo dirai? Quando gli parlerai di tutti i problemi?»

«Avevo intenzione di parlargliene domani. Sabato è la sua giornata libera e così abbiamo più tempo da passare insieme.»

«Vendere all'asta i vini?» chiese zia Charlotte, sbalordita. «Che idea brillante. Howard è decisamente astuto.»

«Non è stata proprio un'idea di Howard», rispose Dottie. «Aveva letto su *The Times* di una vendita all'asta di vini, tenuta dal conte di Overshed. Howard mi aveva consigliato di riferirlo a Cecily, dato che sa che qui c'è una cantina enorme. Hanson l'aveva portato a visitarla nel 1938, quando stava trasformando gli scantinati in... dormitori, immagino si possano chiamare così. Caso mai il Paese fosse stato invaso dai nazisti.»

«Penso che Miles dovrebbe prendere in considerazione questa idea. Pensi che lo farà?» domandò zia Charlotte a Cecily, l'espressione interrogativa.

«Sono sicura che lo farà, vedrò di persuaderlo. E mi hai appena fatto tornare in mente qualcosa. Agli inizi della settimana ho incrociato Percy che mi ha riferito che alcune famiglie aristocratiche che possiedono territori di caccia come noi, accolgono clienti paganti durante la stagione. Per lo più magnati americani che, a quanto pare, adorano soggiornare nelle tenute imponenti e mescolarsi con i *gran signori*.»

Cecily aveva parlato in un tono tanto buffo che erano tutte scoppiate a ridere.

Poco dopo arrivò Eric con un vassoio di limonata e bicchieri. Cecily si rilassò per un momento. Anche Charlie e Alicia sarebbero arrivati questo fine settimana e doveva controllare il menu del pranzo, ma per un attimo si concesse il lusso di godere di questa mattinata di luglio, la mente più leggera di quanto lo fosse da settimane.

6

Cecily stava ascoltando ai piedi dello scalone. Sentiva in lontananza dei passi e riconobbe immediatamente chi stava camminando lungo il corridoio verso l'atrio. Era il passo leggermente irregolare di Charlie.

Andò ad attenderlo nell'atrio; appena la vide la salutò con la mano e lei rispose al suo saluto. Era sempre stato il suo prediletto tra i nipoti di Miles fin da piccolo. Dopo che era stato ferito in guerra e avevano dovuto amputargli una gamba, gli era stata vicina con tutto il suo affetto.

Eppure aveva sempre saputo che avrebbe affrontato bene la disabilità e così era stato. Usava un bastone da passeggio per tenersi in equilibrio, ma pochi si rendevano conto che aveva perso una gamba. La sua andatura zoppicante era quasi impercettibile e camminava ben eretto ed era un bell'uomo di trentadue anni.

Quando si fermò accanto a lei, Cecily lo abbracciò e, staccandosi, si sorrisero. C'era sempre stato un legame speciale tra loro e avevano contato l'uno sull'altra per molte cose.

«Mi dispiace essere arrivato tanto tardi ieri sera», si scusò Charlie. «Colpa mia. Ero così preso da una storia particolare che ci ho messo più del previsto. È stata una cosa più complessa di quanto pensassi.»

«Nessun problema. Sono felice che tu e Alicia rimaniate qui fino a lunedì e ho saputo da Paloma che i tuoi libri stanno andando bene. Congratulazioni, e grazie per condividere con noi i ricavi, il tuo contributo è servito per pagare alcuni commessi dei negozi.»

«Piacere mio. Devo ammettere di essere piuttosto fiero che il mio libretto sulla storia degli Ingham e degli Swann sia esaurito. Chi l'avrebbe mai immaginato?»

«Io ero sicura che sarebbe andato a ruba. È una storia ben raccontata e intrigante, come un romanzo, in un certo senso.»

«Grazie, zia e, senti, mi dispiace per la mamma... Alicia e io siamo rimasti sconvolti nel sentire che ti aveva criticata per quello che chiama la 'commercializzazione di Cavendon'. Sappiamo che ti vuole bene e che sotto sotto apprezza tutto quello che hai fatto nel corso degli anni per salvare la tenuta e la famiglia. Noi crediamo che sia esaurita e speriamo che un giorno tu possa perdonarla. Lo farai, non è vero, zia?»

«L'ho già perdonata», lo tranquillizzò, prendendolo sotto braccio. «Daphne ha messo anima e cuore in questa casa e tornerà come prima e riposata.»

Si accomodarono su un divano accanto al caminetto acceso. «Ho saputo da Eric che Bryan alla fine non è venuto con voi», osservò Cecily.

Charlie annuì. «Si è tirato indietro. Suo padre è ammalato e lui è dovuto andare a Brighton per sistemare alcune faccende. La madre è morta, come saprai, e non credo che il fratello minore di Bryan sappia occuparsi del padre.»

«Capisco. Mi piace Bryan. È gentile e un ottimo attore. Avevo pensato che ci sarebbe stato un altro attore in famiglia. Lui e Alicia sembrano una bella coppia. Che ne pensi? Alicia si deciderà a fare il grande passo?»

«Spero che la loro unione sia duratura. Lui è un bel ti...»

«Ciao, zia Ceci!» esclamò Alicia svolazzando nella stanza, deliziosa in un abitino estivo a scacchi in cotone color lilla e porpora che Cecily le aveva regalato lo scorso anno.

«Sono tanto contenta che siate venuti entrambi», la salutò Cecily.

«A proposito di mia madre...» iniziò la nipote, per poi interrompersi di colpo nel vedere Charlie scuotere il capo per zittirla.

«Mi sono già scusato», la informò il fratello, «e si rende conto che la mamma è esaurita, Alicia. Nessun problema da questa parte.»

«Certo che non c'è problema!» esclamò Cecily. «So che Daphne tornerà prima di quanto pensiamo e che tutto sarà come una volta. Cavendon è casa sua, di Hugo e vostra. È questo il luogo cui appartenete.»

«Santo cielo, sono in ritardo?» domandò zia Charlotte dall'uscio.

«Siamo noi a essere in anticipo», rispose il nipote, alzandosi per salutare la contessa vedova e scortarla nella stanza assieme ad Alicia.

Chiacchierarono per alcuni minuti, poi Charlie si rivolse a Cecily. «Greta è qui? Pensavo venisse a trovarti questo fine settimana.»

«Sì, è qui con Dottie. Ci siamo riunite per discutere alcuni cambiamenti che abbiamo in programma per la mia attività. Mia madre le ha invitate a pranzo.» Elise, la sorellastra di Greta, era la migliore amica di Victoria, la piccola sfollata, che ora, a ventun anni, faceva la fotografa a Londra.

Povera Greta. Alice l'avrebbe torchiata su Victoria e su come si stava comportando nella grande città.

Un sorrisino guizzò sulle labbra di Cecily per trasformarsi poi in risata. «Mia madre vuole avere di continuo notizie della piccola profuga che lei e papà amano tanto. Per loro è come una seconda figlia. Da quando si è trasferita a Londra a mamma manca moltissimo.»

«Sono più che sicuro che in questo momento Greta è sotto interrogatorio, se conosco i sentimenti della signora Alice», confermò Charlie, «ma non deve preoccuparsi. Victoria se la cava bene e, dal momento che Elise lavora nella redazione del giornale al posto mio, sono sempre al corrente su ciò che fa la sua amica.» Fece capolino il suo sorriso birichino. «Ti sarai resa conto che quelle due mi trattano come il fratello maggiore, no?»

«Più come il loro grande eroe», ribatté Cecily, sapendo quello che le due ragazze provavano per Charlie. Erano affascinate da lui, quasi adoranti.

«Zia, la prossima volta che vuoi far fotografare alcune delle tue creazioni, dovresti chiedere a Victoria», le suggerì Charlie. «Ho visto alcuni suoi scatti e devo dire che ha davvero un grande talento. So che è ancora giovane, ma Paloma è orgogliosa delle capacità della sua pupilla. Ritiene che farà strada.»

«Ottima idea, la terrò a mente.»

In quel momento la porta si aprì di nuovo ed Eric entrò nella biblioteca. «Il pranzo è servito, lady Mowbray», annunciò, rivolgendosi a Cecily. «Sua signoria la sta aspettando in sala da pranzo.»

Fu un pranzo allegro e piacevole, tutti erano spensierati e felici di essere in famiglia.

Charlotte sedeva alla destra di Miles e chiacchierava con David, il figlio maggiore del conte, mentre Miles stava rivolgendo ad Alicia domande sul nuovo film che avrebbe iniziato a girare a breve.

Walter e Venetia mitragliavano Charlie di domande sul lavoro di giornalista, mentre Gwen richiedeva tutta l'attenzione di sua madre.

«Posso aiutarti a disegnare i vestiti?» implorò la piccola. «Hai detto che so disegnare bene.»

«È vero, tesoro», rispose lei, non volendo scoraggiare la figlia più piccola che aveva un vero talento per il disegno. «Tra poco inizierò la nuova collezione e tu puoi aiutarmi facendo ricerche.»

«Oh, grazie mamma. Cosa dovrò cercare per te?»

«I giardini... quelli progettati dallo zio Harry. Saranno il tema della mia collezione del 1950.»

«Una collezione giardino», disse Gwen.

Cecily la fissò, poi rise. «Ma certo, sarà proprio una collezione Giardino. La chiamerò Giardino d'autunno. Visto, mi ha già aiutata, tesoro.»

Nel profondo della sua mente, Cecily sapeva che, ricevute le brutte notizie, Miles si sarebbe arrabbiato con lei. E non perché non avrebbe potuto contribuire a pagare le tasse, e nemmeno perché la sua attività era in crisi, no, si sarebbe infuriato perché non si era confidata con lui e non aveva condiviso con lui le sue preoccupazioni.

Miles si aspettava che lei gli dicesse tutto. Era stato così fin da quando era bambino, quando desiderava ogni suo pensiero, ogni suo sentimento, quando voleva tutto di lei. Anche quando erano stati separati dopo il suo infelice matrimonio con Clarissa, si era resa conto che lui le era ancora emotivamente legato, che era innamorato. Lo sapeva perché tutti le dicevano che non faceva che chiedere di lei. «È geloso di te», le aveva detto una volta suo fratello. «Se fosse possibile, controllerebbe la tua vita da lontano.»

In quel momento non ne era rimasta colpita, era troppo in collera e l'aveva disprezzato. Aveva fatto in modo di non incrociarlo mai né a Cavendon né in qualsiasi altro posto.

Aveva pensato che la volesse come amante, se soltanto gli avesse rivolto un sorriso.

Ora lo fissò intensamente e lui, appena si girò per prendere un bicchiere d'acqua, notò che lei lo stava esaminando.

Le sorrise, il volto soffuso d'amore. Lei rispose al suo sorriso.

I loro sguardi s'incrociarono e per un attimo nessuno dei due riuscì a staccare gli occhi l'uno dall'altra.

Era sempre così tra loro... Litigavano e avevano contrasti, a volte si arrabbiavano, ma i loro piccoli battibecchi finivano subito e in realtà non riguardavano mai cose di grande importanza.

Quello che doveva dirgli ora, però, era importante. Decise di usare un approccio diverso e l'avrebbe fatto quella sera stessa. Dopo cena, passavano di solito un po' di tempo da soli prima di andare a letto. I suoi pensieri continuarono a ruotare intorno a questa questione per quasi tutta la durata del pranzo e alla fine si sentì preparata, con ogni cosa al suo posto nella propria mente. Era armata e pronta ad affrontarlo.

Appena tutti si furono alzati, Cecily scese nell'ufficio di Eric accanto alla cucina. Lo trovò dietro la scrivania.

«Grazie per gli appunti sulla cantina e la scorta di vini, Eric», iniziò Cecily. «Questa sera menzionerò en passant a Miles la possibilità di una vendita all'asta. In ogni caso, zia Charlotte gliene parlerà in modo più dettagliato. Insieme ad altre idee.»

«Forse dovrebbe anche accennare alla possibilità di avere ospiti paganti durante la stagione della caccia al gallo cedrone», suggerì lui. «Ho chiesto a Percy di scoprire quali famiglie aristocratiche stanno invitando i Fucilieri che pagano per il privilegio di cacciare in una villa signorile.»

«Ottima mossa, e sapere che già altri lo fanno, potrebbe influenzare Miles.»

«A proposito della cassa nel solaio principale, milady, mi sono preso la libertà di aprirla e di portare giù il contenuto. Sono quadri che appartenevano a lady DeLacy, arrivati qui dal suo appartamento a Londra. Li ho sistemati nella vecchia stanza di lady Diedre.»

«Grazie mille, Eric.» Sorrise debolmente, poi aggiunse: «È stato premuroso a non metterli nella camera di lady De-Lacy...» S'interruppe, cercò di ricacciare indietro delle lacrime inaspettate, deglutì, allontanando un improvviso impeto di emozione.

«Ho pensato che vederli là sarebbe stato troppo per lei... una camera neutrale mi è parsa la scelta migliore, date le circostanze.»

«Alcuni sono dipinti di Travers Merton, vero?»

«Sì, e sono bellissimi.» Eric aprì il primo cassetto della scrivania e allungò a Cecily una busta. «Questa è la chiave del nuovo baule che ha comprato. In realtà, le chiavi sono due, milady, dovrebbe metterle entrambe nella cassaforte in camera da letto. Meglio che siano al sicuro.»

«Lo farò. Zia Charlotte aveva tenuto i registri Swann sotto chiave per tutta la vita e io farò lo stesso. Ancora grazie per avermi aiutata a sistemare così tanti taccuini nel baule. Un bel lavoro.»

«E uno straordinario registro della famiglia Swann e degli Ingham, cose loro accadute nel corso di secoli. E anche pieni di segreti.»

Se solo ne avessi idea, non ci crederesti. Cecily rimase però in silenzio. «Ora che lady Daphne è andata a Zurigo per non si sa quanto tempo», continuò invece, «penso che Ted potrà rilassarsi un poco e concentrarsi sulle riparazioni, Eric.»

«Sono d'accordo. Per inciso, le stanze che non vengono usate sono tutte chiuse. Ho messo teli di protezione sui mobili antichi nelle ali est e nord, e anche nei solai. Ovviamente l'ala sud è aperta, anche se lady Daphne e il signor Hugo non ci sono, penso che la loro ala debba rimanere aperta, dopotutto, i loro figli continueranno a venire nei fine settimana.»

«Due di loro sono già qui», lo informò Cecily. «E ha ragione, quell'ala è stata la casa di lady Daphne da quando ha sposato il signor Hugo e i loro figli sono cresciuti lì. Dobbiamo sempre accoglierli.»

Dopo avere deciso i menu, scelto i vini e organizzato le attività per i giorni seguenti, Cecily lasciò che Eric si occupasse delle sue mansioni. Salì al piano delle camere da letto e si diresse alla stanza di Diedre, che la cognata non aveva più usato da quando si era trasferita a Skelldale House con il marito Will Lawson e Robin. Cecily avrebbe dovuto prendere il tè con la zia Charlotte, ma aveva fatto una deviazione.

Esitò un attimo, poi trasse un profondo respiro ed entrò. Eric aveva sistemato i dipinti accostandoli alle sedie, alla scrivania e a un cassettone. Molti erano stati appoggiati su un lenzuolo sul letto.

Quello che catturò immediatamente la sua attenzione fu il ritratto di DeLacy dipinto anni prima da Travers, su incarico di Lawrence Pierce che l'aveva donato alla madre di DeLacy un Natale prima della guerra.

Era posato contro la gamba di una sedia e Cecily lo sollevò e lo sistemò su una sedia.

Indietreggiò per osservarlo e sentì battere forte il cuore. Trattenne il fiato dalla sorpresa. Era tanto realistico e vivo, era come se DeLacy fosse seduta davanti a lei. Il dipinto era meraviglioso. Travers aveva catturato qualcosa di unico in DeLacy, una delicata bellezza, una certa fragilità, eppure i suoi occhi azzurri brillavano di vita ed energia.

Questo quadro di Lacy era stato appeso nel salotto

dell'ex contessa a Londra. Dopo la sua morte, le Quattro Dee non avevano preso molte cose della madre, dato che erano in cattivi rapporti con lei.

Ora Cecily ricordò che DeLacy aveva chiesto alle sorelle se poteva avere quel dipinto, uno degli ultimi quadri eseguiti da Travers Merton, e naturalmente loro avevano accettato.

Rabbrividì. Le venne la pelle d'oca sul collo e sulle braccia... e le tornò in mente quella tremenda notte.

La notte in cui Travers era morto nel suo atelier, con De-Lacy accanto a lui nel letto. Lei non aveva capito che era morto e aveva chiamato in aiuto Cecily. Cecily a sua volta aveva telefonato a Eric e insieme erano andati a soccorrere DeLacy.

Sconcertati, all'inizio non avevano saputo che fare, poi avevano chiamati lo zio Howard a Scotland Yard, che era venuto e aveva preso in mano la situazione e si era occupato di tutte le formalità.

Per alcuni momenti Cecily si sentì ipnotizzata dal dipinto, poi lo prese e lo portò nel suo salotto al piano superiore.

La sera antecedente aveva menzionato a Miles la grande cassa di dipinti. Dopo la morte di DeLacy, lui e Cecily, troppo distrutti dal dolore, non si erano occupati delle sue cose, la maggior parte delle quali erano state portate a Cavendon da Mayfair e immagazzinate nel solaio, dove nessuno le aveva toccate fino a quel momento.

Nel salotto Cecily spostò un grande vaso bianco e blu da una cassapanca e al suo posto vi appoggiò il ritratto di DeLacy. Poi sistemò davanti alcuni libri per evitare che scivolasse.

Eccoti qui, mia cara Lacy, disse sottovoce. Ora potrò vedere il tuo viso ogni giorno per il resto della mia vita.

7

«Avrei voluto che ti fossi confidata con me», disse zia Charlotte, la voce comprensiva, mentre aggiungeva: «Hai vissuto un periodo molto pesante con tutti questi problemi».

«È stato un inferno, a essere sinceri», ammise Cecily, mettendosi comoda.

«Lo immagino. Ma ricorda cosa aveva detto Churchill a questo proposito: 'Se stai attraversando l'inferno, continua a camminare'. Funziona, sai.»

«C'era un altro suo motto che mi piaceva tanto», osservò Cecily, ridendo. «CAA. Che sta per *continua ad andare avanti*. Ed è ciò che ho tentato di fare. Sono contenta di avere parlato con Dottie e Greta questa mattina. La loro dedizione alla casa di moda mi ha dato un grande incentivo.»

«Lo so.» Charlotte si alzò, andò alla finestra e guardò il parco, persa per alcuni istanti nei suoi pensieri.

Erano nel salottino di Charlotte, una stanza che era sempre piaciuta a Cecily, con tende in seta verde, le poltrone in velluto verde e la moquette rosa intenso. Sapeva che Charlotte aveva radunato qui molti oggetti a lei cari, ricordi importanti della sua vita e fotografie delle persone che amava, soprattutto Ingham da piccoli. C'erano anche foto sue e di altri Swann. Senza figli suoi, la famiglia allargata era la *sua* famiglia, tutti i nipoti sia Swann sia Ingham.

Charlotte si voltò e notò sul volto di Cecily una strana espressione. «Che c'è?» chiese. «Mi sembri perplessa. O sei assorta? Hai una faccia...»

«Io? Ecco, stavo pensando a quanto la tua vita sia sempre stata legata a Cavendon. E ai due conti... come sei intervenuta e hai allevato Dulcie. A dire il vero di come ti sei occupata di tutti loro, dopo che Felicity era scappata.»

«Che altro potevo fare? Le amavo. Le Quattro Dee. E amavo il loro padre, anche se al tempo non lo sapeva nessuno, tranne me.»

«Sei stata protettrice e pilastro di questa famiglia, in tanti modi... tutti noi siamo in debito con te, zia Charlotte.»

«Nessuno mi deve niente, a parte il fatto di essere cortesi e ascoltarmi, quando ho qualcosa di importante da dire.»

«Vero. Hai bisogno di dirmi qualcosa?»

«Nulla di particolare, mia cara Ceci. È solo che, mentre guardavo il parco, ho pensato a quanto fosse bello e a quanto valesse la pena salvarlo. Ma è Miles che deve farlo. *Non tu.*»

«Ci sta provando, ma è un compito durissimo.» Cecily si raddrizzò. «Abbiamo entrate da alcuni investimenti e dalle visite alla casa e ai giardini, dai negozi e dal bistrot. Ma questi soldi servono solo per pagare i dipendenti e gli aiutanti.»

«Me ne rendo conto. Senti, voglio parlare a Miles. Penso di avere un piano che potrebbe aiutarlo.»

Tornò a sedersi. «Se Miles fosse d'accordo», continuò Charlotte, «lo presenterei a Leslie Parrish, l'amministratore delegato della mia banca a Harrogate. Sono sicura che Parrish concederebbe a Miles un prestito per le tasse, se io facessi da garante. Mi è venuto in mente, mentre eravamo nel gazebo con Greta e Dottie.»

«È fantastico che tu faccia questa proposta, zia, ma non credo che Miles l'accetterà. Sai quanto è orgoglioso.»

«In questo momento non può permettersi di esserlo! Ha bisogno di aiuto. E non lo avrà da te. Mai più. Non lo permetterò. Hai già fatto sufficienti miracoli per questa famiglia.»

«Se Miles accettasse di incontrarlo, pensi che il signor Parrish sarebbe d'accordo?» chiese Cecily, inarcando un sopracciglio.

«Sì, penso proprio di sì. Perché ora abbiamo qualche sostegno finanziario, delle possibilità di fare soldi veri.»

«Che intendi dire?»

«Tutte quelle nuove idee. La vendita all'asta dei vini, per esempio, e farò presente a Miles che metà della riserva potrebbe essere andata a male e che è giunta l'ora di salvare quello che è rimasto. C'è poi l'idea dei magnati americani o dei ricconi provenienti da qualsiasi altro Paese. *Trasformiamo il privilegio in profitto.* D'ora in poi sarà questo il mio motto. E Miles dovrà pure vendere uno o due quadri appesi nella galleria principale.»

«Sarà dura convincerlo. Non ha mai voluto mettere all'asta oggetti d'arte. E neppure suo padre, come ben sai, zia.»

«Lo so, gli uomini Ingham possono essere molto cocciuti. Vediamo se mi riuscirà di convincerlo.

«Ma parliamo ora di Greta e della sua offerta di diventare tua socia. Penso che dovresti rifletterci seriamente. Avresti il denaro per ricominciare e per lei sarebbe un incentivo, avere una partecipazione nell'attività, intendo. Non vorrei però che Dottie ci rimanesse male. Quindi, se accetti Greta nella Swann, come la chiameremo, dovrai chiedere anche a Dottie di diventare socia. Falle l'offerta, potrebbe rifiutarla. Non sono sicura che abbiano quel genere di disponibilità, ma penso che dovresti proporglielo lo stesso.»

«Sì, capisco il tuo punto di vista, ma non pensi che, prima

di prendere i loro soldi, dovrei liberarmi del debito? Sempre che volessero darmeli, naturalmente.»

«Hai ragione e voglio suggerirti qualcosa. Pagherò metà del debito nel corso dei prossimi sei mesi, mensilmente, il che accontenterebbe la banca. Ma io...»

«No! Non te lo permetterò! Non sarebbe giusto nei tuoi confronti e hai già fatto tanto per me in passato», la bloccò Cecily.

«Le cose stanno così. È il denaro che ti avrei lasciato in eredità. Per cui lasciami finire. So che possiedi ancora la collezione dei gioielli Ingham che avevi comprato da Charles verso la fine degli anni Venti, quella da cui hai creato le tue copie. Ce l'hai ancora, giusto?»

«Sì, è qui nel sotterraneo. Perché me lo chiedi?»

«Mettila all'asta. Con quel denaro potrai saldare l'altra metà del debito. Non hai più bisogno della collezione autentica, visto che ora hai le tue splendide copie nella collezione di bigiotteria che si vendono in tutto il mondo.»

Cecily cominciò a ridere come non faceva da tempo. Si chiese come mai non ci avesse pensato da sola. Una mente offuscata dalle preoccupazioni, pensò, che ultimamente mi hanno bloccato il cervello.

Charlotte rise con lei. «Solo tu avresti potuto pensare a una vendita all'asta di gioielli, zia Charlotte.»

«E tu puoi rendere l'asta emozionante. *Ora potete avere gli originali*, potrebbe già essere un argomento di vendita allettante. E ti presenterò il direttore della casa d'aste Bonhams, è un mio conoscente.»

«Quante idee straordinarie mi sono state lanciate questa settimana. Se ne funzionassero anche solo un paio, non avrei più problemi finanziari», mormorò Cecily.

«Non del tutto, ma credo che ti debba liberare la mente per iniziare a disegnare la collezione dell'anno prossimo.»

«È vero e lo farò.»

«Vorrei che tu facessi un'altra cosa per me, Ceci. Desidero che tu dia la cattiva notizia a Miles il più presto possibile, perché voglio portarlo in banca lunedì mattina.»

«Glielo dirò questa sera o domani al più tardi», promise, ora che sentiva di poter confidare al marito i suoi problemi. Temeva solo cosa avrebbe potuto pensare Daphne di tutte queste proposte: non solo continuavano ad aprire la casa ai visitatori, ma ora anche vendere i beni degli Ingham. Ma o lo si faceva o si andava in rovina.

Mentre si controllava viso e capelli nello specchio della toletta, una frase continuava a riaffiorarle nella mente. *Trasformiamo il privilegio in profitto.* D'ora in poi sarebbe stato il suo mantra.

Che sollievo, pensò, non sentirsi più tanto sola. Greta e Dottie, come al solito, erano state sulla sua stessa lunghezza d'onda e avevano complottato e programmato nella dépendance, impegnate a rendere più efficaci le loro idee su come trovare uffici più piccoli e licenziare alcuni dipendenti.

Quella era sempre la parte difficile. Cecily era riluttante, ma in quel momento non aveva altra scelta. Dovevano ridurre le spese generali e Dottie l'aveva già informata che c'era un appartamento di due locali nella Burlington Arcade e che avrebbe tentato di accaparrarselo.

Sarebbe stata dura, lo sapeva, ma diminuendo le spese fisse, vendendo le fabbriche, cambiando la linea couture e accettando Greta come socia, si sarebbe trovata sulla strada giusta. Un nuovo inizio avrebbe avuto successo. Incrociamo le dita, aggiunse tra sé.

Si alzò, uscì dalla camera da letto e scese dabbasso. Di lì a breve tutti si sarebbero radunati in sala da pranzo.

8

CECILY si sentiva ancora avvolta nella letizia della serata come in un morbido scialle di seta, stava bene come non le succedeva da tempo. Provava un senso di pace, di appagamento.

Mentre si spogliava per andare a letto, comprese che quella sensazione di gioia derivava dalla presenza di Charlie e Alicia a cena; anche Greta, a cui si sentiva vicina come non mai, aveva dato il suo piacevole contributo alla serata.

Charlie aveva rallegrato tutti con storie e aneddoti sulla sua vita di giornalista. Alicia era stata affascinante e adorabile come sempre e insieme avevano dato senso al termine famiglia. La zia Dottie era rimasta a cena a Little Skell da Alice e Walter, i genitori di Cecily.

Lo stesso Miles, spesso cupo in quei giorni, aveva sorriso e partecipato all'allegria della tavolata.

La cosa più importante della serata era stata la scomparsa delle aspre parole di Daphne, nessuno l'aveva menzionata, erano tornati a essere il felice clan di sempre, uniti e a proprio agio tra loro.

Mentre s'infilava la vestaglia in seta e attraversava la camera da letto, si fece coraggio. Aveva promesso alla zia

Charlotte che avrebbe parlato a Miles delle sue preoccupazioni e non poteva più esimersene. *Doveva farlo.*

Quando entrò, nel vedere che il salottino era vuoto, si diresse alla cassapanca su cui aveva sistemato il dipinto di De-Lacy e lo fissò. Un attimo dopo Miles uscì dallo spogliatoio.

«Non è splendido, mia cara?» chiese lui, dopo avere osservato il ritratto della sorella per alcuni secondi. «Come mai ce ne eravamo dimenticati?»

«Io non l'ho mai dimenticato, Miles», ammise lei. «Sapevo dov'era, ero stata io a portare la cassa nel sottotetto quando i beni di DeLacy erano stati portati qui anni fa.» La sua espressione mutò e lei sospirò. «Semplicemente non sopportavo l'idea di tirarlo fuori tanto presto dopo la sua morte. E pensavo che anche tu la pensassi allo stesso modo.»

Miles annuì. «È vero. È stato un periodo tremendo per tutti noi. Ma perché ora? Che cosa ti ha spinta a portarlo in casa?»

«Ho acquistato un nuovo baule, uno grande per i registri Swann», spiegò. «Ed Eric ha notato la grande cassa che conteneva il ritratto di DeLacy e altri quadri di Travers Merton. Ho capito che era arrivato il momento giusto e così gli ho chiesto di portarli nel piano notte. Sensibile come sempre, li ha sistemati nella vecchia stanza di Diedre e non in quella di DeLacy. Ho portato qui il ritratto e sono contenta di averlo fatto.»

«Anch'io.» Le sorrise e cambiò argomento. «È stata una serata davvero piacevole. Sono contento che Alicia e Charlie siano in forma. A proposito, vorrei dare un'occhiata agli altri quadri di Travers. Perché non lo facciamo domani?»

«Domani non posso», rispose lei, dopo un attimo di silenzio. «Devo...»

«Ma trascorriamo sempre il sabato insieme», la interruppe lui in tono seccato.

«Lo so, ma devo vedermi con la zia Dottie e Greta per discutere alcune strategie per la mia attività. Greta si fermerà qui fino a lunedì. O meglio, si fermeranno tutte e due.»

«Oh, capisco. Immagino ci sia parecchio da fare e da organizzare, ora che resterai quasi sempre nello Yorkshire.»

«Sì, e ho anche altri problemi da risolvere. In ogni caso, la zia vorrebbe parlare con te domattina. Mi ha chiesto di dirti che sarà disponibile in qualsiasi momento sia comodo per te.»

«*Zia Charlotte?*» Miles si incupì. «Qualcosa non va? Sai di cosa vuole parlarmi?»

«Sì. Lunedì vuole presentarti al direttore della sua banca di Harrogate. Per combinare un prestito per te. Lei farà da garante.»

«Un prestito?» domandò Miles perplesso. «Per cosa?»

«Per far fronte alle tasse governative, Miles. La scadenza è tra poco.»

«Ma mi dai sempre tu il denaro per le imposte...» iniziò Miles, sorpreso e perplesso. Poi la sua voce si affievolì nel vedere l'espressione seria sul volto della moglie.

«Temo di non avere quel denaro. Ho gravi problemi con la casa di moda, ecco perché è intervenuta zia Charlotte.»

«Non posso farmi prestare i soldi da una banca! Tutto il mondo verrebbe subito a sapere che gli Ingham sono nei guai!»

«Ma lo sanno già tutti, Miles. Dalla fine della guerra tutte le famiglie aristocratiche hanno avuto problemi finanziari a causa degli aumenti delle tasse e per la mancanza di uomini nei campi. Non è un segreto.»

«Perché non me ne hai parlato prima?» domandò, un accenno di rabbia nella voce. «Noi condividiamo tutto.»

«Non volevo preoccuparti. Credo di poter risolvere i miei problemi vendendo le due fabbriche a Leeds, trasferendoci in uffici più piccoli a Londra, chiudendo uno dei negozi nella Burlington Arcade e abbandonando la linea del prêt-à-porter. Greta vuole acquistare delle quote e diventare mia socia e zia Charlotte mi darà metà della somma per saldare i debiti... mi ha spiegato che in quanto sua erede, quel denaro mi appartiene e me lo avrebbe lasciato in ogni caso.»

Nella camera cadde un lungo silenzio.

Nel guardare il marito, vide che era impallidito e che nei suoi occhi c'era un'espressione che non riusciva a decifrare. Ira? Sconcerto? Confusione? Decise che era choc.

«A quanto pare», disse infine, «gli Swann sono stati molto occupati in questi ultimi giorni, non è vero?»

Stupita da quelle parole e infuriata, Cecily replicò seccata: «Più che di giorni parlerei almeno di un paio di secoli. Dove sarebbero gli Ingham senza gli Swann?»

Si alzò e si diresse al caminetto godendo del tepore della brace. «Vi abbiamo difeso e aiutato per secoli», aggiunse.

Miles era furioso con se stesso. Aveva fatto un commento stupido e lei si era offesa, come era naturale. Era stata una pessima osservazione e assolutamente fuori luogo.

«Tanto vale che tu sappia», dichiarò Cecily prima che lui potesse scusarsi e dirle qualcosa di carino, «che altri Swann hanno avuto idee che potrebbero aiutarci a uscire dalla crisi. Zio Howard ha letto su *The Times* che lord Overshed ha messo all'asta la sua cantina ricavando un bel guadagno. E bada, buona parte del suo vino era andato a male. Ho detto a Eric di controllare i registri iniziati da Hanson e che lui ha tenuto aggiornati. Una vendita all'asta di vini potrebbe portare dei profitti.»

«Capisco», ammise Miles, determinato a stare attento a come si esprimeva per non agitarla ulteriormente.

«E l'altro giorno ho incontrato per caso Percy e abbiamo parlato della brughiera dei galli cedroni. Mi ha riferito che molte famiglie aristocratiche che organizzano battute di caccia accolgono ospiti paganti durante la stagione della caccia ai galli cedroni. Per lo più magnati americani.»

«Non so come questo potrebbe funzionare... qui a Cavendon, intendo.» Miles sorseggiò il suo cognac, poi aggiunse: «Mi hai dato tanto materiale su cui riflettere, Cecily. Valuterò i tuoi suggerimenti».

«E andrai a parlare con zia Charlotte domani?»

«Naturalmente. Ascolterò quello che ha da dirmi, ma questo non significa necessariamente che farò un prestito in banca.»

Trasse un lungo sospiro, si alzò e baciò la moglie sulle guance. «Perché non vai a letto? Hai avuto una giornata lunga. Ti raggiungo presto, ho un sacco di cose su cui riflettere e ho bisogno di farlo da solo.»

«Sono stanca», ammise lei. «Non restare alzato troppo a lungo, Miles. E domani pomeriggio potremo dare un'occhiata agli altri quadri nella stanza di Diedre», promise come offerta di pace.

Ma non riuscì a dormire. Era stanca morta, come aveva detto Miles, ma il suo cervello non la smetteva di lavorare.

I suoi commenti sugli Swann l'avevano indispettita, ma dentro di sé si rendeva conto che era stata solo una frase avventata, che non aveva avuto intenzione di ferirla. Miles sapeva fin troppo bene quello che gli Swann avevano fatto per gli Ingham, lei stessa aveva salvato più volte la famiglia.

Malgrado la rabbia e lo choc, Cecily credeva di avere fatto bene a raccontargli tutto in una volta sola. Conoscendolo, non sarebbe andato a letto finché non avesse chiarito ogni punto. Di sicuro ora stava sorseggiando un brandy e mettendo ogni tassello al suo posto, come soleva dire.

Dopo un po' riuscì finalmente a calmarsi, a lasciare andare le preoccupazioni e si concentrò sulla figlia più piccola. Gwen desiderava tanto un gattino, ma a Miles non piaceva l'idea di avere un animale in giro per casa. Ora Cecily decise che avrebbe preso un gatto per Gwen. Una volta arrivato in famiglia, difficilmente Miles l'avrebbe portato via alla figlia che adorava.

Sorrise compiaciuta della sua decisione e finalmente si addormentò, con la testa un turbinio di pensieri amorevoli sulla sua piccolina di guerra, che le aveva portato tanta felicità.

PARTE SECONDA

Le ragazze

Ho sparso i miei sogni sotto i tuoi piedi;
Cammina delicatamente perché cammini sui miei sogni.

WILLIAM BUTLER YEATS, *Egli desidera il tessuto del cielo*

9

VICTORIA Brown, la timida e prudente piccola profuga che dal primo istante aveva conquistato il cuore di Alice Swann, era diventata una giovane donna adorabile. Era arrivata a Cavendon nel 1939, appena prima di compiere undici anni, e avrebbe festeggiato il suo ventunesimo compleanno più avanti quell'anno.

Con il tempo era diventata straordinariamente bella, con una massa di lucenti capelli castani striati d'oro e insoliti occhi d'un verde intenso. Alta fin da bambina, aveva una figura esile e sinuosa e si muoveva con graziosa energia.

Il fatto che fosse diventata una giovane donna speciale che faceva girare le teste dei passanti quando camminava per strada, non aveva sorpreso né Alice né Walter. Sapevano inoltre che Victoria era una fotografa talentuosa e le avevano permesso di trasferirsi a Londra per seguire la sua passione. L'amore per la fotografia le era nato da piccola, quando Walter le aveva regalato una fotocamera. Da quel momento aveva sempre avuto una macchina fotografica in mano, apparecchi che, con il passare del tempo, erano diventati sempre più complessi e costosi.

Era stata Paloma, la moglie di Harry, a notare il talento di Victoria e, lei stessa fotografa, aveva insegnato alla giovane tutto ciò che sapeva su quell'arte. Il punto forte di Victoria erano i ritratti, ma le piaceva anche assistere fotografi di moda e aveva iniziato a fare alcuni servizi da sola, speciali e molto originali.

In quel caldo pomeriggio di luglio, un sabato, Victoria stava girando per il suo piccolo appartamento in Belsize Park Gardens, controllando le stanze. Quando era venuta a Londra anni prima e aveva scovato quell'appartamentino, Alice le aveva suggerito di dedicarsi ai lavori di casa al sabato e lei aveva seguito il suo consiglio. Era andata a fare la spesa settimanale, poi, tornata a casa si era dedicata alle pulizie della camera da letto, del salotto, del bagno e del cucinino. Malgrado fosse piccolo, era un appartamento comodo e intimo.

Soddisfatta nel vedere che tutto era «pulito e splendente», come diceva Alice, andò in camera da letto. Nella piccola alcova Walter aveva creato per lei una specie di armadio con una tenda e una sbarra che conteneva tutti i suoi vestiti, non che ne possedesse molti, con il razionamento in corso da dieci anni e con Alice che credeva nel rammendo e nell'arte dell'arrangiarsi. Fece scivolare le grucce lungo la sbarra, scelse alcune gonne, camicette, camicie e abitini in cotone. Erano la sua scelta per la prossima settimana, i suoi abiti da lavoro. Anche questo un consiglio di Alice, un'altra sua regola, ma Alice era stata il centro della sua vita da quando era arrivata a Little Skell dieci anni prima.

Brillante e intelligente, Victoria era consapevole che Alice e Walter l'avevano aiutata a diventare la persona che era adesso. Erano stati la loro influenza e il loro amore a forgiarla, il loro aiuto a incrementare la sua borsa di studio al college di Harrogate.

Non osava neppure chiedersi cosa sarebbe stato di lei, se non fosse stata mandata da loro. Avrebbe potuto essere morta; loro le avevano salvato la vita, ne era più che certa.

70

Agli Swann si rivolgeva per consigli e loro non l'avevano mai delusa. Victoria era decisa a renderli orgogliosi di lei.

Alla fine della guerra si era tanto ambientata nella loro casa che aveva avuto paura di ciò che le sarebbe accaduto all'arrivo della pace. Victoria voleva rimanere nel villaggio di Little Skell al bordo del parco di Cavendon.

Ma l'organizzazione responsabile del programma di evacuazione, l'Operazione Pifferaio Magico, avrebbe potuto rimandarla nella terribile casa a Leeds, un'idea che l'aveva fatta rabbrividire. Aveva infine trovato il coraggio di parlare con Alice della sua tremenda infanzia e della sua orribile madre. Alice ne era rimasta sconvolta, arrabbiata e scioccata.

Dopo la guerra Alice era andata a Leeds per parlare con il capo dell'agenzia responsabile degli sfollati, dove l'avevano informata che la madre di Victoria, Helen Brown, era morta di leucemia nel 1943 e la nonna materna, Bessie Trent, d'infarto quello stesso anno. Suo padre, William Brown, che faceva parte della marina mercantile, era affondato con la sua nave nel 1944.

Alice e Walter avevano quindi compilato i moduli per l'adozione, cosa che era avvenuta quasi immediatamente, rendendo tutti felici. Victoria si era sentita finalmente al sicuro. Era consapevole che il loro amore l'aveva resa più sicura di sé e di questo era loro molto grata.

Eppure, anche nel 1949, alcune caratteristiche dell'infanzia persistevano ancora nella sua personalità. Era sempre timida e cauta, addirittura un po' diffidente, e di certo teneva la gente a distanza. D'altro canto era anche socievole e aveva molti amici. I suoi amici più intimi erano Elise Steinbrenner e Charlie Stanton con i quali trascorreva la maggior parte del tempo libero.

Victoria conosceva Elise e Charlie fin dall'infanzia ed era stata Alice a chiedere loro di tenere d'occhio Victoria a Londra, cosa che avevano accettato con piacere.

Elise e Charlie avevano imparato ad amare e apprezzare Vicki, come la chiamavano, ed erano entrambi incantati dal suo talento. Benché giovanissima, i suoi ritratti erano quasi come dipinti e parevano catturare e svelare le anime di coloro che posavano per lei.

Aveva fotografato Charlie per la copertina di uno dei suoi libri storici e lui ne era rimasto tanto colpito che l'aveva raccomandata a tutti. Lo stesso faceva Greta Chalmers, la sorella di Elise, che era decisa a sfruttare il suo talento per dare un'aria più giovane alla collezione autunnale che Cecily Swann avrebbe disegnato per l'anno nuovo.

Terminate le faccende domestiche, Victoria controllò il suo aspetto davanti allo specchio a bilico in camera da letto, come le aveva insegnato a fare la zia Alice. Ciò che vide le piacque: indossava una gonna bianca, una camicetta a righe bianche e azzurre e delle ballerine. Semplice, ma chic. Alice le confezionava tutti gli abiti e le passava i vecchi vestiti di Cecily.

Vestita in modo appropriato per una cena semplice con Elise, scese nell'atrio della casa vittoriana a quattro piani che era stata trasformata in condominio, portando con sé una ventiquattrore.

Appena uscita notò l'automobile grigia parcheggiata dall'altra parte della strada e rientrò subito e chiuse rapidamente la porta. Il cuore cominciò a batterle forte e provò una sensazione di sgomento.

Aveva riconosciuto immediatamente la Vauxhall che apparteneva a Phil Dayton, suo collega a Photo Elite. Le aveva chiesto spesso di uscire, ma lei aveva sempre rifiutato. Per quanto lo avesse scoraggiato, era diventato una seccatura, continuava a invitarla e ora anche questo. La stava spiando.

Appoggiata alla parete, Victoria capì che Phil Dayton era

diventato una minaccia. Istintivamente sentì puzza di guai. Doveva trovare un modo per affrontarlo. Ma in quel momento si chiese solo cosa fare per evitarlo.

Se fosse uscita, l'avrebbe vista. Sarebbe potuta saltare su un taxi, ma l'avrebbe seguita sicuramente. Forse poteva correre fino alla vicina stazione della metropolitana, lì non l'avrebbe pedinata perché non avrebbe mai lasciato l'auto incustodita. La sua ultima opzione era andare da lui e affrontarlo, insinuare che avrebbe riferito il suo comportamento al loro capo, Michael Sutton.

Quest'ultima ipotesi non la entusiasmava. Avrebbero potuto esserci delle ripercussioni e chissà se le avrebbero creduto. Doveva andarci cauta.

Sobbalzò nel sentire una porta chiudersi e il rumore di passi pesanti che scendevano le scale a gran velocità. Un attimo dopo il suo vicino, Declan O'Sullivan la chiamò e la strinse in un forte abbraccio.

Poi la staccò da sé e la fissò intensamente, i neri occhi luccicanti. «Hai un aspetto favoloso, Victoria! Dovresti fare l'attrice.»

Victoria scoppiò a ridere. Declan era sempre allegro e gioviale. «Come è andata la festa di compleanno di tua madre?» gli domandò, felice di vederlo.

«Ci siamo divertiti e a mamma è piaciuto essere al centro dell'attenzione e tutto quel jazz... Abbiamo festeggiato fino all'alba.»

«Bene. E io sono contenta che tu sia tornato.» Declan le mancava quando era in tournée o girava un film. Lui era uno dei suoi buoni amici ed era affidabile.

«Vedo che stai uscendo, vai a Cavendon?» le chiese Declan.

«No, a cena con Elise. Nulla di speciale, ma domani vado a vedere l'appartamento che vuole affittare per darle la mia opinione. Dato che io vivo a North London e lei a Chelsea, dormirò a casa di sua sorella in quello stesso quartiere.»

«In Phene Street, giusto?»

«Sì, perché?»

«Perché sto andando da quelle parti. Devo incontrare un amico in un pub di King's Road. Posso darti un passaggio se vuoi, la mia auto è posteggiata lungo la strada. Forza, andiamo.» Sollevò la ventiquattrore e le aprì la porta.

Con sollievo Victoria gli strinse il braccio e lui la condusse alla Morris Minor, parcheggiata poco più avanti nella via.

Non poté evitare di sperare che Phil Dayton li stesse osservando nello specchietto della sua auto. Avrebbe pensato che lei aveva un fidanzato e forse l'avrebbe lasciata in pace. Nessuno l'aveva avvertita che essere una ragazza in carriera e sola in una grande città avrebbe comportato quel rischio. Ma non avrebbe ceduto per nulla al mondo.

10

ELISE Steinbrenner era ferma sul pianerottolo tra le due mansarde nella casa di Greta; poco prima aveva provato il desiderio di gironzolare là attorno e ora cuore e mente erano sommersi dai ricordi che la colmavano di felicità e nello stesso tempo di tristezza.

Amava quel luogo caloroso e accogliente. *Undici anni.* Per così tanto tempo aveva vissuto in Phene Street con la sorellastra che li aveva accolti a braccia aperte. Erano arrivati un sabato, esausti e un poco spaventati, eppure il sollievo e la gioia avevano ben presto soppiantato quelle emozioni. Suo padre, suo fratello e lei erano al sicuro. Finalmente.

Erano sfuggiti da Berlino e dal terrore della Germania nazista per un pelo. Finalmente erano in Inghilterra e nel cielo di Londra sventolavano le bandiere del Regno Unito, le Union Jack, a strisce rosse, bianche e blu e non più quelle tedesche con la spaventosa svastica, simbolo per lei di terrore e pericolo.

Le balenò un improvviso ricordo: l'Union Jack che si gonfiava sopra la porta d'ingresso dell'ambasciata britannica nella Wilhelmstrasse e le indicava la salvezza. Aveva sempre pensato che fosse un paradosso che solo pochi edifici più avanti ci fosse il Reichstag, il quartier generale dove Hitler e i suoi compari stavano tramando le loro azioni efferate, immaginando la conquista del mondo.

Erano stati fortunati, lei, suo fratello Kurt e suo padre. Erano ebrei. E nel 1938 gli ebrei in Germania venivano uccisi a migliaia. La loro fuga era stata organizzata in gran segreto da lady Diedre Ingham che lavorava al War Office. Aveva avuto un contatto all'ambasciata britannica a Berlino che conosceva qualcuno che conosceva qualcun altro. La loro fuga era stata pianificata con intelligenza e cautela e, una volta in possesso di documenti validi, avevano potuto lasciare Berlino. Elise sapeva che non avrebbe mai dimenticato il momento in cui avevano passato la frontiera con la Francia ed erano arrivati a Parigi. Sentirsi finalmente libera, che suo fratello e i suoi genitori fossero liberi, le aveva procurato una specie di choc.

Rabbrividì, pensando alla madre. Heddy Steinbrenner non era andata con loro a Londra. Era rimasta a Parigi. E ora, da adulta, Elise conosceva il motivo per cui non era partita con loro, dal momento che nel 1946 era tornata a Parigi e a Berlino proprio per scoprire quale era stato il destino della madre.

Mise da parte quei pensieri ed entrò nell'attico che suo fratello Kurt aveva chiamato il suo rifugio. Anni prima, Greta l'aveva ammobiliato con una scrivania, alcune comode poltrone, librerie e un cassettone. Lì Kurt aveva trascorso molto del suo tempo.

Ora, fissando la lavagna di sughero sopra la scrivania, sorrise. Appuntati sul sughero c'erano sempre stati una piccola bandiera del Regno Unito e un papavero rosso per il Giorno dell'Armistizio delle due guerre mondiali. I cimeli speciali di Kurt. Ora non c'erano più. Li aveva portati con sé quando era partito per New York per continuare la sua formazione medica e diventare un neurochirurgo in un ospedale a Manhattan, il New York Presbyterian.

Kurt, indipendente e determinato per natura, aveva sempre messo gli occhi su ciò che chiamava «il nuovo mondo». Adorava Londra, ma l'altra sponda l'aveva allettato con la sua modernità.

Quando, inaspettatamente, il loro padre era deceduto per un infarto nel 1947, Elise aveva capito che suo fratello avrebbe cominciato a fare progetti. E così era stato. Ormai era lontano da quasi due anni.

Uscì dal rifugio di Kurt e lanciò un'occhiata all'altro sottotetto, la camera da letto di Kurt, e sospirò. Al momento il fratello aveva problemi di cuore, ma era lontano e tutto quello che lei poteva fare era solo dargli consigli...

Il suono del campanello s'insinuò nelle sue fantasticherie e scese di corsa nell'atrio, sistemandosi i capelli scuri. Pochi secondi dopo stava salutando Victoria e Declan sull'uscio.

«Vuoi entrare per un drink?» offrì Elise al giovane attore che aveva già conosciuto. Malgrado gli anni passati a Londra, nella sua voce musicale c'era ancora un accenno di accento.

Declan scosse la testa. «Sono già in ritardo», declinò. «Un'altra volta, forse.» Sorrise, scrutandola e inarcando un sopracciglio.

Elise scoppiò a ridere. «Naturalmente. Vicki ti darà il mio numero di telefono.»

Declan annuì soddisfatto, appoggiò la ventiquattrore di Victoria sul pavimento e le salutò.

Elise e Victoria si abbracciarono, poi salirono le scale. «So che ti piace la camera da letto con il motivo verde e bianco intrecciato, quindi ti ho sistemata lì.»

«È vero, grazie, ma sai bene che quello che più mi piace di questo appartamento è l'atmosfera. Greta è proprio una brava arredatrice e avrebbe potuto avere successo in questo campo.»

«Hai ragione, ma è devota a Cecily e alla casa di moda.»

Elise aprì la porta della camera degli ospiti ed entrò, seguita da Victoria. «Questa mattina Greta mi ha riferito che Cecily l'ha promossa, ora è direttrice generale della Cecily Swann Couture e Dottie amministratrice aggiunta con Cecily.»

«Che bella notizia!» esclamò Victoria. «Ho saputo da zia Alice che ora Cecily trascorrerà la maggior parte del tempo a Cavendon... visto che lady Daphne è andata a Zurigo, e in ogni caso è Cecily la contessa di Mowbray.»

«Greta è una vera donna in carriera, sai, e immagino che lo siamo anche noi.» Elise si sedette su una poltrona, mentre Victoria disfaceva la sacca. Sembrava pensierosa.

«Amo il mio lavoro, ma a volte penso di sposarmi e avere una famiglia. E tu, Elise?»

«Anch'io. Non dimenticare che a ventotto anni sono una vecchia zitella. Dovrei avere dei bambini, ma non sopporto l'idea di lasciare il *Daily Mail*. Il lavoro di giornalista è importante per me, ma a volte sogno di avere un frugolino tutto mio, a volte mi sento malinconica...» La voce di Elise si affievolì e scosse la testa. Ripensò a pochi minuti prima e all'improvviso si ritrovò a confidarsi con l'amica. «Non capirò mai come una madre possa abbandonare i propri figli, come ha fatto la mia.»

Percependo il dolore nella voce di Elise, Victoria si voltò e andò a sedersi nell'altra poltrona. Si protese in avanti e le sfiorò la mano con affetto. «È dura da comprendere», le disse con affetto, «e devo ammettere che stupisce anche me. Quando nel Quarantasei sei tornata dalla Germania, mi sei sembrata meno turbata. Stavi solo facendo buon viso a cattivo gioco o cosa?»

«Fino a un certo punto», rispose Elise. Dopo un attimo di riflessione aggiunse: «Quello che ero riuscita a scoprire mi aveva spiegato i suoi motivi, ma più tardi mi sono resa conto che comunque non giustificavano il suo comportamento. Era stata egoista».

«Non me ne hai mai parlato. Non voglio ficcanasare, Elise, ma ti ascolterei con piacere, se parlarne ti fosse d'aiuto.»

«Penso che mi farebbe bene togliermi questo peso dallo stomaco. Ne ho parlato solo con papà, Kurt e Greta, perché avevano il diritto di sapere.» I suoi occhi scuri si colmarono di lacrime.

Victoria annuì, si appoggiò allo schienale, dando a Elise il tempo di riordinare i pensieri.

«Mia madre aveva un amico d'infanzia, Heinrich Schnell», raccontò infine. «Le loro famiglie erano vicine di casa a Dresda. A quanto pare da adolescenti si erano innamorati, ma mia madre era ebrea e gli Schnell no. In verità, erano seguaci di Hitler, ferventi nazisti, membri del partito. E Heinrich faceva parte della Hitler Jugend, la gioventù hitleriana, ma si era ammalato e non era potuto andare in guerra. I genitori di mia madre, Esther e Hans Mayer, si erano trasferiti a Berlino. Quindi mamma aveva conosciuto papà dopo che la sua prima moglie, la madre di Greta, era morta a Londra. Si erano sposati, ero nata io e poi Kurt, ma un giorno Heinrich aveva ritrovato mia madre a Berlino ed erano diventati amanti. Per questo motivo ci aveva abbandonati e si era rifiutata di venire a Londra con noi. Erano rimasti a Parigi per alcune settimane, poi erano tornati in Germania.» Elise s'interruppe, in preda a un turbinio di emozioni. Non era sicura di poter continuare.

Victoria rimase in silenzio, sapendo di dover dare a Elise il tempo di riprendersi. Forse si era pentita di aver parlato.

«Mia madre era tornata a Dresda da Heinrich che non si era mai sposato», continuò Elise. «Erano andati a vivere insieme, a quanto pare per lei lui era più importante di noi. Ed erano morti insieme. Quando Dresda era stata bombardata dagli alleati. Questa è la storia, o la maggior parte di essa.»

«Mi spiace che vi abbia abbandonati in quel modo, Elise. Mi dispiace veramente. So quanto tu ne abbia sofferto. Cose come questa ti restano dentro per la vita, non si cancellano mai.»

Elise annuì. «Scoprire la verità mi aveva aiutata molto e sono contenta di essere andata in Germania, per quanto difficile sia stato.»

«Questo è esattamente quello che fa un vero giornalista. Charlie ha sempre detto che hai un talento innato per il giornalismo. Scavi a fondo fino a che non ottieni i fatti.»

«Indovina un po'?» riprese, un sorriso mesto sulle labbra. «Mio padre aveva avuto dei sospetti. Vedi, lui era stato al corrente della tresca, ma aveva fatto finta di niente.»

«Per tutti il professor Steinbrenner era un uomo brillante e zia Alice mi aveva detto che un coniuge di solito è a conoscenza delle scappatelle del consorte.»

«Cosa diavolo l'ha spinta a dire una cosa simile?» domandò Elise, attonita.

«Mi stava spiegando qualcosa che era accaduto tanti anni fa, quando ero piccola. Nulla di importante, niente che riguardasse te», precisò, per poi proseguire: «Grazie per avermi ascoltata, Vicki, mi è servito confidarmi con te. Ma ora andiamo nel salotto così mi racconti tutto di Declan O'Sullivan».

Si alzarono e scesero al piano inferiore nella stanza dalle pareti coperte di libri che si estendeva per tutta la larghezza della casa e che era illuminata dalla luce che entrava dalle due alte finestre. Pareva sempre ariosa e soleggiata, perché Greta aveva fatto tingere le pareti di giallo e alle finestre aveva appeso delle tende in seta lunghe fino a terra. Il lucido pavimento in legno era in parte coperto da un tappeto color crema e giallo. Parecchi quadri moderni aggiungevano colori brillanti alle pareti e cuscini rosa e verde pallido ravvivavano i divani: era una stanza vivace e alla moda del momento.

Victoria si accomodò su un divano e si guardò in giro, ammirata. Amava le stanze luminose, mentre quelle buie la spaventavano, le riportavano alla mente brutti ricordi.

«Ti va bene una limonata?» offrì Elise avvicinandosi alla credenza in stile Queen Anne. «L'ho appena fatta ed è rinfrescante.»

«Grazie, prenderò qualcosa di più forte a cena», rispose Victoria, pensando a quanto la sua amica fosse attraente in un abito rosso con gli ondulati capelli castani, gli occhi marrone scuro e la carnagione chiara. Era snella, *petite*, ma la postura eretta la faceva apparire più alta di quanto non fosse.

Victoria sapeva che gli uomini erano attratti dalla sua bellezza mediterranea e dal suo accento. Possedeva un fascino sensuale, eppure non aveva ancora messo su casa con nessuno degli uomini con cui era uscita. Era molto esigente e dedita alla carriera.

«Prima di tutto, pensi che Declan stesse flirtando con me?» chiese Elise sedendosi di fronte a Victoria.

«Sì, sono sicura che vuole rivederti.»

«Ha una ragazza?»

«Per quel che ne so, no. Ed è una splendida persona. Mi è sempre stato d'aiuto, fin dal primo giorno in cui mi sono stabilita in quella casa, appendendo fotografie, cose simili.»

«Lavora molto. L'ho visto in alcuni film, particine, naturalmente. È di Dublino, non è vero?»

Victoria annuì, poi rise. «È irlandese fino alle ossa, ma forza, esci con lui e divertiti. È davvero affascinante.»

«Se lo dici tu», borbottò Elise con un sorriso ironico. «Ma che mi dici di te, Victoria? Ti vedi con qualcuno ultimamente? Qualcuno che ti piace?»

«No, in verità, sto lavorando troppo. Sono talmente presa dalla mia macchina fotografica e da quello che vedo attraverso l'obiettivo per notare un uomo.»

Elise scoppiò a ridere e le due giovani donne si misero a parlare dell'appartamento che Elise aveva trovato lì vicino nella Margaretta Terrace. E di quello che il trasloco di Elise avrebbe significato per Greta. Elise temeva che la sorella si sarebbe sentita sola senza di lei.

11

«OCCORRE molto coraggio per essere coraggiosa», osservò
Alicia, fissando Constance Lambert dall'altra parte del tavolo. «Oh, scusami, ho detto qualcosa di ridicolo, vero?» Gli
occhi le si riempirono improvvisamente di lacrime.

Constance allungò la mano e strinse quella di Alicia. «So
esattamente cosa vuoi dire. Occorre molta forza per essere
forti in questa situazione, Alicia.»

«Il fatto è che è stato del tutto inaspettato e lui me l'ha
detto in tono tanto brutale, insensibile.»

«Così pare», mormorò Constance, la voce dolce e comprensiva. «E tu non sei la prima donna che piange per un
uomo. Nemmeno l'ultima. Le donne lo fanno da secoli.»

Constance fissò nel vuoto, come se stesse ricordando
qualcosa, l'espressione meditabonda. «A volte gli uomini
sanno essere dei veri bastardi», osservò a bassa voce.

Alicia si asciugò le guance, si soffiò il naso e tentò invano di sorridere a Constance che le prese di nuovo la mano,
come per confortarla.

Stavano prendendo il tè nella sala del *Brown Hotel*. Erano
molto intime. Constance e Felix erano stati gli agenti teatrali
di Alicia fin dall'inizio della sua carriera di attrice. Alicia
non era diventata una grande diva, ma era un'attrice di una

certa levatura. Amata dal pubblico, lavorava regolarmente e sempre in buone produzioni. Loro si occupavano dei suoi interessi e lei faceva affidamento su di loro, si fidava di loro. In ogni caso, sconvolta per la rottura con Bryan Mellor, si era rivolta a Constance, ben sapendo che lei l'avrebbe compresa a livello emotivo.

«C'è una cosa che trovo strana», commentò Constance, rompendo il silenzio. «La decisione di Bryan di partecipare al tour shakespeariano di Victor Chapman in Australia. Non è qualcosa che arricchirà la sua carriera, di fatto, secondo me, è una specie di passo indietro. E, tra parentesi, Felix è d'accordo con me.»

«Mi fa piacere sentirtelo dire, perché era ciò che avevo pensato anch'io. D'altra parte, è un po' strano, eccentrico e pure cocciuto, vuole sempre fare di testa sua.»

«È un uomo, che altro potevi aspettarti?» fece notare Constance con un sorrisetto sornione. «Ma guardiamo la faccenda da un altro punto di vista. Bryan avrebbe potuto semplicemente rompere con te e andarsene. Non aveva bisogno di mettere migliaia di chilometri tra voi due...» S'interruppe, l'espressione assorta. «A meno che l'abbia fatto per evitare di tornare da te... di essere tentato di riconciliarsi, sapendo che non sarebbe riuscito a resisterti.»

Un'espressione attonita guizzò negli occhi azzurri di Alicia. «Perché mai vorrebbe riavermi?» esclamò. «Ti ho appena detto... quanto è stato sgradevole. Credo che avesse programmato di lasciarmi già da un po'. Pensa a quanto è stato subdolo riguardo i suoi abiti, dicendo che li avrebbe portati in tintoria. Con ogni probabilità stava facendo i bagagli.»

«Giusto. Ma se ha lasciato qualcosa, una cravatta, un libro, qualsiasi cosa, liberatene subito. Rimandaglieli o, no, ancora meglio, buttali. I ricordi di un uomo possono diventare scomodi.»

«Grazie per averci pensato. In effetti ci sono ancora alcune cosucce sue. Gliele invierò al suo appartamento.»

«Non sprecare soldi per la spedizione. È lui che se n'è andato. Buttale in pattumiera. Adesso. Subito.»

«Ho deciso di andare a Cavendon, di uscire dall'appartamento, dove ci sono ancora troppi ricordi di Brin.»

«Buona idea. E fermati lì per una decina di giorni. Ora che il film è stato rinviato di due settimane per le nuove stesure, puoi rilassarti, studiare le battute, anche se, conoscendoti, le sai già a memoria.»

Alicia sorrise per la prima volta quel giorno. «Sì, è vero.»

«Ora devi pensare al futuro», riprese Constance, la voce più risoluta. «So che Felix ti ha detto che il produttore associato è un tuo grande ammiratore. Ha accennato a Felix che potrebbe volerti nel suo prossimo film. Hai molto da aspettarti, mia cara. E non devi rimuginare su Bryan Mellor. Lui è un caso perso.»

Dall'altra parte di Londra, nell'ufficio di Photo Elite in Fulham Road, Victoria stava ascoltando Michael Sutton, proprietario e capo dell'agenzia.

«Non mi piace quello che stai dicendo, Mike», esclamò Victoria, quando lui ebbe finito di parlare. «Stai insinuando che io vivo con un uomo, che la cosa ti preoccupa, perché avevi promesso a Paloma di tenermi d'occhio. Si tratta di questo, non è vero?»

Lui annuì. «E avevo promesso a tua zia la stessa cosa e i pettegolezzi che sono giunti alle mie orecchie sono preoccupanti. Provo un senso di responsabilità nei tuoi confronti.»

«Puoi smettere subito. Zia Alice e Paloma mi fanno sorvegliare da Charlie Stanton e da Greta Chalmers, e sono già troppi. Mi deludi, pensavo tu sapessi che tipo sono. Qualcuno sta diffondendo cose terribili su di me, cose non vere.»

Michael avvampò per l'imbarazzo. «Avrei dovuto saperlo. Non avrei dovuto ascoltare quei pettegolezzi di corridoio», borbottò, sentendosi un idiota.

«L'uomo con cui sono stata vista, più di una settimana fa, è Declan O'Sullivan, l'attore. Vive nell'appartamento sopra il mio. Sabato scorso stavamo uscendo nello stesso momento e lui mi ha dato un passaggio, visto che eravamo entrambi diretti a Chelsea.»

Michael aveva capito che lei era arrabbiata e non la biasimò. Era stato uno sciocco a prestare orecchio a un membro deluso dello staff della sua agenzia, per non parlare di avere riferito il pettegolezzo a Victoria. «Mi dispiace, Victoria. Ho sbagliato. Spero che accetterai le mie scuse.»

«Certamente», rispose lei che non voleva che persistessero problemi con il suo capo. Si chiese se non dovesse parlargli di Phil Dayton e del fatto che sorvegliava casa sua, ma decise di no.

«Ho un incarico per te che sono certo ti piacerà. Era questo il vero motivo per cui volevo vederti oggi.»

«Oh, di che si tratta?»

«Devi fotografare Alicia Stanton per *Elegance Magazine*. La tua grande chance. Il tuo primo servizio da sola.»

«Quando?» chiese Victoria tutta un sorriso. «So che sta per cominciare a girare un nuovo film.»

«A quanto pare le riprese inizieranno un po' più tardi. Mi è stato riferito che devono fare alcune modifiche alla sceneggiatura. Vuoi che accetti? Lo farai?»

«Naturalmente, la conosco fin da quando ero bambina.»

Lui sorrise, soddisfatto nel constatare che non era più arrabbiata. Lei era la sua prediletta, in realtà, la preferita di tutti. Come aveva potuto essere tanto stupido da dare ascolto a meschine voci prive di alcun riscontro? Sono proprio uno stupido, aggiunse tra sé.

Erano le diciannove quando Victoria uscì dall'agenzia. Lanciò un'occhiata al cielo e vide che era carico di nubi nere che minacciavano pioggia. Dopo avere sviluppato negativi per ore, era stanca, ma riuscì a rilassarsi appena salita al piano superiore dell'autobus. Iniziò a riflettere su come fotografare Alicia. Era consapevole che si trattava di uno splendido progetto e che lei sarebbe riuscita a fare alcuni scatti singolari, dal momento che conosceva tanto bene Cavendon e i suoi luoghi segreti. Mentre l'autobus serpeggiava tra enormi buche e ricostruzioni appena iniziate, non riusciva a credere di essersi guadagnata il suo primo vero incarico.

Stava ancora pensando al nuovo lavoro quando svoltò in Belsize Park Gardens. Il viaggio da Fulham Road a qui era lungo, specialmente in una serata piovosa. All'improvviso si irrigidì. Eccola di nuovo, la Vauxall grigia di Phil Dayton parcheggiata poco più avanti nella strada.

Si voltò e tornò di corsa verso la via principale dove stava passando un taxi libero. Gli fece segno di fermarsi, aprì la portiera e saltò dentro. «Svelto! Devo trovarmi immediatamente da un'altra parte», gridò all'autista.

«Nessun problema, signorina. Dove la devo portare?»

«In fondo a Phene Street», rispose, prima di accomodarsi, abbassandosi un poco, mentre superavano l'auto grigia.

Non era soltanto imbufalita, ma anche spaventata. L'ossessione di Dayton nei suoi confronti, perché non era altro che questo, era morbosa. E questa sera era diventata inquietante. Non le andava di starsene sola nel suo appartamento, con lui seduto lì fuori sotto casa sua. Era agghiacciante.

Da bambina non aveva imparato solo la cautela e la prudenza, ma anche ad anticipare i guai, e per questo era sempre in guardia, sempre pronta. Queste tratti erano ben radicati in lei.

12

GRETA Chalmers stava fissando la bottiglia di Dubonnet, ma poi la mise sul tavolo. Era stata sul punto di aprirla, per brindare con Elise, ma si era ricordata che quella sera Elise era in redazione.

Ma sarebbe venuta lo stesso, se avesse avuto la serata libera? Naturalmente no. Ora viveva nella sua nuova e minuscola mansarda nella Margaretta Terrace. Era appena dietro l'angolo, e sarebbe corsa là, se non avesse dovuto lavorare... Greta scosse la testa e sorrise tristemente. Ora viveva da sola.

A ventotto anni, Elise aveva voluto andare avanti, sentirsi più adulta e vivere la propria vita in un posto tutto suo. Greta questo lo capiva. Ciononostante la sorella le mancava. Senza di lei la casa era vuota, strana.

Per undici anni, da quando suo padre e i suoi fratellastri erano arrivati dalla Germania, quell'appartamento era stato la casa di famiglia. Era stato perfetto per tutti loro, con Kurt nella camera da letto in mansarda. Quando erano arrivati nel 1938, Greta era riuscita a trovare una vera sensazione di pace e a mettere da parte il dolore per la prematura morte del marito avvenuta nel Trentatré. La sua famiglia le aveva dato una nuova vita. Sapeva di dover essere contenta del tempo che erano riusciti a passare insieme, tempo che con gran facilità i nazisti avrebbero potuto negare loro. Ripensò alla conversazione che aveva avuto con Cecily e all'esito finale. Questa è una nuova vita.

Quel pensiero cancellò come un colpo di spugna la tristezza. È un nuovo inizio, disse a se stessa, posso andare avanti, fare molto di più, colmare la mia vita di nuove attività. La casa di moda richiede molto lavoro e potrei anche conoscere un uomo gentile.

Rifletté sulla Vita con la V maiuscola e sulle sorprese che riservava. L'inatteso non era mai molto distante. A volte la Vita insorgeva e ti colpiva con violenza, ti distruggeva, ma di tanto in tanto offriva un po' di felicità, un senso di gioia, per quanto fugace.

Il suono del campanello la fece sobbalzare. Si alzò in piedi e si affrettò lungo il corridoio, chiedendosi chi fosse alla porta. Quando la aprì, il suo volto assunse un'espressione di totale sorpresa.

«Victoria! Ciao!» Per un attimo Greta fissò a bocca aperta la giovane donna che le stava sorridendo.

«Posso entrare?» domandò Victoria. Era pallida e stanca, con i capelli piatti sotto un cappello umido di pioggia.

«Ma certamente. Che stupida che sono.» Greta la fece entrare e chiuse la porta. «Per un attimo sono rimasta sorpresa, ma sono sempre felice di vederti.» Le fece strada verso la cucina. «Ma Elise è al giornale.»

«Lo so. Sono venuta a fare visita a te, Greta. Mi rendo conto che avrei dovuto telefonarti prima, ma ero per strada e ho deciso di fare un salto. Ho bisogno del tuo consiglio. Devo parlarti di una cosa stramba, quasi paradossale. In via confidenziale.»

«Sono sempre qui per te e, stranamente, ho anch'io qualcosa che vorrei confidarti, Victoria.» Sedute al tavolo della cucina, Greta esaminò per un attimo il viso di Victoria. «Hai detto paradossale e sembri davvero preoccupata. Riprendi fiato e lascia che ti dia qualcosa da bere. Credo che la mia sia una storia più gioiosa. Inizio io?»

«La mia è più complessa», accettò Victoria, «per cui, sì, inizia tu. Mi racconterai qualcosa di bello, non è vero?»

«Sì.» Greta si alzò, aprì la bottiglia di Dubonnet, prese due bicchieri dalla credenza e versò il vino.

Si risedette e si allungò sul tavolo. «Oggi sono diventata socia di Cecily alla Swann. Abbiamo definito il contratto che mi porterà a investire nella società e sono molto emozionata.»

«Che bello! Congratulazioni.» Victoria sollevò il bicchiere e toccò quello di Greta prima di bere un sorso.

«Grazie, mia cara. Mi ha dato una nuova prospettiva di vita, è come una sorta di nuovo inizio. Prima del tuo arrivo ero seduta qui e mi chiedevo con chi avrei potuto condividere la buona nuova... e così, grazie di essere piombata qui giusto in tempo.»

Victoria scoppiò a ridere. Greta possedeva un fantastico senso dell'umorismo. L'aveva sempre ammirata, come pure il modo in cui si era occupata del professore, di Kurt e di Elise. Era una bella persona, buona e leale.

Zia Alice aveva sempre sostenuto che Cecily era stata fortunata a trovarla, che Greta era onesta, affidabile e che aveva carattere. Il carattere era la cosa più importante per Alice Swann. Victoria pensava che Ceci e Greta fossero simili sotto molti aspetti; erano entrambe nate la prima settimana di maggio, anche se Cecily aveva sei anni più di Greta che ora andava per i quarantadue.

«Oggi Ceci e io abbiamo stretto un patto verbale al telefono, Victoria, per cui quello che ti ho appena detto è molto confidenziale. Per ora nessun altro deve sapere di questa partnership.» Greta non avrebbe mai menzionato i guai in cui si trovava la società e i cambiamenti che avrebbero fatto per salvarla.

«Non dirò una parola, te lo prometto. Zia Alice mi ha insegnato a non spettegolare e tenere per me le cose.» Questo era il credo di Alice e Victoria sospettava che la stessa Alice conoscesse molti particolari delicati sulle famiglie Ingham e Swann che non avrebbe mai rivelato a nessuno.

«Ora spiegami, perché hai bisogno del mio consiglio», attaccò Greta.

«È un po' complicato, come hai immaginato.» Lentamente, parlando con voce ferma, le raccontò di Phil Dayton, dalla sera in cui aveva dato un passaggio a lei e a un'altra collega di Photo Elite durante un temporale, di come l'avesse infastidita con i suoi continui inviti a uscire e come ultimamente avesse parcheggiato vicino a casa sua. «Aver visto la sua auto questa sera è stata una volta di troppo.»

«Direi tre di troppo!» esclamò Greta, inorridita. «Hai fatto bene a venire da me e passerai la notte qui.»

«Ma io...»

«Nessun ma. Potrebbe averti vista arrivare in Belsize Park Gardens e poi saltare su un taxi e allontanarti. Potrebbe essere ancora posteggiato là. Potrebbe scendere dall'auto e tentare di avvicinarti, se tornassi a casa. Pensa se fosse a tarda ora.»

«Hai ragione. Io vorrei affrontarlo e mandarlo al diavolo e anche denunciare il suo comportamento a Michael Sutton... oppure potrei lasciare l'agenzia. Quell'uomo mi mette a disagio.»

«Proverei la stessa sensazione, ma fronteggiare questo Dayton, secondo me, sarebbe la mossa peggiore. Potrebbe prenderla male e offendersi. Ti consiglio di tenere la bocca chiusa e lasciare l'agenzia il più presto possibile. Mettiti fuori portata.»

«Questa sera Michael Sutton mi ha detto che *Elegance Magazine* vorrebbe che fotografassi Alicia e io ho accettato l'incarico. Desidero farlo. Sarebbe il mio primo lavoro da sola, il più importante.»

«Saresti sempre vicina a Dayton.»

Victoria scosse la testa. «Mike mi ha detto che la rivista ha suggerito di fotografarla a Cavendon, per cui non sarei a Londra.»

«Ah», osservò Greta. «Melinda Johns, la caporedattrice di *Elegance Magazine* è una mia cara amica, potrebbe volerti portare via a Photo Elite. E una volta completato il servizio su Alicia non avrai problemi a trovare lavoro. Ne parlerò con Melinda quando vorrai, dipende da te, basta che tu me lo chieda.»

«Grazie, Greta, per avermi ascoltata e per il consiglio. Ma ti prego, non parlare di Phil Dayton a Cecily, lei lo riferirebbe alla zia che si preoccuperebbe ancora di più per me.»

«Non lo dirò ad anima viva, te lo prometto», le assicurò Greta sorseggiando il vino. «Mi sono chiesta spesso come mai tu e Alice abbiate scelto quell'appartamento. È accogliente e ben arredato, ma Belsize Park Gardens è molto lontano, a nord, ora che lavori qui vicino a Chelsea. Sei a chilometri di distanza da noi.»

«Hai ragione, in effetti non è comodissimo, ma la signora Skelton, la padrona di casa, e zia Alice hanno un'amica in comune e l'appartamento era bello e disponibile.» Victoria scosse il capo. «Immagino che non ci abbiamo riflettuto un gran che. Per la verità non c'è un altro motivo. All'epoca era conveniente e so che zia Alice e zio Walter erano felici che i proprietari fossero dei conoscenti. Era già stata un'impresa persuaderli a lasciarmi venire qui. Ma forse dovrei pensare a una nuova sistemazione e a un nuovo capo.»

«Sì, penso di sì e nel frattempo voglio che tu mi prometta di restare qui con me fin quando non andrai a Cavendon per il servizio fotografico. Non potrei dormire per la preoccupazione.» Greta si era occupata di Elise e Kurt per un decennio. Era tipico di lei volersi occupare ora di Victoria.

Per un momento Victoria non rispose, presa alla sprovvista dalla proposta, ma, quando guardò l'amica e vide la preoccupazione nei suoi occhi, annuì di colpo. «Okay. Va bene. Dovrò tornare a casa per fare la valigia quando partirò per Cavendon.»

«Grazie Victoria, mi hai tranquillizzata. Allora, Nina lascia sempre qualcosa per la cena.» Greta si alzò e andò a guardare nella dispensa. «A-ha! C'è del formaggio e un flan di patate e un'insalata di pomodori. C'è anche del prosciutto. Che cosa ti va di mangiare?»

«Non resisto al flan», rispose Victoria.

«Ti faccio compagnia, devo solo infilarlo nel forno per una mezz'oretta per riscaldarlo. E nel frattempo, mettiamo su un po' di musica e apparecchiamo la tavola.»

Mentre si affaccendava in cucina, accendendo il forno e prendendo alcuni piatti dalla dispensa, Greta chiacchierò del più e del meno e del Festival del Regno Unito, programmato per l'anno venturo. Aveva deciso di lasciar cadere la faccenda di Phil Dayton. Perché rimuginare su quell'individuo per tutta la serata? A un certo punto, mentre metteva la cena nel forno, Greta si chiese se a Elise sarebbe piaciuto condividere il suo appartamento dietro l'angolo.

«Mi piace come hai arredato questa casa», disse Victoria. «Un giorno, quando sarò sposata e avrò una casa tutta mia, avrò una stanza in bianco e azzurro come la tua sala da pranzo, o forse un salotto con quei colori.»

«Li ho sempre amati», disse Greta. «Ho trovato uno splendido tessuto francese *toile de Jouy*, con un motivo azzurro su sfondo bianco. Trovo sorprendenti le storie che le *toile* raccontano, in un certo senso divertenti.»

Durante la cena Victoria raccontò a Greta altri episodi divertenti della sua vita lavorativa. «Amo vivere a Londra, non potrei più tornare nello Yorkshire. E mi piace molto lavorare per Melinda Johns. Quando facevo l'assistente, non mi diceva mai come fotografare un servizio. Ricevo semplicemente una breve nota...» S'interruppe e rise. «Sì, ti dà giusto giusto le informazioni di base.»

«Cioè?»

«Per lo più una riga, tipo: '*Questo è un profilo. Serio*'. Oppure: '*Divertiti con questi vestiti*'. A volte vuole un tocco di fantasia o di aggressività. Mi piace questo suo modo di fare, lascia decidere a me.»

«Immagino e ora hai questa fantastica opportunità di scattare foto innovative e uniche. In verità ritengo che entri molto in gioco la tua fervida immaginazione.»

«Ci provo», ammise Victoria, in tono umile, ma decisamente contenta della lode di Greta. «Cerco luoghi bizzarri per gli sfondi.»

«Scommetto che hai già in mente gli scatti a Cavendon, giusto?»

«Un po'», si schermì lei. «Ovviamente non voglio fare foto classiche, tipo l'onorevole Alicia Ingham Stanton a Cavendon, la sua casa di famiglia. Troppo noiose, mentre nella tenuta ci sono alcuni luoghi particolari, per non dire spettacolari. Con ogni probabilità sceglierò per lo più ambienti esterni e forse una paio di foto in casa, ma anche quelle dovranno essere anticonvenzionali. Dopotutto siamo nel 1949. Abbiamo bisogno di un nuovo approccio.»

Appoggiata ai cuscini, Greta leggeva come al suo solito prima di addormentarsi. Quella sera, però, non riusciva a concentrarsi e infine appoggiò il libro sul letto. Si guardò in giro e come sempre ammirò la semplicità e le linee pulite e moderne della camera. L'aveva arredata in colori chiari, l'effetto era rilassante e creava un senso di pace.

Sospirò pensando a Victoria, contenta che fosse venuta a trovarla e che fosse al sicuro dall'altra parte del corridoio nella camera degli ospiti.

L'uomo che importunava Victoria era inquietante, ma la giovane era pragmatica e istintivamente prudente e Greta era certa che avrebbero risolto quel problema. Avrebbe dovuto trovare un altro appartamento, impedendogli così di avvicinarla. Greta non pensava che lui le avrebbe fatto del male, però nessuno sapeva realmente quello che poteva accadere.

Si riadagiò, chiuse gli occhi, lasciandosi trasportare da una miriade di pensieri, poi il sonno prese il sopravvento, spense la lampada sul comodino e si sistemò per dormire. Era stata una giornata intensa e, con la prospettiva di una nuova vita quale socia d'affari della Swann, senza dubbio ci sarebbero stati più giorni come questo.

Il mattino seguente Elise arrivò alle sette in punto, allegra e sorridente. Veniva sempre per colazione quando aveva la giornata libera e trovò Greta in cucina. «Ho scritto un articolo veramente bello ieri sera», la informò dopo avere abbracciato la sorella. «Ho addirittura ricevuto un cenno di congratulazioni dal caporedattore che mi ha sorriso con orgoglio, credo.»

«Congratulazioni, mia cara. So che quegli uomini arcigni con le maniche rimboccate che lavorano duramente per far uscire un giornale sanno essere inflessibili, in particolare con le giornaliste.»

Elise annuì ridendo. «Che sono più uniche che rare. Non si vedono molte gonnelle in Fleet Street. Devo ammettere, però, che i ragazzi con cui lavoro mi trattano bene e non mi rendono la vita difficile. Forse perché si rendono conto che ho sempre la testa china sulla tastiera.»

«Se l'alzassi ogni tanto, magari vedresti qualcuno interessante.»

«Senti chi parla! Tu non hai mai avuto il tempo di trovarne uno, superdonna in carriera!»

Greta rise.«Ma anch'io ho delle splendide novità.»

Elise si sedette al tavolo della cucina. «Racconta. Sembri entusiasta.»

«Lo sono. Ieri sono diventata socia di Cecily nella Swann. Abbiamo stretto un accordo al telefono. E, per inciso, non lo sa ancora nessuno, per cui acqua in bocca.»

«Capisco e sono felice per te», esclamò Elise, alzandosi e abbracciando la sorella. «So che lo desideravi da tempo. Come è successo così all'improvviso?»

«Ne abbiamo discusso a lungo nelle ultime settimane, da quando sono andata a Cavendon, ma pensavo che Cecily avesse accantonato l'idea. Sarebbe un gran cambiamento per lei avere una socia.» Non menzionò il motivo per cui era diventato impellente. «Poi è stata lei a riparlarne ieri, mentre esaminavamo la collezione estiva del prossimo anno. Mi ha detto che, se volevo investire in Swann, sarei potuta diventare socia. Firmeremo i documenti entro poche settimane. Immagina, Elise... possiederò realmente una parte della Swann Couture che d'ora in poi si chiamerà solo Swann.»

«Penso che questo richieda una cena di festeggiamento, forse un piccolo ricevimento. Posso organizzare qualcosa?»

«Grazie, sei molto dolce, ma non subito. Forse dopo che avremo firmato, sigillato e archiviato tutti i documenti. Sono troppo superstiziosa per festeggiare prima di vedere nero su bianco.»

In quel momento Victoria entrò in cucina. «Buongiorno Greta! Elise!»

Elise balzò in piedi. «Victoria! Che bella sorpresa.»

«Ho trascorso qui la notte. Greta si sentiva molto materna. Ti spiegherò tutto tra un attimo. Ovviamente hai già saputo che Greta e Ceci diventeranno socie, ma per ora bisogna restare mute.»

«Sì, e sono al settimo cielo.»

«Lo sono anch'io.» Victoria si sedette accanto a Elise e le diede un bacio sulla guancia. «Hai visto Charlie?»

«No, ieri sera non era in redazione. Credo si sia preso qualche giorno libero. Gli hanno fissato una scadenza molto stretta per il suo nuovo libro.»

«Oh, hai ragione, me ne aveva parlato di recente», ricordò Victoria.

«Volete qualcosa?» chiese Greta girandosi dal fornello. «Uova strapazzate e qualche pomodoro fritto?»

«Idea deliziosa», accettò Victoria.

Elise sorrise alla sorella. «Sai che adoro tutto quello che cucini.»

Servita la colazione, chiacchierarono del più e del meno, e solo alla fine Victoria spiegò a Elise come mai aveva passato la notte in Phene Street.

«Ho conosciuto Phil Dayton la volta in cui sono venuta a prenderti a Photo Elite. Ti ricordi?» esclamò Elise sconvolta.

«Sì, ricordo che avevi parlato con lui di Merle Oberon, la sua attrice preferita.»

«Mi era parso gradevole, un tipo normale, non particolarmente bello, ma neppure brutto, uno comune... almeno è questa l'impressione che mi aveva fatto.»

«L'hai descritto perfettamente, Elise, ma è uno scocciatore e il suo interesse per me è diventato inquietante.»

«Hai ragione», ammise Elise. «E capisco perché non vuoi affrontarlo. Potrebbe scatenarlo. Che intendi fare, allora? Denunciarlo? Lasciare l'agenzia?»

«Sì, penso di andarmene. Mike mi piace, ma scommetto che non lo licenzierebbe, non posso dimostrare niente e ho visto altre ragazze emarginate per essersi lamentate d'essere state importunate. Ho un incarico che desidero portare a termine, devo fotografare Alicia a Cavendon, poi comunicherò a Mike la mia decisione.»

«Che bello! Scommetto che le foto sono per *Elegance Magazine*.»

«Sì.»

«Le ho consigliato di lasciare il suo appartamento», intervenne Greta, «di trovare qualcosa da queste parti, così saremo tutte vicine.»

«Puoi sempre accamparti da me, finché troverai una nuova sistemazione», offrì Elise. «Sarà un po' intimo, ma sei la benvenuta.»

«Grazie, Elise, ma ho promesso a Greta che per il momento resterò qui.»

«Niente di meglio», ammise Elise, stringendo il braccio di Victoria. «Ti aiuteremo a trovare un bel posticino e a fare il trasloco. Sarà emozionante, noi tre nello stesso quartiere.»

«Grazie», disse Victoria, pensando che avrebbe dovuto dirlo alla zia Alice. «Ma ora, cambiando argomento, non mi hai detto nulla del tuo appuntamento con Declan. Come è andato?»

Elise guardò l'amica con fare sornione. «Mi è piaciuto ogni momento passato con lui. Ha quell'irresistibile fascino irlandese, è cordiale, divertente e, francamente, se continuassi a vederlo, m'innamorerei di lui.»

Prima che Victoria potesse commentare, Greta spinse indietro la sedia e si alzò. «Devo andare in ufficio, ragazze. Ci vediamo più tardi.» Sventolò allegramente la mano e uscì dalla cucina.

Victoria di chinò verso Elise. «È quello che pensavo. Siete fatti l'uno per l'altra. Scommetto che ha flirtato con te, giusto? Allora, non l'ha fatto?» chiese Victoria nel vedere che Elise restava in silenzio.

«Naturalmente, lo abbiamo fatto entrambi. È scattata immediatamente la scintilla. Abbiamo già fissato un altro appuntamento per questa settimana, ma penso che per me sarà l'ultima volta che lo vedo.»

«Perché? Non capisco.»

«Le poche volte che l'avevo visto con te, mi ero fatta un'idea. Mi ero resa conto della sua immensa fiducia in se stesso, un genere unico di autostima. L'altra sera l'ho notata di nuovo. È come se sapesse di essere di speciale. E in realtà lo è. Non che sia arrogante, non voglio dire questo. Non riesco a spiegarmi, Vicki.»

«L'ho notato anch'io», ammise Victoria. «Non è presuntuoso, ma è come se riempisse una stanza. Come mai questo suo modo di fare ti scoraggia?»

«Non è così, Vicki, ma mi rendo conto che Declan ha grandi progetti. Non so quanto sia bravo come attore e finora ha avuto solo piccole parti. A quanto pare, nel suo nuovo film sarà il coprotagonista maschile e già si parla molto della sua interpretazione.»

«È un bene, no?» Victoria fissò Elise, un'espressione perplessa sul volto.

«*Assolutamente*. Sono felice per lui. Ma non ho conosciuto nessuno tanto determinato a farcela. È profondamente motivato e furiosamente ambizioso. Vedrai, finirà a Hollywood. Declan mira a diventare un grande divo del cinema.»

«Capisco», commentò Victoria dopo un attimo di silenzio. «Temi di innamorarti di lui e lui di te e poi, quando Hollywood chiamerà, lui partirà senza pensarci due volte.»

«Hai colto nel segno. C'è una forte attrazione tra noi e siamo sulla stessa lunghezza d'onda...» Elise s'interruppe e sospirò. «So, senza il minimo dubbio, che la sua carriera sarà sempre al primo posto. Il matrimonio è l'ultima cosa che ha in mente. Prevedo che non si sposerà fino a che non avrà raggiunto il top della carriera.»

«Come fai a saperlo?»

«Lo so. Vuole la fama, la gloria. Tutto quanto. Per Declan è la cosa più importante.»

«Spero che tu ti sbagli, Elise. In un certo senso sarebbe molto triste. La fama non è tanto paradisiaca se non hai qualcuno con cui condividerla.»

Un sorriso guizzò sulle labbra di Elise. «Sono d'accordo e immagino che tu diresti che sono una codarda. Solo che sono certa che mi innamorerei follemente di lui e che la sua partenza mi spaccherebbe il cuore. Se vuoi, puoi chiamarmi Nessun Rischio Elise, ma è così che mi sento.»

«Non ti chiamerei mai così. Ritengo che tu sia stata molto coraggiosa ad avventurarti in Fleet Street come hai fatto, a intraprendere una carriera in un mondo prevalentemente maschile. E hai sofferto tanto per colpa di tua madre. Sei autoprotettiva e nessuno ti può capire meglio di me.»

Elise annuì e rivolse a Victoria un mezzo sorriso. «Ora è meglio uscire, non credi?»

«Temo di sì. E mi fido del tuo intuito su Declan. Ho sempre saputo che era spinto da una forte ambizione.»

«Dammi retta, quando andrai a Cavendon?» chiese cambiando argomento.

«Presto, prima che Alicia inizia a girare. Telefonerò a Cecily questa mattina, solo per... chiedere il suo permesso. Devo avvertirla che non arriverò solo io con la fotocamera. La rivista manda una stilista che si occuperà degli abiti, e altra gente per i capelli e il make up. Un bel gruppo di persone.»

«Mi piacerebbe essere una mosca.»

«Forza, vieni con me», la invitò Victoria.

«Non posso. Sai, com'è ho una carriera...»

Entrambe scoppiarono a ridere, felici come sempre di essere insieme.

13

Lo speciale legame tra Alice Swann e Alicia Stanton era iniziato sin dall'infanzia. Alice si era focalizzata sulla piccola ancor prima della sua nascita. Il legame era rimasto forte e costante nel corso degli anni. La signora Alice, come la chiamavano tutti, era l'unica altra confidente di Alicia, dopo il fratello Charlie.

Alice aveva sostenuto lady Daphne, la madre di Alicia, quando si era trovata nei guai da ragazza. Daphne aveva contato su di lei durante la difficile gravidanza. E così, in suo onore, aveva dato alla primogenita il nome di Alicia e le due donne erano ancora adesso molto vicine.

In quella soleggiata mattinata di agosto, Alice e Alicia erano sedute nel giardino in stile cottage dietro la casa a Little Skell, all'ombra della brughiera. «Quanto mi piace questo periodo dell'anno», disse Alicia lanciando un'occhiata alla distesa di terra, «quando l'erica inizia a fiorire... che panorama... una linea di porpora ondeggiante contro il margine dell'orizzonte.

«Trovo questa vista rasserenante, immagino perché è costante, affidabile, torna sempre come l'alternarsi delle stagioni.»

Alice le si avvicinò e le prese la mano. «Sono contenta

che mi abbia parlato dell'abbandono di Bryan. E mi dispiace, avevo pensato che il vostro rapporto sarebbe diventato serio. Perché ha deciso di partire per quel tour?»

«Non ne ho idea», rispose Alicia. «Avrebbe potuto semplicemente rompere. Non lo so, per me è un mistero.»

«Forse aveva una relazione con un'altra attrice che partecipava al tour shakespeariano e avrà deciso di seguirla.» Alice non riusciva a immaginare come un uomo potesse trovare una donna più attraente della sua prediletta. Alicia era impegnata nella carriera, naturalmente, ma Alice desiderava tanto che trovasse la felicità anche nell'amore.

«Devo ammettere che non ci avevo pensato, ma ha ragione. In ogni caso, so di non potermi permettere di rimuginarci su. Devo buttarmi a capofitto in questo nuovo film e lasciarmi alle spalle questa storia.»

In quel momento videro Victoria avvicinarsi, sventolando un foglio di carta. «Ho trovato la mia lista, andiamo a controllare i punti che ho scelto e poi decideremo quali abiti usare.»

«Immagino che andremo a High Skell», disse Alice alzandosi, «visto che mi hai consigliato di indossare scarpe comode.»

Victoria sorrise. «Sì, andiamoci subito, togliamoci questo pensiero. Altri posti potrebbero essere il labirinto in uno dei giardini di Harry e anche i giardini d'acqua. Che ne pensi, Alicia?»

«Ottime idee, Victoria.»

Impiegarono una ventina di minuti per attraversare il parco di Cavendon e risalire la collina oltre la chiesa. Una volta raggiunta la brughiera ricoperta di erica, si aprì il colpo d'occhio di High Skell.

Le rocce monolitiche, disposte in una specie di semicerchio, formavano un'area protetta, quasi isolata. Alice ricordò che Charles, il sesto conte di Mowbray, saliva spesso su quell'affioramento di rocce che risaliva all'era glaciale, quando i ghiacciai avevano ricoperto lo Yorkshire. Una volta Charlotte le aveva confidato che Charles lo considerava un suo luogo privato, dove sedersi, riflettere e risolvere i problemi in santa pace.

«Contro la parete di rocce all'interno del cerchio ci sono delle pietre piatte», le informò Alice. «Sediamoci là per un minuto, sono senza fiato.»

«Anch'io», esclamò Alicia, seguendo Alice. «Mio Dio, che posto! Mi ero dimenticata quanto fosse fantastico quassù e quanto fosse favolosa da qui la vista di Cavendon.»

«Avevo pensato che le enormi rocce e le strane forme sarebbero state uno sfondo perfetto per l'abito da sera in tulle, Alicia. Che ne pensi?»

«Sei geniale», rispose lei, sedendosi.

«Sono contenta che ti siano piaciuti gli abiti scelti dalla redattrice di moda e che ti vadano tutti alla perfezione», mormorò Victoria, la macchina fotografica sempre in mano.

«Mi stanno bene tutti e sono incantevoli. Ma me li farai indossare tutti? Sono un sacco.»

«Lo deciderà la fashion editor domani, quando arriverà con tutta la squadra. Stilista, parrucchiere, truccatrice, ma io so già quali andranno bene per gli scatti secondo le istruzioni di Melinda Johns.»

«Che ti ha detto di fare?» chiese Alice, quasi in soggezione davanti alla piccola profuga che era diventata tanto creativa.

«Non molto, come al solito. Giusto tre parole in croce. Quelle di ieri dicevano: 'Glamour. Drammaticità. Glamour'. Tutto qui.»

Allontanandosi un momento, Victoria gironzolò, scattando a più non posso. Le era sempre piaciuto stare lassù in quell'ampia landa che si estendeva per chilometri verso il mare del Nord. Non c'erano che un arco di cielo azzurro e i monoliti. E il vento, pensò, sperando che il giorno seguente non avrebbe soffiato con troppa forza, aveva infatti deciso di cominciare a fotografare l'indomani.

Mentre tornavano verso casa, Alicia si fermò di colpo e fissò Victoria. «Immagino che verrò qui indossando una veste da camera? O pantaloni e camicia? Non posso di certo arrampicarmi con indosso l'abito da sera in tulle.»

«Hai ragione. Zia Alice ci presta un paravento dietro il quale potrai cambiarti. Ted lo porterà qui domattina.»

«Niente panico, il folletto ha pensato a tutto», la tranquillizzò Alice, usando il nomignolo che Alicia aveva dato a Victoria bambina.

Si trasferirono poi ai giardini d'acqua, dietro l'ala ovest della casa. Erano bellissimi e risalivano al diciottesimo secolo. Victoria scese giù per la collina precedendo Alice e Alicia, gli occhi che saettavano da una parte all'altra, assimilando ogni particolare.

Quella zona del parco possedeva una tranquillità rasserenante. Ai piedi della collina c'erano prati ben curati con un laghetto al centro.

Dal laghetto si diramavano quattro canali simili a raggi e quelle strette vie d'acqua erano circondate da un canale circolare. L'effetto era quello di una gigantesca ruota. Harry non aveva manomesso né i canali né il laghetto, ma aveva piantato ninfee e aggiunto qua e là delle statue femminili trovate negli scantinati. Le statue accrescevano l'effetto di antico, come pure il tempietto in pietra bianca chiamato Tempio della luna, un'elegante struttura con un colonnato e dei gradini che portavano all'interno. Victoria si diresse lungo il sentiero verso il tempietto, emozionata all'idea di fotografare Alicia in quei giardini originali.

Anche le altre due donne parvero soddisfatte. «Non è strano?» esclamò Alice. «Ho visto questi giardini d'acqua per tutta la vita, eppure oggi mi sembrano diversi, ancora più belli, se possibile.»

«E le aggiunte di Harry», osservò Alicia, «hanno dato un tocco in più. In qualche modo sono più... poetici. Almeno, così la penso io.»

Victoria era nel suo elemento, gironzolando, scattando foto. Alicia e Alice la seguivano, mentre lei parlava dei vestiti che qui sarebbero stati perfetti, spiegando che cosa voleva fare.

«Penso che dovremmo pranzare», propose Alice, interrompendo il giro dei giardini d'acqua. «Ho preparato dei panini e possiamo rilassarci e più tardi daremo un'occhiata agli abiti arrivati ieri.»

«Ottima idea», concordò Alicia. «Su, mio piccolo folletto, andiamo.»

Quel pomeriggio Alicia si rintanò nella sua camera da letto nell'ala sud per rivedere il copione. Ormai conosceva il testo a memoria, quindi lo appoggiò sull'ottomana e si rilassò. Essere a Cavendon le era di conforto. Tornare a casa era stata una mossa saggia. Lanciò un'occhiata al suo vecchio orsacchiotto un po' malridotto, ma tanto amato. BRIN. Quello era il nome dell'orsetto e lei l'aveva dato a Bryan Mellor, perché a volte era un orsacchiotto d'uomo.

Stranamente ora lo vedeva come un oggetto distante, non come una persona. La settimana scorsa a Cavendon era riuscita a cancellarlo dalla mente e aveva smesso di piangere per lui. Era sopraggiunto il buonsenso e naturalmente Constance e Alice l'avevano aiutata moltissimo, ciascuna a modo suo. Da un certo punto di vista, una volta superato lo choc della sua odiosa partenza, era stato proprio il modo in cui l'aveva trattata, tanto brutale e rude, e il suo tono veemente, quasi sprezzante, che avevano spento in lei ogni desiderio. Charlie, che le aveva telefonato ogni giorno, quel mattino aveva borbottato qualcosa sul fatto che Bryan non aveva classe e forse il fratello aveva ragione.

In ogni caso ora era concentrata sul futuro e sulla carriera e attendeva con ansia il servizio fotografico del giorno seguente. Aveva scelto con Victoria gli abiti e il suo piccolo folletto le aveva detto di non preoccuparsi di niente. «Sono io la responsabile», le aveva spiegato. «Melinda Johns lo mette sempre ben in chiaro con la squadra.»

14

Cecily Swann Ingham era seduta alla scrivania nel salotto al piano superiore e fissava i quattro registri della famiglia Swann, due dei quali erano davvero molto vecchi. Nelle ultime settimane era riuscita a leggerne una parte, ma non aveva ancora finito. Aveva bisogno di capire meglio alcune cose, annotazioni misteriose, ma era stata tanto presa dal suo atelier di moda e dalle nuove responsabilità che non ne aveva avuto il tempo.

Lanciò un'occhiata all'orologio e si rese conto che lei e Miles avevano concordato di incontrare lo staff della rivista al loro arrivo, verso le dieci e un quarto. Alicia aveva proposto di usare l'ala sud per le fotografie e loro avevano accettato. Daphne e Hugo erano a Zurigo e Alicia era cresciuta in quelle stanze. Era casa sua e il posto perfetto per tutti per radunarsi.

Rendendosi conto di non avere il tempo di rimettere i registri nella cassaforte, li infilò nel primo cassetto della scrivania, lo chiuse a chiave, fece cadere la chiave nella tasca della giacca e uscì.

Mentre scendeva si propose di parlare più tardi con zia Charlotte e di porle alcune domande su parecchi punti curiosi trovati nei registri. Era sicura che neppure Charlotte avesse resistito alla tentazione di leggerli.

Quando entrò nella biblioteca, Miles alzò lo sguardo, sventolando una lettera. «Buone notizie, Ceci!» esclamò. «L'enologo di Londra ha appena indicato tre date per venire qui a dare un'occhiata alle nostre cantine e io ho scelto la prima.»

«E quando sarà?» gli chiese Cecily, sedendosi di fronte a lui alla scrivania.

«A metà settimana prossima. Mercoledì, per l'esattezza. Lo chiamerò più tardi per fissare l'appuntamento.» Miles scosse il capo, poi sorrise. «Temo che là sotto sia un disastro. Sono sceso con Eric a fare un sopralluogo e tante bottiglie sono ormai andate a male, inacidite.»

«Oh, no, ma, è terribile. Perché non me lo hai detto?» domandò lei, preoccupata.

«E perché mai, mia cara. Non ci si può fare niente. Ma sono sicuro che buona parte del vino è buono. Devo ammettere che i miei avi ne avevano immagazzinato un bel po'. Amanti del vino, ovviamente. A sufficienza per una vendita all'asta.»

«Ho seguito il tuo consiglio, Miles, e ho offerto una partnership a Greta e la buona notizia è che lei ha accettato. Ho appena ricevuto una sua lettera di conferma. Penso sia stata una buona mossa.»

Il viso di Miles si distese in un ampio sorriso. «Congratulazioni. Il suo investimento sarà d'aiuto, allevierà un poco le tue preoccupazioni ed è pure stata una cosa carina da parte tua. Lei lo desiderava tanto e le dà un incentivo, un investimento per il futuro. Inoltre, se lo merita.» Miles si alzò e allungò una mano a Cecily.

«Faremmo meglio ad andare a compiere il nostro dovere, accogliere l'équipe della rivista e sostenere Victoria e Alicia in questa impresa.»

Cecily annuì, poi lo fissò mentre lui la attirava tra le braccia e la stringeva a sé. «Siamo una bella squadra, tu e io, Ceci», dichiarò Miles. «Scusami, se a volte sono stato irascibile.»

Le diede un bacio sulla fronte, poi la fissò. «Avevi ragione a proposito del prestito bancario. So che zia Charlotte ha dovuto praticamente trascinarmi a Harrogate, ma, in tutta sincerità, ora che ho ottenuto quel prestito mi sento sollevato. Almeno per quest'anno ci siamo levati di torno le tasse.»

«Grazie, Miles.» Infilando la mano nella sua, aggiunse: «È un buon inizio e ne arriveranno di più, se la vendita all'asta funzionerà. Ma ora andiamo nell'ala sud. Vorranno iniziare». Mentre percorrevano l'atrio principale e la galleria, Cecily si rasserenò. Aveva capito che le ultime parole di Miles erano state una scusa sincera. Era stato più che irascibile negli ultimi tempi, sempre di cattivo umore, ma ultimamente si era tranquillizzato. Si chiese se fosse il momento giusto per menzionare il gatto. Gwen la stava ancora tormentando per averne uno.

Miles e Cecily si fissarono, mentre si avvicinavano alla sala da pranzo nell'ala sud, e Miles inarcò un sopracciglio. «Ma in quanti sono?» domandò, fissando la moglie.

Cecily scosse la testa, ridendo nel vedere l'espressione allarmata nei suoi occhi. «Non lo so, ma sembra un esercito, non è vero?»

Risate, chiacchiere, strilli e grida: dalla sala scaturiva una cacofonia di suoni. La porta era aperta e videro Alicia sull'uscio, chiaramente in loro attesa.

«Zia Ceci, zio Miles», li salutò. «Eccovi qui. Entrate e fate la conoscenza di tutti.» Dopo uno scambio di saluti, abbracci e baci, Alicia li accompagnò dentro.

Appena entrarono, nella sala calò il silenzio e un gruppo di giovani donne li fissò con espressione ansiosa.

Victoria si affrettò a raggiungerli e baciò e abbracciò Miles e Cecily. «Grazie per avermi permesso di fare qui il servizio fotografico e, tra parentesi, non preoccupatevi, non romperemo niente. Sono tutti attenti e, in ogni caso, la rivista è assicurata.»

Miles cinse con un braccio le spalle di Victoria e l'abbracciò. «Mia brillante Victoria, sempre tanto pratica. Visto che la responsabile sei tu, so che non abbiamo nulla di cui preoccuparci.» Le sorrise.

«Alicia vi presenterà le ragazze», riprese lei e, abbassando la voce spiegò: «Sono tutte molto emozionate all'idea di incontrare un conte e una contessa».

Alicia le presentò loro una a una, sette giovani donne in tutto; Catherine, la redattrice di moda, Hannah, la stilista, Mavis e Carrie, parrucchiera e truccatrice, Brenda e Flora, responsabili dei vestiti. L'ultima fu Trigger, l'assistente di Victoria.

«Brenda e Flora sono qui dalle sette e mezzo e indovina un po', zia Ceci?» disse Alicia dopo le presentazioni. «Hanno portato ferri e assi da stiro e un sacco di altra roba.»

«L'ho notato», rispose Cecily con un sorriso. «E speriamo che siano stati Ted e la sua squadra a spostare i mobili della sala da pranzo. Sono troppo pesanti per voi ragazze.»

«Sì, certo. E Ted con uno degli uomini porterà un paravento e altri attrezzi su a High Skell. Grazie, abbiamo tutto l'aiuto necessario.»

«Intendi fare il servizio lì?» domandò Miles, rivolgendosi a Victoria. «Potrebbe esserci troppo vento.»

«È vero, per questo ieri sono salita con zia Alice e Alicia e non era male. Se necessario, lavorerò nel semicerchio di monoliti. È ben protetto.»

«Dove altro?» chiese Cecily, comprendendo ora che

quell'incarico era molto più importante di quanto si fosse resa conto.

«I giardini d'acqua e ho pensato al labirinto dello zio Harry e ai giardini floreali.»

«Perfetto.» Cecily si guardò in giro, notando le numerose rastrelliere per abiti che dovevano essere state portate ieri in un grande furgone. Ma non fece commenti.

«Credo che questa domanda sia superflua», disse Miles rivolgendosi di nuovo a Victoria, «perché so che sai organizzarti bene, ma che mi dici dei visitatori? La tenuta e la casa oggi sono aperte. Ti importuneranno, ti staranno tra i piedi?»

Victoria scosse il capo. «Non m'importa, se se ne stanno a guardare nei giardini d'acqua o in quelli floreali. Ne ho parlato con zio Walter e lui ha detto che i lavoratori esterni si occuperanno di qualsiasi problema possa sorgere.»

«In ogni caso ai visitatori non è concesso andare a High Skell e il labirinto confonde tutti», s'intromise Cecily, ridendo. «Io stessa non mi ci avvicinerei mai, sapendo che potrei rimanere bloccata dentro per sempre.»

Tutti risero, poi Miles e Cecily se ne andarono, lasciando l'équipe a occuparsi di Alicia.

Victoria li accompagnò alla porta. «Ho pensato di chiamare il servizio fotografico *Serenità Eterna*, come i giardini d'acqua. Vi sta bene?» Fece scorrere lo sguardo da Cecily a Miles. «Melinda Johns, la redattrice di *Elegance Magazine* mi ha chiesto di trovare un titolo. Voi che ne pensate?»

«Mi piace molto», rispose Miles dopo un attimo di silenzio. «Ero solo sbalordito che tu ci avessi pensato, Vicki.»

«Anche secondo me è un titolo fantastico», concordò Cecily.

* * *

Più tardi quel pomeriggio Cecily andò a cercare zia Charlotte. I suoi pensieri erano ancora fissati su alcune pagine dei registri e questa era la prima occasione per parlarle, ma non riuscì a trovarla.

Suonò il campanello per far venire Eric, invece arrivò Peggy Lane, la governante. «Posso esserle d'aiuto, vostra signoria?» chiese Peggy, attraversando di corsa il salotto.

«Sì, Peggy, sto cercando la contessa vedova ma non la trovo. È fuori con Victoria sul set fotografico? O è andata a Harrogate?»

«No, milady, sta parlando con Eric. Vuole scendere negli scantinati. Penso che saranno qui a momenti per la chiave.»

«Eric ha la sua chiave», replicò Cecily, ma quando vide lo stupore sul volto di Peggy, aggiunse: «Naturalmente non la userebbe mai senza prima chiedere il mio permesso».

In quel momento la contessa vedova apparve sull'uscio del salotto, accompagnata dal maggiordomo. «Eccoti qui, Ceci. Ho bisogno di andare negli scantinati, dove tengo alcuni gioielli di cui desidero parlarti. Abbiamo bisogno della chiave.»

«Oh», esclamò Cecily, chiedendosi, perché mai zia Charlotte volesse parlare con lei di gioielli. Poi lanciò un'occhiata a Eric. «Può usare la sua chiave, Eric, la mia è chiusa nella cassaforte di sopra.»

«D'accordo, vostra signoria.» Poi si rivolse alla contessa vedova: «Se viene con me, lady Charlotte, le apro la cantina e poi le porto su quello che vuole».

«Grazie», ringraziò Charlotte e i due uscirono.

«È sicura che non desidera altro, milady?» domandò Peggy. «Forse una tazza di caffè o di tè? Eric mi ha detto che sua signoria ha annullato il tè pomeridiano di oggi, perché era troppo occupato e anche a causa della sessione fotografica. Victoria desidera continuare a scattare, finché c'è luce.»

«Grazie, Peggy, non ho bisogno di niente, a meno che lei conosca qualcuno che potrebbe avere un gattino.»

«Che buffo che me lo chieda, lady Cecily. La mia amica Annette Green ha una gatta che circa quattro mesi fa ha fatto una cucciolata. Devo prenotarne uno per lady Gwen?»

«Assolutamente sì. E io la pagherò, naturalmente. Glielo dica.»

«So che farà felice la piccolina», aggiunse Peggy sorridendo.

«Senza dubbio, ma per il momento non diremo nulla, soprattutto a sua signoria.» Cecily rivolse a Peggy un'occhiata d'intesa.

Peggy annuì, fece un piccolo inchino e corse fuori, contenta di essere stata d'aiuto. Cecily estrasse dalla tasca il bloc notes e lo sfogliò fino a una pagina in particolare.

Un gatto, pensò. Un gatto per la mia piccola del tempo di guerra. Sarà felicissima.

Venti minuti dopo tornò il maggiordomo. «Lady Charlotte mi ha chiesto di portare le scatole nel suo salotto al piano superiore, milady, e vorrebbe che lei la raggiungesse là, se non le dispiace.»

«Nessun problema», rispose Cecily, infilando il taccuino in tasca. Uscì dalla stanza con Eric, accordandosi con lui per la cena e il pranzo del giorno seguente.

«Ho pensato che sarebbe una buona idea vendere alcuni dei miei gioielli», esordì zia Charlotte, indicando i portagioie aperti sul tavolino basso davanti al divano. «Darei a Miles il ricavato per aiutarlo con le tasse del prossimo anno.»

«No, no, non è necessario, zia», esclamò Cecily. «In ogni caso sei molto gentile e premurosa a voler aiutare Miles. Grazie per il tuo altruismo, per essere pronta a rinunciare ai tuoi amati preziosi.»

«Non li porto molto spesso e, anche se li vendessi o li dessi via, ne avrei ancora molti, sai.»

Cecily le sorrise e osservò le gioie. «Sono tutti belli e raffinati, zia.»

«Molto tempo fa avevo scelto queste perle per te, Ceci. Me le aveva regalate David, il nonno di Miles, per il mio ventunesimo compleanno e le ho portate per anni. Le ho sempre adorate e le amo ancora. Ma sono per te e voglio che tu le prenda ora. *Oggi*. Non dovrebbero restare chiuse in una scatola in cantina. È importante che vengano indossate, per restare vive hanno bisogno di aria e luce.»

Sollevando la collana di perle a tre fili dalla scatola, zia Charlotte la mise controluce. «Guarda quanto sono lucenti, assolutamente splendide.»

Le passò a Cecily che le guardò in controluce. Stava per rifiutare con un grazie, ma no, grazie, poi cambiò idea. Zia Charlotte voleva veramente che le avesse lei, perché allora non accettarle con grazia. Se non le avesse prese, avrebbe fatto una figura da villana.

«Come posso rifiutare, zia Charlotte? Accetterò le perle, perché sono appartenute a te e ti erano state date da un Ingham. Ora siamo entrambe Ingham... le custodirò per sempre. Grazie per questo meraviglioso regalo.»

«Hai reso molto felice una vecchia signora. E osserva questa, una minuscola spilla in argento a forma di freccia, con alcune acquemarine lungo l'asta. Pensavo di donarla a Gwen, oggi o domani. Ce l'ho da quando avevo diciotto anni.»

«Oh, santo cielo! Che dolce che sei. Davvero carino da parte tua, ma credo sia un po' troppo giovane per un gioiello vero. Ha solo otto anni», affermò Cecily.

«Permettimi di regalargliela, e io le dirò che può portarla solo di domenica. Che ne dici?»

Cecily scoppiò a ridere e rimise la collana di perle nel portagioie. «Farò un patto con te, zia Charlotte.»

«Oh, Ceci, tu e i tuoi patti! Non ho mai conosciuto nessun'altra come te.»

«Forza, stai al gioco. Accetta l'accordo con una stretta di mano.»

«Non mi hai detto di che si tratta», fece notare zia Charlotte.

«Ti permetto di regalare la spilla a Gwen, oggi o domani o quando vorrai, ma dovrai regalarle anche un gatto.»

«Santo cielo, un gatto! E dove diavolo posso trovare *io* un gatto?» chiese zia Charlotte, attonita.

«Lo prenderò io a giorni. Voglio solo che tu dica che è un tuo regalo per Gwen. Miles non oserà opporsi... perché tu sei *tu*.»

«Non vuole che abbia un gattino? È così, vero?»

«Sì, sostiene che gli animali non sono fatti per stare in casa. Teme che lo porterà sempre con sé e che dormirebbe nel suo letto, dio non voglia. Prende molto sul serio la questione e così il gattino, se glielo lasciasse tenere, perché è un tuo dono, dovrà vivere quasi sempre in cucina, anche se io spero di convincerlo a lasciarglielo portare nella vecchia nursery, dove gioca di solito. Dirò che dormirà in cucina accanto alla stufa.»

«Affare fatto», accettò zia Charlotte, allungando la mano. «Sono d'accordo.»

«Ti stavo cercando», riprese Cecily, «perché ho veramente bisogno di parlarti di qualcosa di importante. I registri. Di alcuni di loro, almeno. Contengono alcuni particolari scottanti. Roba esplosiva.»

15

CHARLOTTE Swann Ingham fissò Cecily Swann Ingham, pensando quanto fosse elegante. Erano le uniche Swann che si erano sposate nell'aristocratica famiglia Ingham.

«Scottanti? Esplosive?» chiese la contessa vedova, mettendosi comoda sul divano. «Ecco, in un certo senso hai ragione. Erano davvero così quando successero, circa centottanta anni fa. Sinceramente, Ceci, non credo che oggi importino un accidente a qualcuno.»

Cecily rimase a bocca aperta e rise. Era d'accordo con la prozia, ma sapeva che per gli Ingham sarebbe stato difficile esserlo. Quei famigerati registri erano considerati sacrosanti.

«Sono d'accordo con te, zia, con ogni probabilità interessano solo a me, perché sono io la custode dei registri Swann e immagino di essere interessata ai miei antenati. Ma James Swann m'intriga molto. So che aveva lavorato con Humphrey Ingham per quasi tutta la vita, che l'aveva aiutato negli affari e che era una specie di assistente personale. Ma penso anche che era stato James il responsabile di molto di ciò che era avvenuto qui, che Cavendon è quella che è oggi grazie a lui e, naturalmente, al primo conte, Humphrey.»

«In molti sensi, tu hai un vantaggio su di me», continuò

Cecily nel vedere che zia Charlotte era rimasta in silenzio, «perché hai accesso anche ai documenti Ingham.»

«Questo è vero. Ho lavorato per David Ingham, il quinto conte, per vent'anni. E non mi ero affatto sorpresa nello scoprire che gli Ingham tenevano registri come gli Swann. Ti avevo detto che potevi consultarli quando volevi.»

«Lo so», ammise Cecily, «ma fino a poco fa, non vivevo sempre qui. Ero a Londra e non ho mai avuto un momento libero per andare a curiosare nel passato.»

«E ora ce l'hai?» Charlotte inarcò un sopracciglio con fare interrogativo.

«Non proprio, ma di tanto in tanto ho sbirciato nei registri. Ho alcune domande da farti... risponderai, se puoi? Così non avrò più bisogno di continuare a scavare.»

«Lo farò volentieri, anche se è una storia complessa.»

«Abbiamo tutto il tempo che vogliamo», dichiarò Cecily. «Miles ha cancellato il tè pomeridiano, come penso tu sappia, a causa della sessione fotografica, inoltre lui e Harry sono impegnati in un progetto speciale.»

«Possiamo chiedere a Eric di portarci del tè e dei pasticcini, se ti venisse un certo languorino», propose la prozia. «Per cui, avanti, spara e io farò del mio meglio. Sai che ti dirò la verità per come la conosco io.»

«Marmaduke Ingham, il primogenito ed erede di Humphrey, era illegittimo?»

«Sì», rispose senza alcuna esitazione Charlotte. «Ma Humphrey era il padre biologico di Marmaduke che era nato a Cavendon Hall. Della faccenda se ne era occupato James. E il bambino era stato cresciuto da Humphrey. Inoltre non c'era mai stato un dubbio sulla sua legittimità. Era l'erede.»

«Come mai? Lo sai?»

«C'è uno strano documento, una specie di certificato di nascita tra i documenti degli Ingham, sembra... alterato. Humphrey è riportato come padre e la sua prima moglie

117

Marie come madre. Non penso che reggerebbe a un esame odierno», concluse Charlotte. «Humphrey e James manipolarono le cose a loro vantaggio. Riuscirono a cavarsela in tutto ciò che facevano.»

«Ma come era stato possibile?» domandò Cecily. «Erano così furbi? Brillanti?»

«Credo di sì, ma ripensiamo a quegli anni. Cavendon Hall fu terminata nel 1761. Mentre veniva edificata, era stato creato il parco e James si era occupato dei piani per il villaggio di Little Skell. Era stato assunto un costruttore locale per costruire la via principale con casette ad ambo i lati e James aveva sovrinteso personalmente alla costruzione della chiesa. Ciò che sto tentando di spiegare è che non c'erano molte persone quando Humphrey era andato a vivere nell'ala ovest e James e la sua famiglia nell'ala est, come Humphrey aveva insistito facessero. In pratica c'erano solo pochi domestici e una cuoca oltre ad alcuni lavoratori esterni. Una volta ultimate le casette, poterono assumere nuovi dipendenti nella casa e nella tenuta.»

«Ho trovato alcuni riferimenti a quel particolare periodo nei registri. Mi ha sempre colpito la scrupolosità di James riguardo i suoi appunti, zia Charlotte.»

«Era molto meticoloso. Credo che avesse grandi capacità.»

Cecily si appoggiò allo schienale. «E così l'avevano sempre fatta franca, perché non c'era un'autorità maggiore che li sfidasse o li mettesse in dubbio. In verità, erano loro gli unici responsabili. Era il loro piccolo feudo, dove dettavano legge. Di certo i servitori non avrebbero messo a rischio i loro posti di lavoro parlando a sproposito, anche se avranno spettegolato tra loro.»

«Hai ragione, anche a proposito del feudo. Humphrey aveva ricevuto un titolo nobiliare qualche anno prima e a quel punto era lord di un maniero e un uomo estremamente ricco. A sedici anni era andato a Londra e aveva creato il suo patrimonio quando era giovane. Secondo me, James si occupava di tutto, gestiva ogni cosa. Lui e Humphrey erano inseparabili, soci in molte faccende.»

«Cosa?»

Zia Charlotte si raddrizzò sul divano e fissò Cecily.

«Cavendon ha molti segreti, mia cara. Se desideri conoscerli tutti, dovrai essere disposta a conservarli come hanno fatto i tuoi avi. E ora che sei la contessa, l'unica con la chiave dei registri, ti verrà voglia di leggerli a fondo.»

«E lui aveva bisogno che una vera contessa regnasse su quel gruzzolo. Non posso esimermi dal pensare che sia stato James a trovargliene una.»

Zia Charlotte scoppiò a ridere. «Questa è solo una tua supposizione, perché nei registri Swann non se ne parla. Ma hai ragione. Dopo la morte di Marie, la prima moglie di Humphrey, James gli aveva trovato la donna giusta. Una che aveva bisogno alla svelta di un marito e che era attraente.»

«Chi era? Tutto quello che so è il suo nome. Non si chiamava forse Helen Lester Latham?»

«Proprio lei. Di fatto aveva già un titolo nobiliare, era la contessa vedova di Latham quando James l'aveva conosciuta e aveva solo trentatré anni. La cosa importante era che era disposta ad accettare i figli di Humphrey, si era innamorata di lui e concordava sempre con lui. Secondo la madre di Humphrey, era stata una buona scelta. Gli aveva scritto che approvava Helen e quella lettera è ancora tra le carte degli Ingham.»

«E così James Swann aveva negoziato un altro accordo per il suo grande amico, Humphrey Ingham, ed è per questo che, tra l'altro, dobbiamo sempre avere dei cigni nel lago fatto costruire da James a Cavendon.»

Sentirono bussare alla porta ed Eric entrò con Peggy portando due vassoi. La conversazione venne interrotta.

* * *

Ripresero la chiacchierata sugli Swann e sugli Ingham del diciottesimo secolo solo più tardi, dopo che il maggiordomo ebbe portato via i vassoi.

Fu Cecily a riproporre l'argomento.

«E così, tutto è bene ciò che finisce bene», mormorò, lanciando a zia Charlotte un'occhiata interrogativa. «Quando parlavi di Humphrey Ingham e di James Swann hai detto che in fondo erano bravi uomini. Cosa volevi dire?»

«Avranno manipolato molte situazioni e persone per perseguire i loro scopi, le loro necessità e i loro desideri, ma, per quanto concerne Cavendon, la gestirono molto bene», rispose la zia. «Humphrey aveva tenuto diari sui suoi affari e sulla tenuta. Quando viaggiava, avvisava dove si trovava. Lo si poteva sempre raggiungere, ci fosse stato bisogno di lui per un'emergenza. James gestiva la tenuta con grande efficienza ed entrambi trattavano bene i dipendenti, sia il personale di casa sia i lavoratori esterni. Erano famosi per il loro atteggiamento ragionevole e per la loro tolleranza.»

«Questo l'ho capito», dichiarò Cecily. «James cita spesso l'equità di Humphrey e la sua generosità. Ho trovato un appunto molto interessante. James aveva scritto che lui e Humphrey si assicuravano di dare a ogni dipendente dignità e ciò che gli era dovuto.»

«David mi aveva parlato a lungo dei suoi antenati, raccontandomi cose che si erano tramandate da un conte all'altro. Equità, giustizia, dignità e sicurezza erano le parole che aveva usato. Diceva che tutti quelli che avevano lavorato a Cavendon erano stati al sicuro e che avevano avuto due uomini forti e intelligenti pronti a difendere i loro diritti. Questo era un pilastro portante per il quinto conte e aveva sostenuto che era stato il primo conte di Mowbray a fissare i canoni che furono scrupolosamente seguiti dalle generazioni successive. Vivevano secondo certe regole e ancora lo fanno.»

«E poi c'era la prozia Gwendolyn, che si era innamorata di uno Swann e gli aveva dato una figlia», riprese Cecily, ricordando quel segreto ben nascosto.

«Donna deliziosa, Gwen», sospirò Charlotte, «che aveva desiderato per tutti quegli anni di rivedere la sua unica bambina, data in adozione alla nascita, e che io ho scovato per caso.»

«Qualcuno potrebbe parlare di un colpo di fortuna, zia, ma, usando la tua frase preferita, credo che... *fosse destino*. E di certo avere conosciuto sua figlia aveva dato un senso alla sua vita, per non parlare dell'ultima possibilità di felicità.»

La contessa vedova guardò per un momento nel vuoto, poi girò la testa, fissando Cecily. «La prossima settimana vado a Harrogate per vedermi con Margaret, portarla fuori a pranzo. Mi accompagnerai?»

«Naturalmente. Margaret mi piace e mi ricorda la prozia Gwen.»

«E Diedre. Non dimenticare che Margaret le assomiglia molto.»

«È vero, e parlando di somiglianze, c'è qualcosa che mi piacerebbe fare», disse Cecily, alzandosi e aiutando la zia a fare altrettanto. «Voglio dare loro un'occhiata.»

«A chi?»

«Agli antenati! Almeno agli Ingham, molti di loro sono appesi sulle pareti della scalinata. Forza, andiamo a dare un'occhiata a Humphrey, Marie, Marmaduke, Elizabeth e Helen. Sono tutti là.»

«E c'è anche il ritratto di James Swann, di sua moglie Anne e dei loro figli. In fondo alla galleria principale. Che buona idea, Cecily.»

* * *

In piedi sul pianerottolo in cima allo scalone, le due donne fissavano il dipinto appeso alla parete. «Lui è il primo conte di Mowbray», indicò Charlotte. «Il famoso Humphrey dipinto da Thomas Gainsborough. Che ne pensi?»

«Quello che ho sempre pensato, che era un bell'uomo, e ora che lo sto esaminando più attentamente, devo ammettere che assomiglia a Charles, il sesto conte, il padre di Miles.»

«Esatto, mia cara. E lei è Marie, non mi pare poi tanto brutta, non è vero?»

«No. Forse la madre di Humphrey era prevenuta perché Marie era più vecchia del figlio. È comunque un po' insignificante», ammise Cecily. «Anche lei è stata dipinta da Gainsborough, vedo.»

«Sono d'accordo. Helen era carina, non ti pare? Affascinante, ma George Romney tendeva a rendere belle tutte le donne che ritraeva.»

Cecily annuì, poi afferrò il braccio di Charlotte ed esclamò: «Guarda questo! È Marmaduke, il secondo conte. Se non fosse per quell'orrenda parrucca, direi che è il mio primogenito, David».

«L'ho pensato spesso anch'io. Il ritratto è molto ben eseguito. Il pittore è Reynolds. Ma guarda, qui c'è Elizabeth, la sorella di Marmaduke. Lei assomiglia a te, Ceci. È stato dipinto da Romney che l'ha rappresentata molto bella.»

«Pensi davvero che io abbia qualcosa di lei?» domandò Cecily, che non riusciva a vedere la somiglianza.

«Sì, non l'hai mai notato?»

«Forse agli uomini Ingham è sempre piaciuto lo stesso tipo di donna. Andiamo nella galleria principale e diamo un'occhiata ai ritratti di James Swann e della sua famiglia. Stai attenta a scendere le scale, zia Charlotte. Attaccati al corrimano.»

In fondo alla galleria, vicino all'ala est, c'era un gruppo di ritratti che Cecily conosceva bene. Due dipinti ritraevano James e Anne Swann, un altro la sorella di James, Sarah Swann Caxton e i suoi figli.

«Ho osservato questi quadri da quando ero abbastanza grande da capire che discendevo da James e Anne Swann, zia Charlotte. E ho sempre pensato che lui era un gran bell'uomo. Ma ora, dopo avere letto parte dei registri Swann, il suo ritratto ha un significato più intenso per me. Ho la sensazione di averlo conosciuto.» Gli occhi di Cecily erano incollati al dipinto.

«È impressionante sapere che lui è il nostro padre fondatore e che in noi ci sono i suoi geni... E che viviamo a Cavendon grazie a lui e che tutto ciò che ha fatto ha reso questo posto tanto bello.» Inaspettatamente, gli occhi di Cecily si colmarono di lacrime. «Sono tanto fiera di lui e di essere una Swann», disse con voce tremante.

«Lo sono anch'io, mia cara», mormorò zia Charlotte, stringendo il braccio di Cecily. «È valsa la pena lottare per questo, giusto? Per Humphrey e James e per ciò che hanno creato. Cavendon è una delle residenze signorili più belle d'Inghilterra e speriamo stia in piedi per sempre.»

PARTE TERZA

Magia e finzione

Vieni a vivere con me e sii il mio amore
E insieme proveremo alcuni nuovi piaceri,
di sabbie dorate e ruscelli cristallini,
con lenze di seta e ami d'argento

JOHN DONNE, *L'esca*

16

La stesura della nuova sceneggiatura richiese alla fine più tempo del previsto e Alicia passò l'intero mese di agosto inquieta e frustrata.

Mentre aspettava a Cavendon, trascorrendo le giornate pulendo gli armadi e ordinando gli oggetti, maledisse sottovoce Adam Fennell, il produttore associato. Non l'aveva mai visto, ma le sue continue richieste di ulteriori scritture le parevano infinite. Quando un corriere le consegnò da Londra il copione finale, cambiò idea su di lui.

Comprese di colpo, dopo una rapida lettura, che aveva avuto ragione. Il nuovo copione era ottimo e decisamente migliore degli altri. Possedeva una forza drammatica e un ritmo più accelerato, e la colpì il fatto che la sua parte era stata ampliata. Il suo ruolo di protagonista era ben contraddistinto e il personaggio ben definito. Felix Lambert aveva convenuto con lei. La nuova sceneggiatura le dava maggiore rilevanza nella trama e secondo lui, se fosse stata scaltra e avesse dato il meglio di sé, avrebbe facilmente bucato lo schermo.

«Adam ammira il tuo lavoro», le aveva spiegato Felix al telefono. «Farà di tutto perché tu abbia grande visibilità e pubblicità quando uscirà il film.»

Le aveva inoltre detto che avrebbero iniziato a girare mercoledì 14 settembre, negli studi Shepperton nel Surrey e che i produttori speravano di terminare le riprese in novanta giorni. Le aveva ricordato che doveva essere disponibile per una settimana dopo la fine delle riprese per la post produzione e qualsiasi altra cosa fosse stata necessaria.

Una volta avuto in mano il copione, l'umore di Alicia cambiò. Rannicchiata sul divano in camera da letto a Cavendon, lesse le sue battute, imparandole a memoria. Quando lavorava era al massimo della felicità e l'eccitazione per il nuovo film le cancellò dalla mente Brin e il suo comportamento scorretto. Il lavoro le ridava conforto, coraggio e sicurezza. Non vedeva l'ora di iniziare.

In passato, ad Alicia era piaciuto lavorare negli studi Shepperton che erano dei grandi teatri di posa con un set spazioso. Stava attraversando il backlot nel suo primo giorno di lavoro, quando udì una voce bassa e maschia gridare il suo nome.

Si girò e vide sir Alexander Korda salutarla con la mano. Korda non era soltanto uno straordinario produttore cinematografico, regista e scenografo di alcune splendide pellicole come *Idolo Infranto* e *Lady Hamilton*, con Vivien Leigh, ma aveva anche la principale partecipazione negli studi Shepperton. In pratica ne era il proprietario.

Quel mattino era in compagnia di Orson Wells, l'attore americano, e Alicia si affrettò a salutarli e a congratularsi con entrambi per il grande successo di *Il terzo uomo* in cui recitava Orson Wells.

Sir Alex chiacchierò con lei per pochi secondi e pareva sapere che era la protagonista femminile di *Broken Image*, prodotto da Mario Cantonelli e Adam Fennell. Le confermò inoltre che il regista, Paul Dowling, era uno dei migliori.

Pochi minuti dopo Alicia osservò il camerino che le era stato assegnato. Era uno dei migliori, piuttosto grande, ridipinto e abbellito, con una finestra che dava sul backlot. Oltre al tavolo da toletta e numerose sedie con schienale rigido, c'erano una poltrona e un divano e l'illuminazione era eccellente.

La stavano trattando in modo speciale. Non mancò di notare l'enorme vaso di fiori sul tavolo e la busta bianca appoggiata lì vicino. Aprì la busta e lesse il biglietto di auguri firmato Mario e Adam.

Si sedette alla toletta e accese le lampadine che circondavano lo specchio e che le permettevano di vedersi chiaramente. Era ovvio che era stato fatto un grande sforzo per rendere il camerino confortevole. Abbassò lo sguardo e sul tavolo vide l'ordine del giorno per quella giornata e per l'indomani. In cima ai due fogli c'era un vaso in vetro con una unica rosa bianca.

Capì immediatamente che gliela aveva mandata Anna Lancing, la migliore truccatrice cinematografica. Anna le regalava una rosa bianca all'inizio di ogni produzione cinematografica. Alicia attraversò il camerino per andare nella sala del trucco e salutare la sua collaboratrice e amica di lunga data.

Aprì la porta, quindi arretrò rapidamente.

Davanti alla porta c'erano due uomini pronti a bussare. Uno era Mario e immaginò che l'altro fosse Adam Fennell.

Mario la salutò calorosamente e le diede un bacio sulla guancia, quindi le presentò l'altro. Era davvero Adam, che le tese la mano. «Sono davvero felice che lei faccia parte della produzione», l'accolse.

Tenne la mano un po' troppo a lungo e fu Alicia a distogliere la sua. L'aspetto di Adam la sorprese, si era immaginata un uomo molto più vecchio. Sembrava sulla trentina ed era estremamente affascinante. Chiunque l'avrebbe scambiato facilmente per un divo del cinema, ed era impeccabilmente curato.

«Siamo venuti per darle il benvenuto», esordì Mario.

Alicia spalancò la porta. «Per favore, entrate. Desidero ringraziarvi per i fiori. Sono splendidi.»

Mario si accomodò sul divano accanto ad Alicia e parlò ininterrottamente.

Adam si sedette nella poltrona e non aprì bocca. Ascoltò. Aveva appreso che ascoltare era un dono.

Adam Fennell aveva cominciato ad ascoltare attentamente fin da piccolo e questo gli aveva salvato la vita più volte e gli aveva insegnato un sacco sulla gente e sul mondo in generale. Essere un bravo ascoltatore gli aveva procurato un vantaggio.

Molto tempo prima, quando aveva dieci anni, aveva sentito dire di lui che era una nullità venuta dal nulla, una schifezza su cui valeva solo la pena pisciare.

Aveva rimuginato su quelle parole per molti mesi e un giorno aveva deciso di diventare qualcuno proveniente da qualche parte.

Il suo obiettivo era quello di diventare un uomo importante benestante e potente. E così, con ogni mezzo, si era trascinato fuori dai bassifondi, dalla povertà, dalla fame, dall'abuso e dal disprezzo.

Quell'enorme sforzo l'aveva reso più forte e aveva fatto emergere la sua naturale energia, poi era subentrato un senso di ambizione. Da grande, la sua implacabile determinazione e la spietatezza l'avevano portato al successo.

Aveva tredici anni quando aveva deciso di fuggire. Suo padre era un ubriacone pericoloso e instabile, che viveva con il sussidio di disoccupazione e sua madre, una donna maltrattata e spaventata priva di energia, vita o amore. Andy, il fratello maggiore, aveva seguito ciecamente le orme del padre, senza alcuno scopo nella vita.

Quando Adam era fuggito dalla casetta fatiscente di Manchester, aveva deciso di recarsi a Londra a piedi. Istintivamente si era reso conto che il suo destino era lì, dove lo aspettavano fama e ricchezza. Già in tenera età era consapevole che la vita in famiglia era senza speranza e che era meglio mettersela alle spalle il più rapidamente possibile.

Quella sera Adam Fennell possedeva soltanto gli abiti che indossava, dei logori calzoni grigi, un maglione verde scuro di Andy e l'unica giacca del padre. In tasca una sterlina che aveva rubato al fratello stordito e puzzolente di alcol, due mele e un coltellino che alcuni mesi prima aveva trovato in un canale di scolo e che aveva custodito con cura.

Era scappato a mezzanotte di un giorno d'estate del 1924. Allontanandosi dalla disperazione, dall'alcol e da un tragico destino, non aveva provato alcun rimpianto, solo un profondo sollievo.

Mentre si dirigeva a passo costante verso la strada che portava a Londra, aveva giurato a se stesso che per tutta la vita non avrebbe mai toccato alcol.

Appena si era sentito stanco, si era infilato sotto una siepe, aveva mangiato una mela e si era addormentato.

Il mattino seguente aveva chiesto del cibo alla donna gentile che gli aveva aperto la porta della cucina. Provando pietà per il ragazzino, l'aveva fatto entrare, gli aveva dato da mangiare uova e pancetta. Lui l'aveva ripagata rubandole la borsetta, mentre lei gli girava le spalle.

Aveva trascorso le notti nelle siepi, pagliai, stalle e campi, mentre di giorno aveva rubato cibo e qualsiasi altra cosa trovava. Si era rivelato un bravo ladruncolo e ce l'aveva fatta.

Durante l'ultima tappa del viaggio, un giovane gli aveva dato un passaggio sulla sua nuova auto fiammante, ma poi aveva tentato di violentarlo. Adam, infuriato, non aveva avuto altra alternativa che usare il coltellino. Aveva pugnalato il giovane al braccio poi gli aveva rubato il denaro ed era corso via.

Sapeva di averlo soltanto ferito, ma doveva allontanarsi da lui al più presto. Così aveva abbandonato la via principale appena aveva visto un cartello stradale che indicava la via per Harrow. Non era proprio Londra, ma Adam sapeva che Londra era molto vicina.

Sebbene in quel momento non potesse saperlo, la sua decisione era stata la scelta più felice che avrebbe potuto prendere. Quando aveva notato la taverna *Golden Horn*, era ormai sfiatato e ansimante. Si era seduto su una panca all'esterno del pub per riprendere fiato e recuperare le forze.

Sebbene il locale fosse chiuso, il proprietario l'aveva visto dalla finestra. Era uscito per chiedergli cosa facesse lì e aveva subito notato che era sfinito, povero e molto sporco. Quando gli aveva chiesto se aveva qualche problema, Adam gli aveva risposto che era stanco e che aveva bisogno di bere.

Il gestore, Jack Trotter, era rientrato nel pub ed era tornato con una brocca d'acqua. Si era poi presentato e gli aveva chiesto come si chiamava.

Adam gli aveva risposto, poi gli aveva raccontato una storia commovente di disperazione, povertà e abuso e gli aveva spiegato che era fuggito di casa per andare a Londra.

Trotter aveva subito scoperto che a Londra Adam non aveva né parenti né conoscenti e neppure un lavoro e, impulsivamente, aveva deciso di accoglierlo in casa sua, anche se solo per alcune settimane. Aveva sentito il bisogno di aiutare il ragazzo a rimettersi in piedi.

Prima però ne aveva parlato con suo fratello Timothy che gestiva la taverna assieme a lui. I fratelli Trotter ci avevano pensato su, poi avevano invitato Adam a entrare.

Dopo avere ascoltato la loro offerta, Adam l'aveva accettata. Avrebbe pulito le decorazioni in ottone appese alle pareti, lavato i pavimenti e il bancone del bar. In cambio, gli avevano offerto di vivere nel piccolo fienile, gli avrebbero dato da mangiare e gli avevano promesso una piccola paga.

Aveva anche accettato i vestiti che gli aveva offerto Jack. Il figlio di Jack, Tommy, era deceduto un anno prima a sedici anni in un incidente stradale e Trotter lo stava ancora piangendo. Quello era stato uno dei motivi per cui aveva deciso di aiutare quel povero ragazzo, in memoria del figlio che aveva perso in modo tanto tragico.

Adam non aveva mai dimenticato Jack Trotter e il modo in cui l'aveva aiutato. Con il passare degli anni si era anche reso conto che Jack, oltre ad accoglierlo e a dargli un tetto, aveva fatto per lui qualcosa di impagabile e importante.

Una sera, poco dopo il suo arrivo al *Golden Horn*, Jack l'aveva portato in un cinematografo a Croydon. Era la prima volta che Adam vedeva un film. Jack, quella sera gli aveva cambiato la vita, l'aveva messo sulla strada giusta, anche se involontariamente. Adam si era innamorato dei film e niente avrebbe più potuto tenerlo lontano dal cinema.

Da ascoltatore paziente, Adam si rese conto che Alicia era agitata. «Scusami se t'interrompo, Mario», s'intromise, «ma penso che ora dobbiamo andarcene e lasciare la signorina Stanton da sola. Dovrà andare al trucco...» Lasciò affievolire la voce e sorrise al socio più anziano, non volendo offenderlo.

«Per quanto mi sia piaciuto chiacchierare con lei, devo proprio andare in sala trucco, Mario», esclamò Alicia, sollevata. «Le riprese iniziano verso mezzogiorno.»

«Accidenti! Le sto rubando troppo tempo. Mi spiace, mia cara.» Mario si alzò e le diede un bacetto sulla guancia.

Si alzarono in piedi anche Adam e Alicia. Lui le si avvi-

cinò, sorridendo, e le strinse la mano. «In bocca al lupo», le
augurò a bassa voce.

Lei rispose al suo sorriso, fissando i suoi occhi grigi e gli
rivolse uno sguardo d'intesa. Senza dire una parola, gli aveva comunicato il sollievo provato nell'avere interrotto Mario e lui comprese che lei gli era riconoscente.

17

ALICIA si diresse verso il *Claridge's*, contenta di non dover girare. Era venerdì, l'ultimo giorno di settembre, ed era il suo giorno libero. Il tempo era splendido e lei già pregustava il pranzo con Constance Lambert. Aveva bisogno di parlare con la sua amica e agente.

Il personale dell'albergo la salutò cordialmente, mentre attraversava l'atrio ed entrava nella Causerie, uno dei suoi posti preferiti.

Constance era già seduta su una panca e, nel vederla, agitò la mano; poco dopo Alicia le si sedette accanto.

«Sei sempre elegante», la salutò Alicia constatando che l'amica era, come al solito, molto chic. «Vedo che indossi un abito Swann.»

«Quando mai non lo faccio? E grazie per il complimento. Per inciso, l'altro giorno ho visto Cecily nel negozio della Burlington Arcade, per la sua solita visita mensile, e mi ha confidato di avere riorganizzato la casa di moda e che d'ora in poi creerà solo abiti haute couture. Ha chiuso con il prêt-à-porter. Le ho detto che la ritenevo un'ottima mossa.»

«Le avevo detto la stessa cosa anch'io un mese fa, quando ero a Cavendon. Che stai bevendo, Connie? Champagne? Ne prenderò un bicchiere anch'io.»

«No, ginger ale. Ho chiesto di versarmelo in una coppa, perché mi pare che così sia più buono. Sono a dieta, ma per te ordinerò un calice di bollicine.»

«Oh, non saprei, se tu non stai bevendo...»

«E va bene, ne ordinerò uno anch'io e al diavolo la dieta», esclamò Constance. «Se non sbaglio c'è da fare un brindisi. In queste ultime settimane i giornali hanno parlato molto di te e bene.»

«È vero, ma spero di non avere offeso Adam Fennell. Una sera della settimana scorsa mi aveva invitato a vedere il girato giornaliero, ma ho rifiutato. Sai quanto detesto vedere le riprese giornaliere. Non mi piace vedermi sullo schermo fino a che il film non è finito, tagliato e montato.»

«Come mai pensi di averlo offeso?»

«Perché sono giorni che non lo vedo né lo sento e lui di solito è molto premuroso con me.»

«So che non vuoi vedere il giornaliero e sono sicuro che questo è nel tuo contratto. Lo verificherò più tardi. Quello che so è che lui ha parlato con entusiasmo della tua recitazione con Felix e che ha addirittura accennato alla tua presenza nel suo prossimo film. Non preoccuparti. Ma, per caso ti interessa Adam?»

Alicia la fissò e si sentì avvampare. Per un secondo non riuscì a parlare, inaspettatamente aveva capito quanto lo era. Poi si limitò ad annuire.

Constance sorrise, chiamò un cameriere e ordinò due calici di Veuve Clicquot, quindi si appoggiò allo schienale e fissò intensamente Alicia. «Quindi vuoi sapere tutto di lui, ho ragione?»

«Immagino di sì», rispose Alicia sottovoce.

«Innanzitutto, non è sposato né lo è mai stato, per quanto ne so. È un po' più vecchio di te, va verso i quaranta, credo.»

«Mi fa piacere sapere che non è sposato», ammise Alicia

con un sorriso. «*Quelli* li evito come la peste. Da quanto tempo si occupa di cinema?»

«Da circa dieci anni, non di più. Ha avuto un grandissimo successo, si è fatto strada piuttosto rapidamente. Era con Korda. Non so come sia accaduto, ma credo che sir Alex gli abbia fatto da mentore per un certo periodo. Ora si è messo in proprio. Felix sostiene che Adam trasforma in oro tutto ciò che tocca, che i film che produce ricevono sempre premi e, cosa ancora più importante, sono campioni d'incassi.»

«Questo lo sapevo, perciò ho accettato questa parte con gioia.» Alice esitò un attimo. «C'è una donna nella sua vita? O non lo sai?»

«Lo saprei di certo. Sai bene come è il mondo dello spettacolo. Pettegolezzi a non finire. Ma quando, nel corso degli anni, mi sono imbattuta in lui a qualche evento, era sempre solo o in gruppo. Non l'ho mai visto a braccetto con una donna, mia cara.»

«Con me è stato molto gentile, Constance, affascinante, a dire il vero. Lui e Mario mi avevano mandato dei fiori il primo giorno delle riprese. Questo è abbastanza normale, dato che sono la protagonista femminile, ma la settimana seguente Adam mi ha inviato un piccolo bouquet di rose bianche, con un biglietto che diceva, *Congratulazioni, Adam*. E ha infilato spesso la testa nel mio camerino solo per incoraggiarmi e dirmi: 'ottimo lavoro', o qualcosa di simile. Ma da quando ho rifiutato il suo invito, non si è quasi più fatto vedere.»

«Non ha senso», commentò Constance, scuotendo il capo. «Finora ti ha soltanto lodata. Forse era nel suo ufficio a Londra e non negli studi. Vuoi che indaghi?»

«Oh, no, non farlo! Che imbarazzo, se venisse a sapere che avevo chiesto informazioni su di lui...» Alicia s'interruppe quando il cameriere arrivò con lo champagne.

Constance e Alicia brindarono. «A te, mia cara, sono sicura che trionferai.»

«Ti stai riferendo al film o all'uomo?»

«In verità, intendo entrambi», rispose Constance, sorseggiando le bollicine. «Senti, sei realmente e sinceramente interessata ad Adam? Vuoi uscire con lui? Vedere a cosa porterà?»

Alicia annuì. «So che solo due mesi fa piangevo per Brin e per come mi aveva piantata. E mi disperavo sulle tue spalle. L'ho superata dopo averci riflettuto su a Cavendon. Ho capito che si era comportato in un modo orribile e inaccettabile.»

«Poi hai iniziato a lavorare nel nuovo film, hai conosciuto Adam, e che è successo?» chiese Constance inarcando un sopracciglio.

«Mi è piaciuto fin dal primo giorno negli studi. Poi ne sono rimasta affascinata. Possiede un grande carisma ed è bello...» Alicia si schiarì la voce. «Negli ultimi dieci giorni, tornata a casa, mi scoprivo a pensare a lui. Un sacco. E quando lo incrociavo per caso durante le riprese, mi sentivo... attratta.»

«Questo lo posso capire. Credo che molte donne subirebbero lo stesso fascino di Adam che provi tu. È un grand'uomo. Senti, che ne dici se chiedo a Felix di invitarlo a cena, diciamo venerdì prossimo, dato che nel fine settimana non lavori?»

«A me andrebbe bene, ma lui accetterà?»

«Sì, se non è troppo impegnato. Ha sempre accettato i nostri inviti e ha sempre contraccambiato...» Constance s'interruppe. «Oh, mio Dio, non muovere un muscolo e non girare la testa. Adam sta entrando con un altro agente teatrale, Bob Griffin. Non ci ha ancora viste, ma lo farà appena seduto.»

Alicia guardò a bocca aperta Constance che le prese la mano e borbottò: «Mio Dio, stai tremando come una foglia».

Adam e l'agente si sedettero su una panca all'altro lato della Causerie e Adam le notò immediatamente. Voltò la testa, disse qualcosa al suo ospite, si alzò e andò al loro tavolo.

«Che bello vederti, Constance, e anche tu, Alicia. Mario e io siamo molto soddisfatti del tuo lavoro, molto impressionati.» Le sorrise, gli occhi grigi fissi sui suoi.

«Grazie, le tue parole mi fanno un immenso piacere.» Senza riuscire a staccare gli occhi da lui, Alicia si stupì che la propria voce fosse tanto ferma.

Constance colse l'attimo. «Felix e io stavamo proprio parlando di te oggi, Adam. Pensavamo di invitare te e Alicia a cena stasera. Ti avrebbe telefonato, forse l'ha già fatto. E ora, visto che sei qui te lo chiedo. Non è che per caso sei libero questa sera?»

«Solo dopo le otto e mezzo. Alle sei e mezzo verranno a casa mia degli amici per un drink. Oh, ma forse vi piacerebbe venire da me? Poi potremmo andare fuori a cena tutti e quattro.»

«Splendido», esclamò Constance. «Per te va bene, vero, Alicia?»

«Mi piacerebbe molto», rispose lei e finalmente riuscì a staccare lo sguardo da Adam.

«Sai dove abito, vero, Constance?» si assicurò Adam. «Tu e Felix siete già stati da me.»

«Sì, in Bryanston Square.»

«Bene, allora ci vediamo più tardi, Constance, Alicia.» In un attimo era tornato al suo tavolo e aveva iniziato a parlare con il suo ospite.

«Accipicchia, come hai reagito alla sua presenza! E lui alla tua. Ho notato che non riusciva a staccarti gli occhi di dosso. Che fortunata coincidenza che Adam sia venuto a pranzare qui, non lo pensi anche tu?»

«Sì. Stavate veramente parlando di lui questa mattina?»

«Ma no. L'ho inventato così su due piedi, ho colto l'occasione per invitarlo. Ne parlerò con Felix più tardi, ma ora diamo un'occhiata al menu e ordiniamo.»

«Non ho molta fame, Constance. L'arrivo di Adam mi ha scombussolata non poco.»

«Ti eccita, non è vero?»

«Moltissimo», sussurrò Alicia.

«Prenoterò un tavolo al *Savoy*. Carroll Gibson e la sua orchestra... *perfetto*. Potrai essere tra le sue braccia per le dieci di questa sera. Sulla pista da ballo, intendo.»

«Alicia Stanton on the rocks», lesse Victoria ad alta voce, guardando l'art director di *Elegance Magazine* scoppiando a ridere. «Molto astuto, Tony. Mi piace.»

«E io sono rimasto strabiliato dalle tue fotografie, come ti ho già detto. C'è qualcosa di impressionante in quei monoliti e sono un ottimo sfondo per l'abito da sera in tulle rosa ricoperto di lustrini dorati. Duro e morbido... le enormi pietre lo fanno spiccare sulla pagina.»

Sorridendo, Victoria si concentrò sul resto del servizio a sei pagine che Tony aveva finito di impaginare al mattino.

«Sono proprio contenta che nel labirinto Alicia abbia indossato il vestito in seta rossa e il cappotto. Una macchia meravigliosa di un colore vivace tra le siepi verdi. Ho scattato quella foto da lontano, in cima a una scala.»

Tony del Renzio annuì. «L'avevo immaginato, tesoro», rispose, sorridendole. «Spero che il titolo non sia troppo banale. *Aggrovigliata in un groviglio.*»

«È divertente. Che ha detto Melinda?»

«Ha riso e ha approvato l'intera serie di pagine prima di partire per Parigi un'ora fa. Mi ha chiesto di darti questo.» Prese una busta e gliela porse. «Penso sia un nuovo lavoro.»

«Sai di che si tratta?»

«Solo vagamente. Leggi il biglietto.»

Victoria lesse ad alta voce l'appunto della caporedattrice.

Cara Victoria,
le tue foto di Alicia mi hanno lasciata a bocca aperta.
Congratulazioni. Tony ti ha fatto onore con la sua im-
paginazione altamente creativa. Sto programmando un
servizio su Christopher Longdon, il più grande eroe di
guerra inglese. Fai una piccola ricerca su di lui. Pianifica
il servizio. Lui sta fondando un ente benefico per veterani
di guerra. Sarà uno dei nostri articoli più seri e impegnati.
Pensa a Eroe. Coraggio. Eroe. Ne parleremo in seguito.
Buon fine settimana,

Melinda

Victoria rilesse il biglietto, poi fissò Tony. «Christopher
non è su una sedia a rotelle? Se ben ricordo è paralizzato.»

«Solo parzialmente, per quanto ne so.»

«Sarà un servizio molto difficile, non pensi? Voglio dire,
un uomo su una sedia a rotelle non mi offre molte opzioni
fotografiche.» Si sentì a disagio, già preoccupata.

«Dovrai essere creativa, ingegnosa, il che per te non è un
problema, Victoria.»

Victoria si allontanò dal bancone su cui era disteso il layout e si sedette su una sedia. Tony andò dietro il tavolo e la
fissò. «Non essere depressa, paperetta, ce la farai. A quanto
si dice è un uomo affascinante.»

«Sai dove abita?» gli chiese dopo avere tratto un lungo
sospiro. «Ho idea che sia da qualche parte in campagna.»

«No. Christopher Longdon ha una casa dalle parti di
Hampstead Heath. E, secondo Melinda, ci saranno molte
persone ad aiutarti, un fisioterapista e un assistente ed entrambi sono uomini. Mi ha anche riferito che c'è un giardino
bellissimo. Un sacco di possibilità.»

«Come fa Melinda a conoscere tanto bene casa sua?»

«Christopher Longdon ha salvato la vita del fratello di Melinda durante la guerra. I due erano amici ed erano insieme nella Royal Air Force. Melinda desidera aiutare Christopher nell'avvio del suo ente benefico», spiegò Tony. «Non lo conosce molto bene, immagino che abbia fatto qualche indagine.»

«Forse potrà presentarmi a suo fratello. Potrebbe offrimi spunti utili.»

«Purtroppo no. Suo fratello Ronnie è deceduto l'anno scorso. Non si era mai realmente ripreso.»

«Oh, è terribile. Mi dispiace.» Victoria si alzò, mise il biglietto in tasca e si avviò alla porta. «Farò alcune ricerche e farò del mio meglio.»

«Lo so, ne sono sicura, paperetta. È per questo che sei la mia prediletta. Metti un tale impegno nel lavoro e non credo di poter dire lo stesso per la maggior parte degli altri.»

«Grazie, Tony, e grazie per avere reso tanto belle le mie fotografie.»

Victoria percorse il corridoio, elucubrando sul nuovo progetto. Le piaceva lavorare nella rivista e desiderava farsi onore. Questa sarebbe stata la sua grande occasione, ma il biglietto la preoccupava e si chiese come farcela. Era una vera sfida. Ebbene, lei amava le sfide, o no?

Una volta seduta alla scrivania, prese alcuni appunti su Christopher Longdon, quindi stilò un elenco di possibili persone che avrebbero potuto aiutarla. Charlie, quasi certamente, e pure Elise.

Quella sera avrebbero cenato insieme e lei avrebbe potuto parlarne con Elise. Pensò a lady Diedre, che conosceva tutti, e a zio Harry, che era stato nella RAF.

Il telefono sulla scrivania squillò e sollevò il ricevitore. «Victoria Brown.»

«Ciao Vicki, sono Elise, volevo solo assicurarmi che non avessi dimenticato la cena di questa sera.»

«Ho prenotato un tavolo a *Le Chat Noir*. Ti va bene?»

«Benissimo, ma non ce la farò prima delle otto. Sono ancora alle prese con un articolo tosto.»

«Ho prenotato per le otto, immaginavo che prima non ce l'avresti fatta. Senti, sai dirmi niente su Christopher Longdon?»

«È uno dei nostri più grandi eroi di guerra. Ha fatto più di cento missioni sui cieli della Germania o qualcosa di simile ed è stato molto coraggioso. Perché?»

«Devo fare un servizio fotografico su di lui.»

«Caspita, sarà dura. È su una sedia a rotelle.»

«Tony mi ha detto che dovrò sfruttare tutta la mia immaginazione. Lo farò. A stasera, Elise.»

18

VICTORIA arrivò al *Le Chat Noir* in anticipo e venne accompagnata al tavolo dal nuovo proprietario, Jean-Philippe, figlio del proprietario Jacques André, deceduto l'anno prima. Jean-Philippe e sua madre gestivano ora con successo il ristorante.

«Questa sera abbiamo le *moules*, signorina Brown», le consigliò lui. «E la nostra sogliola di Dover.»

«Grazie, Jean-Philippe, le cozze mi inducono sempre in tentazione.»

Lui sorrise e si allontanò, tornando un attimo dopo con una brocca d'acqua.

Victoria si mise comoda e si guardò in giro, chiedendosi se nel ristorante ci fosse qualcuno che conosceva, ma erano tutte facce sconosciute. Si lisciò la gonna nuova che aveva visto nella vetrina di una piccola boutique vicino alla casa di Greta e che aveva subito pensato le avrebbe dato un'aria più sofisticata.

Dalla borsetta estrasse un piccolo taccuino e diede un'occhiata agli appunti presi prima.

Per ora sapeva che Christopher Longdon viveva in una grande casa che dava su Hampstead Heath, che era nato nel 1921 e che si era arruolato nella RAF all'inizio della guerra, nel 1939. A quanto pareva era stato uno dei giovani piloti da caccia che aveva contribuito dal cielo a vincere la battaglia d'Inghilterra. A parte questo, era stato tra i pochi a essere sopravvissuto, anche se era salito in cielo nel suo Spitfire ogni giorno. Era rimasto gravemente ferito, quando il suo aereo si era schiantato a terra parecchie settimane prima dell'armistizio.

Aveva ottenuto queste informazioni da Charlie con cui aveva parlato al telefono quel pomeriggio. Charlie non aveva avuto altre notizie da darle, ma le aveva promesso che avrebbe telefonato a un amico che avrebbe potuto offrirgliene altre. «Credo che Angus sia o fosse un amico di Longdon», le aveva spiegato Charlie. «Avevano studiato insieme. A Eton, credo.»

Rimettendo il taccuino nella borsa, Victoria bevve un sorso d'acqua, chiedendosi che genere di servizio fotografico sarebbe venuto fuori. Come poteva farlo sembrare eroico su una sedia a rotelle? Questo non toccava forse all'articolista? Alle parole che avrebbero raccontato la sua storia in modo commovente? Non aveva idea su come cominciare né conosceva qualcuno che avrebbe potuto aiutarla.

Paloma? Forse domani avrebbe chiamato la moglie dello zio Harry e l'avrebbe tempestata di domande.

«Eccomi!» esclamò Elise, fermandosi davanti al tavolo e sorprendendo Victoria con il suo passo felpato.

Le due giovani si abbracciarono, poi si sedettero una di fronte all'altra. Elise indossava una gonna e una camicetta gialla che ben si intonava ai capelli e agli occhi scuri, ed era elegante anche dopo la dura giornata di lavoro.

«Ho bisogno di un drink», esordì Elise. «Ordiniamo un gin con succo d'arancia? È stata una giornata pazzesca.»

«E io ho davanti a me un servizio fotografico infernale. Occorre anche a me un drink di quelli giusti.»

Jean-Philippe arrivò al tavolo per salutare Elise e Victoria ordinò da bere.

«Mi spiace per te», disse Elise, mettendosi comoda. «Ritengo che Christopher Longdon sia un uomo ammirevole e, ovviamente, molto coraggioso. Ma è un servizio molto impegnativo, Victoria, sono d'accordo con te. Ne ho parlato con il mio caporedattore, è una miniera di informazioni e mi ha dato alcune dritte. Christopher Longdon non è sposato, era figlio unico e i suoi genitori sono morti.»

«Non molto per procedere, ma grazie ugualmente. Entrambe sappiamo che i giornalisti sono sempre ben informati, per questo oggi ho chiamato Charlie che mi ha riferito alcuni dettagli.»

Dopo un brindisi, Victoria raccontò a Elise tutto ciò che sapeva sul soggetto del suo prossimo servizio. «Il che non è molto», concluse.

«La prossima settimana continuerò le ricerche, forse riuscirò a scovare dell'altro», promise Elise. «In ogni caso, penso che questo sia uno di quei lavori che... *evolveranno*. Voglio dire che potresti trovare cose che funzioneranno, una volta che l'avrai conosciuto. Al momento sei al buio.»

«Hai ragione, Elise. Grazie!» esclamò Victoria, il volto acceso. «È stupido avere idee preconcette, essere negativa prima di averlo conosciuto. Chiamerò il suo assistente lunedì mattina. Gli spiegherò che ho bisogno di chiacchierare con il signor Longdon, che devo fargli un'intervista prima di scattare le foto. In questo modo potrò dare un'occhiata a casa sua, al giardino e a lui. Speriamo che m'ispirino.»

«Conoscendoti, scommetto che sarà il servizio migliore che tu abbia mai fatto. Le sfide sono pane per i tuoi denti. Oh, Charlie verrà alla festicciola di Greta domani sera e mi ha chiesto se può portare Alicia.»

«Spero che possa venire! Voglio parlarle dell'articolo su più pagine che ho trovato fantastico e lei è splendida. Tony del Renzio me lo ha mostrato oggi. La rivista andrà in stampa questa sera e il servizio uscirà nel numero di dicembre. Non vedo l'ora di vederla in edicola.»

«Non ti daranno prima delle copie?» domandò Elise.

«Hai ragione, e tu e Greta sarete le prime ad averne una, anche Alicia e zia Alice.» Sorrise a Elise. «Diamo un'occhiata al menu? Jean-Philippe mi ha detto che oggi hanno le *moules* e la sogliola di Dover, oltre a tutto il resto.»

«Che delizia!»

«È stata una settimana di lavoro molto strana, un sacco di negativi da sviluppare, così tanto da fare. Non ho avuto tempo per un vero pranzo da giorni», osservò Victoria.

«Nemmeno io. Troppo impegnata, una valanga di articoli complessi. Ehi, non mi sto lamentando, amo il mio lavoro, è come essere al centro degli avvenimenti. Sai cosa sta succedendo dappertutto, grazie alle telescriventi.»

Victoria alzò la mano nel vedere Jean-Philippe e ordinarono la cena.

Di nuovo sole, Elise si protese in avanti. «Ho bisogno di parlarti, Vicki. Ultimamente non mi sono sentita molto bene, sono stata spesso depressa e la cosa mi preoccupa, perché anche mia madre ha sofferto di depressione.»

«Sfogati con me, sono la tua migliore amica», replicò Victoria. «Se non io, chi? Be', Greta, naturalmente.»

«Preferisco parlarne con te, Vicki, ma non ora. Non avrei nemmeno dovuto tirar fuori questo argomento. Possiamo parlarne dopo cena?»

«Quando vuoi, sono qui.» Victoria allungò la mano e strinse il braccio dell'amica. «Sai già cosa metterti domani sera?»

«Qualcosa di semplice», rispose Elise. «Greta ha invitato poche persone, non è una delle sue sofisticate cene sedute. Preparerà un buffet. Per questo metterò un tubino di seta.»

«Seguirò il tuo esempio. Sono felice che sia iniziato il fine

147

settimana. Domani ho da fare delle commissioni, ma domenica ho intenzione di dormire a lungo.» S'interruppe e si chinò verso Elise. «Perché non andiamo al cinema? Mi piacerebbe vedere *Il terzo uomo*. Ha avuto ottime recensioni.»

«Mi piacerebbe, ma domenica potrebbero chiamarmi per tornare in redazione. Posso confermartelo domani?»

«D'accordo, ma ecco che arriva la nostra cena. Ho una fame.»

«Sono davvero felice di questo nostro appuntamento, Vicki», riprese Elise, sforzandosi di apparire più allegra. «È bello vederti, è passata più di una settimana.»

Vicki sorrise, sicura di quale fosse il problema dell'amica, almeno in parte: non aveva una vita personale.

Poco dopo, davanti a un caffè, Elise iniziò finalmente a confidarsi con Victoria. «In questo periodo mi sento spesso triste e non sempre riesco a capirne il motivo. In fin dei conti ho un lavoro che adoro, eppure all'improvviso mi sento giù di corda.»

«Pensi di avere fatto uno sbaglio?» chiese Victoria. «Parlo dell'andare a vivere da sola.»

«No!» rispose Elise. «Ho bisogno di stare da sola, in una casa tutta mia. Ho ventotto anni, sono una donna adulta.»

Il tono dell'amica fece ridere Victoria. «E immagino che dovrei vivere da sola pure io. Eppure continuo a stare nella camera degli ospiti di Greta.»

«Non hai ancora trovato un appartamento, ma ce n'è uno dietro l'angolo di casa mia, in Oakley Street. Dovresti andare a dargli un'occhiata.» Le parole di Elise suonarono come una domanda.

«A essere sincera, in questo periodo non ho avuto neppure il tempo di respirare, per non parlare di andare alla ricerca di un appartamento», rispose Victoria. «Non ho fatto che correre di qua e di là per il nuovo lavoro. Greta mi ha chiesto più volte di restare da lei, di condividere la casa con lei. Ha addirittura proposto di farmi pagare un affitto, se l'idea mi avesse fatto sentire meglio. Credo proprio che abbia nostalgia di te, Elise», continuò Victoria mescolando il caffè, «e che si senta sola, perché io non ci sono quasi mai.»

Quando Elise non rispose, Victoria trasse un profondo respiro e continuò: «E tu sei *sola*, penso sia per questo che cadi in depressione. Alla sera torni in una casa vuota, senza nessuno che ti dia il benvenuto, senza cibo, perché come me non hai molto tempo per fare la spesa...»

La sua voce si affievolì nel vedere l'espressione triste sul volto dell'amica e si chiese che altro dire per farla sentire meglio.

«Mi stai consigliando di tornare da Greta?» domandò Elise sottovoce.

«No, ma perché no? Senti, ci scambiamo il posto, io andrò nel tuo appartamento e tu torni a vivere con tua sorella.»

Elise cominciò a ridere. «Assolutamente no. Ho avuto bisogno di tutto il mio coraggio per andarmene, desidero veramente una casa tutta mai. Voglio dire, e se incontrassi un uomo? Potrei volerlo... intrattenere. Avere un appartamento significa avere una vita privata.»

«Non prendertela», iniziò Victoria con cautela. «Ho detto che ti senti sola e tu non hai reagito. Mettiamola così. Penso che tu sia depressa, perché non hai un uomo e so che ne *desideri* uno.»

«Non credo di *desiderare* un uomo», esclamò Elise, fissandola sbigottita e con una punta d'ira nella voce. «In ogni caso mi piacerebbe conoscere qualcuno, è vero.»

«Sto cercando di aiutarti», mormorò Victoria. «Non arrabbiarti.»

«Non lo faccio, ma dal momento che mi guadagno da vivere con le parole, mi piace essere precisa.»

Victoria rimase in silenzio, rendendosi conto di avere toccato un tasto dolente e di avere ragione. Elise desiderava sposarsi, avere dei bambini, una famiglia sua.

«Scusami se sono sbottata», disse dopo un attimo Elise in tono addolorato. «Sei la mia migliore amica e so che sei preoccupata per me, che la tua non era una critica. E, a dire il vero, hai ragione. La cosa comunque mi preoccupa, perché invecchio di minuto in minuto.»

Victoria lanciò un'occhiata all'orologio. «È già passato un altro minuto! Affrettati, guardati in giro. Vedi qualche uomo papabile? Vai e agguantalo prima che lo faccia un'altra.»

«Sei unica Vicki», scoppiò a ridere Elise. «Sei riuscita a farmi passare il cattivo umore. Grazie.»

«Non mi devi ringraziare, ti voglio bene. Farei qualsiasi cosa per te. Capisco perfettamente il motivo per cui desideri avere un appartamento tuo. Fortunatamente, io, almeno al momento, non provo la stessa cosa. Sono talmente impegnata con il lavoro che sono contenta di potermi accampare da Greta fin quando lei mi vorrà tenere.»

«Allora potrai restarci per sempre, le piace averti intorno, anche se ti vede solo alla sera tardi e nei fine settimana. E tu non devi affrontare il mio stesso problema.»

«A cosa ti riferisci?»

«Hai solo ventun anni, Vicki. Hai un sacco di tempo per incontrare qualcuno, innamorarti, sposarti. Io avrò trent'anni in un batter di ciglia.»

«Allora dovrò andare a caccia per te, Elise. Scovare un tipo favoloso. Immediatamente. Dovrò dare un'occhiata a ogni uomo adulto, tenendo presente la splendida Elise. Lascia fare a me.»

19

ADAM Fennell si stava rimirando con occhio critico nel lungo specchio nella sua camera da letto.

Quella sera ciò che vide gli piacque: la fresca camicia bianca, la cravatta in seta azzurra e l'abito di un azzurro più scuro confezionato dal miglior sarto di Savile Row.

Nel taschino della giacca s'intravedeva un fazzolettino d'un azzurro più tenue. Tradizionalista, per nulla vistoso, pensò, mentre voltava le spalle allo specchio. Odiava l'eccesso.

Era tornato a casa alle quattro del pomeriggio Era mattiniero e di solito arrivava nel suo ufficio in Wardour Street o negli studi alle sette del mattino. Per lui era necessario lasciare presto il lavoro, aveva bisogno di alcune ore per se stesso prima degli appuntamenti serali. La prima cosa che faceva appena arrivato a casa era spogliarsi e fare una doccia. La pulizia era per lui di primaria importanza. Poi indossava indumenti intimi puliti e una vestaglia in seta e si trasferiva nella biblioteca per dare un'occhiata alla posta.

Un'ora prima di uscire s'infilava una camicia bianca fresca di bucato, sempre bianca, e uno dei suoi numerosi e impeccabili completi. Non si riteneva un damerino, voleva soltanto essere sempre vestito in modo appropriato.

Mentre attraversava il grande atrio dell'appartamento in Bryanston Square, Adam si guardò intorno. Si fermò per controllare che i fiori sull'antica tavola non fossero disposti in modo troppo rigido.

Soddisfatto, pensò che la signora Clay, la governante, li avesse sistemati come piacevano a lui appena arrivati dal fioraio.

Era la miglior governante che avesse mai assunto, impossibile trovare un granello di polvere dopo il suo passaggio. Lui non sopportava lo sporco su di sé né sugli abiti né in casa. Era abbastanza intelligente da capire che questa avversione risaliva alla sua tremenda infanzia in una catapecchia.

In fondo alla mente persisteva un affettuoso ricordo di Jack Trotter e fu a lui che pensò in quel momento. Quando aveva incontrato il proprietario del *Golden Horn*, questi gli aveva dato indumenti intimi, pantaloni e una camicia puliti che erano appartenuti al suo defunto figlio; Jack l'aveva poi mandato a fare un bagno nell'appartamento sopra il locale.

Quando era uscito, aveva trovato Jack al bancone del pub. L'uomo era rimasto stupito nel vederlo e si era chiesto ad alta voce chi avrebbe mai detto che sotto tutta quella sporcizia ci fosse un così bel ragazzo. Nel corso di quell'anno Jack l'aveva preso in giro per il suo aspetto, l'aveva ammonito a fare attenzione perché, da grande, le donne si sarebbero gettate ai suoi piedi. E così era stato.

Adam si soffermò sull'uscio del soggiorno, ammirandolo. Era completamente bianco: le pareti e il soffitto, le tende in seta alle due alte finestre, i tessuti dei due divani e delle seggiole sistemate nella stanza lo rendevano freddo. In mezzo al lucido parquet c'era un tappeto bianco fatto a mano che completava l'aspetto immacolato della stanza e attirava l'attenzione sul caminetto.

Ciò che faceva diventare il salotto visivamente efficace erano i quadri alle pareti, macchie di colori vivaci che ravvivavano l'ambiente bianco come ghiaccio. I tocchi finali erano le belle lampade in porcellana, i soprammobili in fine porcellana antica e gli alti vasi pieni di fiori bianchi.

Mentre verificava che tutto fosse in ordine, si chiese che cosa avrebbe pensato Alicia Stanton di quel salotto, anzi di tutta la casa. Sapeva che era un ambiente elegante, aveva assunto il miglior arredatore d'interni di Londra proprio per quel motivo.

Pensare alla presenza in casa sua di Alicia quella sera lo eccitò. L'aveva desiderata per parecchi anni e aveva deciso di averla. Aveva trovato infine una via. Si era reso conto che sarebbe stata perfetta per *Broken Image*, il nuovo film che stava producendo con Mario, anche se aveva dovuto forzarlo ad assumerla.

All'inizio l'aveva colmata di attenzioni, poi si era ritirato e quella tattica aveva avuto successo. Ne era certo. Nel ristorante oggi non era riuscita a staccargli gli occhi da dosso. Nei suoi occhi era brillato uno sguardo seducente e sul suo viso era scritto a chiare lettere il desiderio che provava per lui.

Si girò e tornò in camera da letto, poi controllò con soddisfazione il bagno che la signora Clay aveva pulito appena era uscito.

La camera da letto, in varie tonalità di azzurro, era virile, su misura per lui, ma non in modo esagerato. Due antichi cassettoni intarsiati erano controbilanciati da un piccolo *bureau plat*, l'elegante scrivania francese che tanto gli piaceva. Sul ripiano c'erano una lampada in ottone francese, un sottomano in cuoio e dei calamai in ottone, nient'altro.

Se tutto fosse andato secondo il suo piano, quella sera sarebbe venuta in casa sua e si sarebbe ritrovata nel grande letto con lui. Non voleva assolutamente andare a casa di Alicia dopo cena, era lei che doveva venire qui dove lui aveva in mano la situazione.

Tornato nell'ingresso vide Wilson, il maggiordomo, venirgli incontro.

«Buona sera, signore», lo salutò Wilson, inclinando la testa. «La cuoca ha preparato canapè misti, come ha chiesto, e ci saranno Harvey e Molly a servire. Sono già qui.»

«Allora è tutto a posto, Wilson. Grazie. Immagino che abbia messo il Dom Pérignon in fresco.»

«Sissignore.»

I primi ospiti ad arrivare alle sei e mezzo furono Ellen e Reg Greene, proprietari dell'agenzia di pubbliche relazioni che si occupava della campagna pubblicitaria dei suoi film. Arrivavano sempre puntuali, cosa che Adam apprezzava molto, ed erano simpatici.

Dopo i saluti li condusse nel soggiorno immacolato, informandoli che Alicia sarebbe arrivata più tardi e aggiungendo che era convinto che quella donna avrebbe rubato le luci della ribalta.

«Andrew Vance non ne sarà contento», commentò Ellen. «Lui crede di essere il più grande protagonista maschile.»

«Solo perché è accecato dalla vanità», mormorò Adam. «Ha anche dimenticato che quel titolo appartiene a James Brentwood.»

Parlarono poi del successo di James Brentwood a Hollywood e di quanto fosse diventato famoso in tutto il mondo.

«A questo ha provveduto la MGM», fece notare Ellen. «Hanno fatto un ottimo lavoro di promozione, ma lui, oltre a essere un grande attore, è il sogno di ogni cameraman e attira tutti, come le api al miele.»

Adam rise. «La cinepresa lo adora, è vero. Non penso ci sia un altro attore più fotogenico di lui, neppure Errol Flynn o Tyrone Power o Clark Gable. E quei tre sono davvero belli.»

154

Con la coda dell'occhio vide entrare nel salotto la sceneggiatrice Margo Littleton con il suo socio, Jeffrey Cox, e andò a salutarli.

Erano i due scrittori a cui Adam aveva fatto scrivere la terza stesura e il copione finale. Li ammirava, li considerava i migliori nel loro campo e loro avevano dimostrato che aveva avuto ragione.

Margo e Jeffrey conoscevano Ellen e Reg e nel giro di pochi secondi i quattro stavano chiacchierando, soprattutto di lavoro.

A un certo punto Adam si scusò, spiegando che doveva fare una telefonata, corse invece in camera da letto per assicurarsi che tutto fosse in ordine per quando, più tardi, avrebbe portato qui Alicia. Non dubitava affatto che se la sarebbe portata a letto e non vedeva l'ora.

Il grande letto era sistemato contro la lunga parete di fondo e non era ancora stato preparato per la notte. Ci avrebbe pensato la signora Clay quando fossero tutti usciti di casa.

Aprì il cassetto del comodino per verificare che alcune cose fossero al loro posto, e lo erano. Voleva avere a portata di mano tutto ciò di cui avrebbe potuto avere bisogno.

Quando l'interior designer aveva restaurato l'appartamento, Adam gli aveva chiesto di creare due spogliatoi alle due estremità della camera. Uno era per sé e lo usava ogni giorno.

L'altro era stato arredato per le necessità di una donna. Entrò in quest'ultimo e si guardò intorno. Naturalmente era uno specchio. Era una piccola stanza da bagno, con una doccia, un lavandino, un gabinetto e la sua innovazione prediletta, un bidet importato dalla Francia.

Contemplò l'ampio kimono che quella sera sul presto aveva appeso nello spogliatoio. Era nuovissimo, celeste, a doppio chiffon. L'aveva comperato due settimane prima in previsione di questa notte. La sua notte di seduzione.

Il pensiero lo fece sorridere. La seduzione non sarebbe stata necessaria. Lei già lo desiderava, se ne era accorto negli studi una settimana prima e oggi nella Causerie. L'idea di un drink party gli era venuta all'improvviso, mentre parlava con Alicia e Constance e le aveva invitate. Era poi corso nel suo ufficio e aveva invitato Ellen e Reg, Margo e Jeffrey che al venerdì sera erano solitamente liberi e in città. La sua improvvisazione aveva funzionato, come al solito.

Appena aveva messo insieme il gruppo, aveva telefonato a Wilson che si era dato da fare con successo. Aperitivi improvvisati alle sei e mezzo senza un grande preavviso non erano insoliti e Wilson sapeva come far andare lisce le cose per il suo padrone.

Adam era consapevole che Felix e Constance sarebbero arrivati un po' in ritardo, perché dovevano andare a prendere Alicia a casa sua.

Guardò l'orologio, vide che erano le sette e uscì dalla camera da letto.

«Oh, questa sera verranno anche Felix e Constance», annunciò, fermandosi accanto a Margo. «E porteranno con loro Alicia Stanton.»

«Oh, che bello, Adam, mi fa piacere rivederla. A Shepperton mi ha colpita. Mi sono piaciuti i suoi commenti sui miglioramenti che abbiamo apportato alla sceneggiatura...» Margo s'interruppe. «Credo stia arrivando proprio adesso.»

Dato che facevano parte del mondo dello spettacolo, si conoscevano tutti e si misero immediatamente a chiacchierare. Nella stanza si sentì un piacevole brusio che piacque ad Adam.

Notò che Alicia era a suo agio, si muoveva con eleganza

nel gruppetto e si accertava di parlare con tutti. Alla fine era nata in una famiglia nobile e i suoi modi erano impeccabili.

Leggermente divertito nel vedere che lei gli aveva stretto leggermente la mano per poi allontanarsi, si tenne a distanza. Era ovvio che non aveva voluto mostrare i suoi sentimenti, cosa che non voleva fare neppure lui.

Pur restando dall'altra parte della stanza, trovò arduo toglierle gli occhi di dosso. Con intelligenza, lei riuscì a evitare il suo sguardo.

Quella sera l'aspetto di Alicia era diverso. A dire il vero era rimasto per un attimo stupito quando l'aveva vista entrare: era più bella che mai, più giovane, quasi una ragazzina, e sembrava più alta, sinuosa, una creatura snella, simile a un giunco, che si muoveva con grazia.

Poi si rese conto che, quando la vedeva negli studi di Shepperton, in un set insonorizzato o nel backlot, lei portava un pesante trucco teatrale e una semplice pettinatura che si adattava al personaggio che stava interpretando.

Ora era Alicia Ingham Stanton. Rilassata, naturale, sicura di sé. Non gli era sfuggita la sua pelle straordinaria, quella carnagione color pesca tipica di alcune donne inglesi. I capelli biondi brillavano nella luce delle lampade e le cadevano morbidi attorno a un viso minuto.

Come tutte le donne Ingham, Alicia aveva splendidi occhi azzurri e lui sapeva che tutte loro indossavano sempre abiti che si abbinavano ai loro occhi.

Sorrise tra sé, distolse gli occhi da lei e andò a chiacchierare con Felix.

Non si era affatto sorpreso che quella sera Alicia avesse mantenuto la tradizione. Indossava un vestito celeste, di alta sartoria, con un semplice top, lunghe maniche e una gonna scampanata che si allargava attorno alle gambe affusolate secondo l'ultima moda.

Il tessuto lo incuriosì. Era una specie di morbida seta che

aderiva al corpo e che lui trovò molto sensuale. Non vedeva l'ora di tenerla tra le braccia sulla pista da ballo del *Savoy*, sentire sotto le mani quella setosità.

Constance si avvicinò a lui e a Felix. «So che Alicia ti interessa», sussurrò ad Adam, «e mi chiedevo se non ti avrebbe fatto piacere portarla a cena al *Savoy* da solo. A noi non darebbe fastidio, vero, Felix?»

«No, no. Molto meglio uscire tutti insieme. Non voglio... precipitare le cose.» Fissò Constance e poi Felix, un'espressione divertita sul volto. «Anche lei è interessata a me.»

«Dovrai chiederlo a lei, ma secondo me siete una coppia perfetta. Che ne dici, Felix?»

«Concordo», ammise, prima di rivolgersi ad Adam. «Lei è la cosa più bella che potesse capitarti e ritengo che abbia bisogno di una persona come te.»

«Ben detto, Felix», convenne Constance, toccando affettuosamente il braccio di Adam. «Non gingillarti, falle capire che ti piace. Ti assicuro che non ti respingerà.»

«Che ha detto?» chiese Adam, lasciando trasparire quanto la desiderasse.

«Diciamo che oggi a pranzo mi ha fatto molte domande su di te.»

Gli occhi grigi di Adam brillarono. «In un certo senso l'avevo immaginato. Sentite, voglio che noi quattro si vada insieme a cena, ma non proponetele di accompagnarla a casa. Lasciate che lo faccia io, d'accordo?»

«Non sarebbe potuto essere altrimenti», disse Constance.

Felix gli fece l'occhiolino.

20

Alicia era contenta che Constance l'avesse fatta sedere di
fronte ad Adam al tavolo nel ristorante del *Savoy*. Preferiva
averlo di fronte che accanto a sé. Sarebbe stato insopportabile averlo vicino: sarebbe stata tentata di toccarlo, sul braccio, sulla gamba, ovunque. Non vedeva l'ora di un contatto
fisico, di abbracciarlo, di cingerlo con le braccia. Ma ancora
non poteva farlo.

Felix chiese se volevano continuare con il Dom Pérignon,
ma Alicia scosse il capo e rifiutò pure Constance. «Sapete che non bevo alcolici», rifiutò Adam, «a me andrà bene
dell'acqua.»

Alicia si rese conto che non aveva tenuto in mano un bicchiere neppure nel suo appartamento. D'altra parte, lei aveva gironzolato tra gli ospiti, cercando di non trovarsi mai
vicina a lui. Non aveva voluto nemmeno che qualcuno si
accorgesse che lei guardava Adam con desiderio. Pensava di
essere riuscita a nascondere il suo interesse per lui. Ora questo non importava più, perché Constance e Felix sapevano
cosa provava per Adam Fennell: *lei voleva essere con lui.*

Si raddrizzò, scrollò i riccioli biondi e fissò intensamente
Adam, gli occhi spalancati. Con un sorriso all'angolo della

bocca, inarcò un sopracciglio senza staccare gli occhi dal suo volto.

Adam la fissò a sua volta, condividendo i suoi sentimenti, poi inclinò leggermente la testa.

Alicia gli fece un cenno d'intesa, gli occhi ancora più accesi.

Un debole sorriso gli illuminò la faccia. Affare fatto, pensò, e sul suo viso guizzò un'espressione di piacere.

Un'espressione che la eccitò alla quale rispose con un caloroso sorriso. «Berrò un bicchiere di vino a cena, temo di avere bevuto troppo champagne da Adam, preferisco non bere altro adesso, grazie.»

«Diamo un'occhiata al menu, ho fame», intervenne Constance.

Felix annuì e fece cenno al cameriere di avvicinarsi. «Serata piena», gli disse, «ma Carroll Gibbons e i suoi Orpheans, gli Orfanelli come li chiama lui, sono popolari come durante la guerra. E sono bravi come sempre.»

Adam prese il menu, lo scorse ed esclamò: «Oh, vedo che ci sono le ostriche! Ecco, non poteva essere altrimenti, questo è un mese con la erre. E sono ostriche Colchester, le prendo di sicuro».

«Inizio anch'io con le ostriche», si unì Alicia. Le ordinarono tutti e poi scelsero sogliola alla griglia.

«Siamo tutti degli abitudinari», fece notare Constance. «Per nulla avventurosi, almeno per quello che concerne il cibo.»

«Penso dipenda da quanto a lungo durerà il razionamento», commentò Adam. «Mi è sempre piaciuta la cucina inglese, quello che servono qui, ma non è difficile persuadermi ad andare in un ristorante francese o a mangiare un piatto italiano a Soho.»

«Adoro questa canzone, A Nightingale Sang in Berkeley

Square», esclamò Alicia, spostando indietro la sedia e guardando Adam. «Balliamo?»

Adam si alzò, aggirò la tavola e l'aiutò ad alzarsi, quindi la prese sottobraccio. «Non vi dispiace, vero?» chiese poi a Constance e a Felix. «Non vorrei perdermi questo piacere.»

I Lambert risero e incoraggiarono i due ad andare.

Appena i loro piedi toccarono la pista da ballo, lei si ritrovò tra le sue braccia. Lui le fece scivolare una mano sulla schiena e la tenne stretta alla vita.

«È davvero un piacere?» gli chiese.

«È più di così. Non desideravo altro che tenerti stretta.»

«Proprio quello che desideravo anch'io.»

La fece danzare lungo la pista, tenendola dapprima leggermente a distanza per poi attirarla lentamente sempre più vicina. Ora erano faccia a faccia, i corpi che si toccavano.

«Andiamo bene così?» mormorò lui contro i capelli di lei.

«Sì.»

La strinse a sé, premette il suo corpo contro quello di Alicia. «Così è meglio?» mormorò lui.

«Sì», rispose in un sussurro Alicia, consapevole di essere eccitata.

Smisero di ballare e rimasero abbracciati, dondolando al ritmo della musica, senza più accorgersi delle altre coppie che ballavano, consapevoli soltanto delle sensazioni erotiche che provavano l'uno per l'altra.

«Passerai la notte con me, vero?» le chiese sottovoce.

«Sì.»

«Dovremo farlo a casa mia. Aspetto delle telefonate da Los Angeles sul presto domattina.»

«Ma, che dirà il personale...?»

«Per le dieci se ne saranno andati. Hanno il fine settimana libero.»

«Quindi ti piace la tua privacy?»

«Sì. Va bene ugualmente?»

«Benissimo.»

«Che sollievo», mormorò lui, e ripresero a danzare, ma sempre strettamente abbracciati.

Quando tornarono al tavolo, i piatti di ostriche erano già stati serviti e Constance, sempre a suo agio in società, cominciò a parlare dell'imminente Royal Command Film Performance di *La saga dei Forsyte*, il galà benefico che si sarebbe tenuto in novembre all'Odeon Theatre.

«Spero che tu possa venire con me», chiese Adam guardando Alicia. «Sono stato invitato.»

«Sarebbe splendido! Grazie, mi piacerebbe molto andarci con te.»

Adam sorrise e iniziò a mangiare le ostriche.

«Saranno presenti anche il re e la regina», continuò Constance, sempre ben informata, «e le due principesse. Ma non il principe Filippo, temo. È in servizio nella marina reale, a Malta.»

«Quello è vero amore», s'intromise Felix. «E ho sentito che la principessa Elisabetta partirà presto per unirsi a lui.»

«Quali star di Hollywood parteciperanno al Command Performance?» domandò Alicia, rivolgendosi a Constance.

«So per certo che ci saranno Errol Flynn e Greer Garson, ma non so chi altri. Oh, l'altro giorno Margaret Lockwood mi ha detto che intende parteciparvi. Saranno presenti molti divi inglesi.»

«La principessa Elisabetta eclisserà tutti», dichiarò Alicia. «È bella e molto affascinante. Adoro i vestiti che crea per lei Hartnell.»

«Anche sua sorella non è male», sottolineò Adam. «Secondo me anche la principessa Margaret è fantastica.»

«Il Royal Film Command Performance è un evento molto importante per noi del mondo dello spettacolo», ammise Felix. «Il ricavato va nelle casse del Royal Variety Charity che si occupa di vecchi artisti. Noi lo sosteniamo sempre, non è vero, Constance?»

«Certamente, ma è anche una serata speciale. Andiamo a vedere un nuovo film e a me piace mescolarmi con le star di Hollywood. L'anno scorso abbiamo conosciuto Elizabeth Taylor, una splendida giovane, e Alan Ladd, Myrna Loy e Robert Taylor.»

«Al ricevimento dell'anno scorso avevo incontrato Vivien Leigh e suo marito, sir Laurence», disse Adam, «e ragazzi, che piacere! È una donna molto affascinante.»

«Tutti si erano innamorati di lei dopo avere visto *Via col vento*, proprio tutti quanti.» Constance lanciò un'occhiata a Felix. «Come potrà mai superarsi?»

«Oh, penso che lo farà», esclamò Adam. «È un'attrice brillante e Larry farà sì che riceva sempre ottime parti. Per non parlare di Alex Korda, so che lei gli piace molto.»

21

Quando Alicia entrò nell'atrio dell'appartamento di Adam in Bryanston Square, le due piccole lampade sul tavolo antico emanavano un roseo bagliore.

Lui chiuse a chiave la porta, si girò verso di lei e Alicia fece immediatamente un passo avanti e lo abbracciò. Lui la strinse a sé, ma, dopo un attimo, si fermò. «Non voglio cominciare qui, non mi va di armeggiare con i vestiti. Desidero che tutto sia perfetto.»

Si staccò da lei, le prese la mano e la condusse in camera da letto, dove altre abat-jour creavano lo stesso effetto di una luce tenue e accogliente.

Alicia notò immediatamente l'enorme letto con le lenzuola bianche immacolate e i grandi cuscini sempre bianchi appoggiati alla testata, che la governante aveva sistemato prima di andarsene. La sola vista di quel letto la eccitò. Non vedeva l'ora di fare all'amore con Adam.

Lui la guidò verso lo spogliatoio, aprì la porta e la fece entrare. «Puoi svestirti qui. *E sbrigati... per favore fai in fretta*», aggiunse con una smorfia fanciullesca. «Ti ho comprato una vestaglia, con la speranza che questa notte si avverasse. E ora sei qui. Per favore, indossala.»

Alicia assimilò ogni particolare con una rapida occhiata

e riconobbe un arredo molto femminile. Non poté esimersi dal chiedersi quante altre donne l'avevano usato prima di lei. Di sicuro non era la prima. Sorpresa, provò un moto di gelosia, poi si rese conto di essere una sciocca. Lo conosceva appena, non avevano alcuna relazione.

Si spogliò rapidamente, quindi si osservò allo specchio. Sperò di piacergli, ma poi scosse la testa. Era consapevole che la desiderava da quel ballo al *Savoy*. E sapeva che sarebbero finiti a letto insieme.

Davanti al lavandino, con un fazzolettino si tolse il rossetto. Sul tavolo da toletta notò una bottiglietta di Joy, il suo profumo preferito, quello che portava sempre. Era sicura che l'avesse messo lì proprio per lei. Se lo spruzzò su tutto il corpo, quindi s'infilò la vestaglia. Era incantevole, ovviamente nuova e in un impalpabile morbido chiffon. Assomigliava a un kimono senza cintura ed era piacevole sulla pelle.

Prepararsi per andare a letto con lui la eccitava e si sentì infiammare al solo pensiero di lui e di quello che stavano per fare.

Quando uscì dal boudoir, Adam la stava aspettando ai piedi del letto. Indossava un kimono in seta blu scuro, dal taglio uguale al suo, privo di cintura e aperto sul davanti. Facile accesso per entrambi, pensò, avvicinandoglisi. Le tremavano le gambe, tesa come era per la trepidazione e sopraffatta dal desiderio.

Adam la raggiunse in mezzo alla stanza, le prese la mano, l'attirò a sé, infilò le braccia sotto il suo kimono e avanzò di un altro passo.

I loro corpi nudi si toccarono, lui le fece scivolare le mani sui fianchi e la premette contro di sé. La sua erezione era incredibile e Alicia lo guardò, gli occhi azzurri resi lucidi dal desiderio e dalla passione.

Adam riconobbe sul viso di Alicia le sue stesse emozioni. Il desiderio e la passione che leggeva nei suoi occhi lo eccitarono, sapeva che Alicia avrebbe risposto con entusiasmo, che l'avrebbe assecondato in tutto. Chinò la testa e la baciò in un lungo bacio appassionato.

Lei rispose con trasporto e sentì di desiderarlo più di quanto le fosse mai capitato prima. Lui le insinuò la lingua in bocca mentre faceva scivolare le mani sui suoi seni morbidi. Quando le pizzicò i capezzoli, li sentì inturgidirsi e lei rabbrividì e premette il proprio corpo contro il suo.

Dopo un attimo, Adam la lasciò andare. «Non ti farò male, Alicia», le mormorò. «Sarò attento e gentile. Te lo prometto.»

«Non è questo che voglio! Non voglio che tu sia delicato, ti voglio tutto quanto, voglio che tu faccia all'amore con me come vuoi tu.» Si sfilò il kimono, lo lasciò cadere a terra, quindi gli sfilò dalle spalle il suo e lo lasciò cadere accanto al proprio.

Si rannicchiò di nuovo tra le sue braccia, gli mise una mano sulla nuca e con l'altra lo toccò in basso, spinta dal bisogno di palparlo.

Lui annaspò. «Ti prego, no, tesoro, esploderei.» Le scostò la mano e la portò sul letto, proprio dove volevano essere.

Sollevandosi sul gomito, Adam abbassò gli occhi su di lei. «Devo farti una confessione. Sono due anni che sono cotto di te.»

«Io non da così tanto tempo, ma ti assicuro che sono pazza di te anch'io», ammise lei dolcemente. «Ti desidero, Adam, toccami, per favore, toccami.»

Lui le baciò il collo e le guance e infine la bocca. «Voglio divorarti, riempirmi di te», ansimò Adam, sollevando la testa, «ma questa notte, la nostra prima notte non voglio fare in fretta. Devo assaporarti.»

Le sfiorò il corpo con le mani, un'espressione di puro piacere sul viso.

«Sei splendida, Alicia e hai un corpo fantastico, delle

166

gambe favolose e questi sono voluttuosi, proprio come piacciono a me.» Le baciò i seni, li accarezzò, le morsicchiò i capezzoli, li succhiò, seppellì il viso tra i suoi seni, ebbro di desiderio per questa donna che l'aveva tanto ammaliato.

Alicia emise un debole gemito di piacere.

Quando lui smise e si staccò bruscamente, Alicia spalancò gli occhi. «Che c'è? Qualcosa non va?» domandò, preoccupata.

«No, no, tutto bene.» Controllò il contenuto del cassetto del comodino, continuando a baciarla e ad accarezzarle il seno. «Non resisto più, Alicia.»

«Nemmeno io, toccami.»

Nel farle scivolare le dita tra le gambe, sentì che si irrigidiva e che tremava e il suo respiro diventava sempre più affannoso.

Lui si rese conto che era delicata e che stava per raggiungere l'orgasmo e lui voleva essere dentro di lei quando fosse successo, perché, se l'avesse presa in quel preciso istante, il piacere di Alicia avrebbe attenuato la sua erezione.

Non volendo farle del male, seppe cosa fare. «Metto a te e me un po' di lubrificante, d'accordo?»

«Fai tutto quello che vuoi», ansimò Alicia sempre più al limite dell'estasi.

Adam recuperò un po' di lubrificante dal barattolo nel cassetto del comodino e se ne spalmò un po', prima sulle mani poi su di sé, quindi riprese a stimolarla, questa volta con la crema che sapeva di lavanda. Pochi secondi dopo Alicia cominciò a fremere, poi s'irrigidì di colpo, vicina all'orgasmo. Lui le appoggiò le labbra sulla bocca mentre Alicia allungava una mano tra le sue gambe e la faceva scivolare su e giù. Grazie all'unguento la pelle di lui sembrava seta.

A quel punto, Adam rotolò su di lei, premette il proprio corpo contro il suo, tremando e ansimando, e dapprima dolcemente iniziò a muoversi dentro di lei. Lei gridò quando lui le diede tutto se stesso e con una certa forza.

Alicia si avvinghiò a lui con gambe e braccia e lui la tenne stretta. Si mossero all'unisono, in un turbinio di passione, desiderio e bisogno. Rotolarono selvaggiamente nel letto, galleggiando insieme in una eccitazione sessuale sempre crescente.

Adam, nel passato amante silenzioso, gridò in estasi anche per come lei aveva esaudito tutti i suoi bisogni, per avere fatto tutto ciò che lui aveva richiesto. Erano inebriati, appassionati. Gridò anche Alicia, rapita, mentre Adam la rendeva sua. Poi si diede a lei. Era con la donna che sapeva essere destinata a lui e provò un'ondata di soddisfazione.

Rimasero abbracciati a lungo, ancora tremanti per l'intensità e la passione. Si resero conto che il loro era più che un capriccio passeggero di solo sesso. Si sentivano già entrambi coinvolti a livello emotivo.

«Non ti ho fatto male, vero?» le chiese dopo un po' sottovoce e in tono preoccupato.

«No. Ecco, per un attimo, quando ti ho sentito per la prima volta dentro, ho avuto un momento... ma no, non mi hai fatto male, più che altro mi hai sorpresa. Perché altre si sono lamentate?»

«Un paio, tutto qui.»

«Sono sicura che le soddisfi tutte. Devi avere avuto molte storie.»

Adam la fissò. «Sono un eterosessuale di trentotto anni. Ho avuto delle relazioni, sì, ma non tante quante stai insinuando.» Si rabbuiò.

«Scusami se ti ho offeso», mormorò lei, intuendo di averlo indispettito, «ma sei un amante fantastico. Non ho mai sperimentato niente di simile prima d'ora o conosciuto un

168

uomo attento come te. Sembri consapevole di ogni singola zona erogena del corpo di una donna, sai come eccitare una donna e come portarla all'orgasmo.»

Lui scoppiò a ridere. «Eddai, stai esagerando! Ma non importa, grazie per i complimenti.»

«Raccontami come hai imparato tutto sulle donne, sulle loro zone erogene e sui loro desideri.»

«Mio padre era un medico, un ginecologo. Esercitava la professione in Harley Street», spiegò Adam. «Curava donne aristocratiche come te, Alicia.» Si appoggiò ai cuscini e continuò la favola che raccontava spesso. «Mia madre è morta quando io avevo sei anni, mio padre non si è più risposato e mi ha cresciuto lui, con diverse bambinaie. Eravamo molto uniti. Quando ho compiuto quattordici anni, decise che per me era meglio conoscere alcuni fatti della vita. In seguito, quando sono stato un po' più grande, mi ha spiegato alcuni particolari sulle parti intime del corpo femminile. Ecco perché so quello che so.»

«Capisco.» Anche Alicia si mise a sedere e gli chiese: «E così anche tu sei cresciuto a Londra?»

«Sì. Abbiamo vissuto a lungo a Kensington, poi mio padre aveva comprato un appartamento qui in Bryanston Square. Più piccolo di questo e dall'altra parte della piazza. Si potrebbe dire che questa zona di Londra è il mio territorio. Non ho veramente mai vissuto altrove.»

«La mia famiglia aveva una casa a Mayfair, ma il nonno l'ha venduta», gli confidò. «Poi lo zio Miles ne aveva una in South Street. Una bomba volante l'ha distrutta durante la guerra...» S'interruppe di colpo e si schiarì la voce, mentre gli occhi le si riempivano di lacrime.

«Che c'è?» le chiese Adam, fissandola intensamente.

«Sua sorella, zia DeLacy, era in quella casa proprio in quel momento. È morta sul colpo e con lei Laura Swann, un amato membro del personale.»

Adam la strinse tra le braccia, la consolò e finalmente quelle lacrime cessarono e la sentì rilassarsi.

Poco dopo si addormentarono, esausti. Ma quando si svegliarono nel bel mezzo della notte, ricominciarono da capo. Si stavano ancora accarezzando alle tre del mattino e decisero che la seconda volta era stata migliore. Concordarono inoltre che erano destinati uno all'altra.

22

Greta Chalmers osservò con soddisfazione il salotto di casa sua in Phene Street. Il fuoco che bruciava nel caminetto e la morbida luce delle lampade inondavano la stanza di un tenue bagliore.

Poco prima, Victoria aveva messo sui tavoli numerosi piccoli vasi con giacinti variopinti, aveva acceso alcune candele e le aveva disposte per la stanza. Il grammofono suonava una nuova canzone di Perry Como.

Per prima era arrivata lady Diedre che aveva telefonato sul presto quel mattino per sapere se quella sera poteva venire a cena da lei con Charlie. A quanto pareva, quel fine settimana era sola a Londra. Suo figlio Robin era tornato a Cambridge e suo marito Will era stato trattenuto a Ginevra per affari.

In quel momento, seduta sul divano, stava chiacchierando, con Charlie, il nipote prediletto.

Elise e Victoria erano appollaiate su due sedie a ciascuna estremità del sofà. Elise indossava una gonna nuova che si era cucita da sola, usando uno scampolo di stoffa dai colori smaglianti scovata da Peter Jones e che valorizzava la sua minuscola ed esile corporatura. Un paio di scarpe dai tacchi alti le slanciavano la figura. Victoria, invece, indossava l'abito color porpora che le piaceva tanto e che le modellava le forme.

Quando Charlie era presente, le due ragazze, le sue adoranti adulatrici, non si staccavano mai da lui: lo veneravano e avrebbero fatto qualsiasi cosa per lui.

Greta ammirava come tollerasse con serenità e affabilità il modo in cui lo assillavano. Pensò che quella sera era davvero affascinante e desiderò che potesse trovare la donna giusta. Forse, un giorno.

Lei stessa non aveva mai incontrato l'uomo giusto dopo la prematura morte di Roy, anche se non aveva mai smesso di sperarci. Comunque ultimamente non le importava che non fosse ancora accaduto.

Negli ultimi giorni si era sentita colmare da un vero e proprio senso di appagamento. Era socia a pieno titolo di Cecily e con la svendita delle giacenze, sia couture sia prêt-à-porter, nelle ultime due settimane aveva apportato alla società un bel gruzzolo.

Aveva venduto tutto quello che c'era nella boutique e l'incasso imprevisto era stato un inaspettato toccasana per le loro finanze. Sperava che gli affari avrebbero continuato ad andare bene, assicurando così il futuro della Swann.

I clienti venuti per la svendita avevano acquistato borsette, profumi e altri accessori e questo successo aveva dato a Greta un forte senso di orgoglio e aveva compensato le delusioni che l'avevano colpita nella vita.

Greta vedendo arrivare il suo amico di lunga data, Arnold Templeton, e suo fratello minore, Alistair, si alzò e andò ad accoglierli.

Offrì loro due bicchieri di whisky e si soffermò a conversare. «Ti piace il nuovo lavoro, Alistair? Arnold mi ha detto che ora lavori in un altro studio legale.»

«Per ora tutto bene», rispose lui. «La legge mi ha sempre affascinato, penso che Arnold te l'abbia detto. Il nuovo stu-

172

dio è più progressista, più impegnativo e...» S'interruppe e fissò la bella bruna che si stava dirigendo verso di loro.

«Lei è mia sorella Elise», la presentò. «Elise, conosci Arnold, e lui è suo fratello Alistair.»

I due giovani si strinsero la mano, sorridendo, e Arnold la baciò sulle guance. Elise gli era sempre piaciuta e con gli anni le si era affezionato. Era stata sua l'idea di portare il fratello, che pensava potesse essere un buon partito per la ragazza e, quando ne aveva parlato con Greta, lei aveva riso, annuito e aveva incrociato le dita.

Alistair si avvicinò di più a Elise e attaccò immediatamente bottone con lei, chiedendole cosa facesse per mantenersi.

«Sono una giornalista», rispose Elise, alzando gli occhi su di lui e aggiungendo con orgoglio: «Una reporter del *Daily Mail* e amo ogni minuto che passo in redazione».

«Mi fa piacere. Ritengo sia importante amare il proprio lavoro, dal momento che trascorriamo la maggior parte del nostro tempo al lavoro.»

«Lei che fa?» gli domandò, pensando che era un uomo attraente, ben vestito, con occhi vigili e i denti più bianchi che avesse mai visto.

«Sono avvocato e anch'io amo il mio lavoro», rispose Alistair. I due continuarono a chiacchierare con scioltezza e Greta lanciò un'occhiata d'intesa ad Arnold. Lo prese poi per un braccio e lo portò via, mormorando: «Bel colpo da parte tua, Arnold. Pare abbiano legato subito».

«Lo spero. È libero e spensierato, eppure non vede l'ora di sistemarsi. L'altro giorno mi ha confessato che a volte uscire con delle ragazze gli pesa. A quanto pare non ne ha ancora conosciuta una che gli sia piaciuta abbastanza da volerla rivedere. Devo ammettere che tua sorella è una gran bel pezzo di ragazza.»

«Un bel pezzo di ragazza», ripeté Greta, fissandolo inorridita.

Lui le sorrise. «Immagino tu lo intendessi come un complimento», riconobbe Greta, divertita.

L'arrivo di quattro nuovi ospiti diede una sferzata di energia. Greta corse a salutarli. Erano suoi vecchi amici: Johanna Newbolt e suo marito Monty, Allegra Thomas e il suo fidanzato Mark Allenby.

Allegra era una giornalista di *The Sunday Times* e Johanna un'artista che lavorava spesso per la pubblicità di quella rivista.

Dopo baci, abbracci e convenevoli, Greta le condusse dall'altra parte del salotto, seguita da Arnold che le diede una mano a offrire ai nuovi ospiti del vino.

«Grazie Arnold», disse Greta, guardandosi in giro. La stanza si stava riempiendo, mancavano soltanto tre ospiti. Il suo grande amico Percy Cole, proprietario della ditta che riforniva loro i tessuti più belli, Alicia e il produttore associato Adam Fennell.

«Vuoi che scenda a vedere come se la cava Zoe?» chiese Victoria avvicinandosi a Greta.

«Sì, grazie», rispose Greta. «Questo vestito color porpora ti sta a meraviglia. Fa risaltare il verde degli occhi.»

«Grazie, è il mio abito preferito.»

Quando rientrò, dal momento che Elise stava ancora parlando con Alistair, Victoria andò a sedersi accanto a Charlie.

«Che mi dici del servizio su Christopher Longdon?» le domandò Charlie. «Hai già qualche idea?»

«Non proprio, ma mi è venuto in mente che potrebbe accettare di andare a Biggin Hill, dove era di base durante la guerra. Ho pensato di scattargli una foto vicino agli aeroplani. Che ne pensi?»

«Ottima idea. Anche Noel Jollion era di stanza là durante la guerra.»

«Oh, caspita, ora che me l'hai detto me ne ricordo», esclamò Victoria, poi, fissando l'uscio, rimase senza fiato.

Alicia era apparsa all'improvviso, magnifica in quel favoloso abito azzurro. Accanto a lei c'era Adam Fennell.

«Buona sera a tutti», salutò Alicia. «Scusate il ritardo.»

Nella stanza calò il silenzio e tutti fissarono la coppia più bella che avessero mai visto.

Greta si alzò, un sorriso caloroso sul viso, e baciò Alicia la quale le presentò Adam.

Greta fece conoscere la coppia ai suoi amici e tutti parvero affascinati dalla bellezza di Alicia. Quella sera l'attrice era particolarmente incantevole.

Vedendoli muoversi per la stanza, Charlie comprese immediatamente che i due erano già presi l'uno dall'altra e che erano diventati una coppia. Era scritto a chiare lettere sul volto di Alicia. Erano anni che non la vedeva tanto raggiante. Per quello che riguardava Adam Fennell, pareva un tipo a posto e più giovane di quanto Charlie si fosse aspettato.

«Devo presentarvi a nostra zia», disse Charlie dopo avere baciato la sorella e avere stretto la mano di Adam.

Diedre si alzò dal divano nel vedere i tre dirigersi verso di lei. Abbracciò con affetto Alicia, poi strinse la mano tesa di Adam.

«Zia Diedre, ti presento Adam Fennell.»

«Salve signor Fennell.»

«È un piacere fare la sua conoscenza, lady Diedre», replicò Adam.

Diedre tornò a sedersi e Alicia si accomodò accanto a lei. «Che bella sorpresa vederti qui», dichiarò Alicia.

«Will è ancora a Ginevra e non mi andava di restare sola. Ho chiesto a Charlie di cenare con me e lui mi ha invitata a venire qui con lui. Ho solo telefonato a Greta per accertarmi che le andasse bene.»

«Ma figurati! Sai che sei sempre la benvenuta dappertutto, zia Diedre.»

«Grazie per il complimento, ma a volte è una questione di ospiti... se c'è abbastanza spazio o no.»

Alicia annuì e aggiunse: «Adam è il produttore associato del mio film. È stato molto carino con me».

«Mi fa piacere», commentò la zia, guardando Adam che stava parlando con Charlie. C'era qualcosa in lui che la mise sulla difensiva, ma lei era sempre stata contraria a quel genere d'uomo. Aveva notato che i due si guardavano di continuo e sperò che Alicia non fosse seriamente impegnata con lui. Aspetta e vedrai, si ammonì.

PARTE QUARTA

Un passo nella realtà

Non abbiamo maggior diritto di consumare
   felicità senza produrla
più di quanto ne abbiamo di consumare ricchezza
   senza produrla.

GEORGE BERNARD SHAW, *Candida*

23

QUANDO la porta dello studio si aprì e poi si chiuse, Christopher Longdon si mise un po' più dritto nella sedia. Davanti a
lui c'era una ragazza. Una giovane donna, alta e snella, in un
abitino di lana color porpora e un foulard dai colori vivaci
intorno al collo.

Dopo un solo attimo di esitazione lei gli si avvicinò con
passo rapido, deciso e carico di una energia repressa. Lui
recepì la nuvola di morbidi capelli castani attorno a un volto
a forma di cuore con sopracciglia scure sugli occhi più verdi
che avesse mai visto.

Non si era aspettato l'arrivo di una simile bellezza e,
quando lei si fermò davanti alla sua scrivania, un grande
sorriso gli illuminò il viso.

Un sorriso tanto contagioso che lei non riuscì a esimersi
dal sorridergli a sua volta e gli tese la mano. «Sono Victoria,
signor Longdon. Buongiorno.»

«Buongiorno», rispose lui, sorridendo di nuovo, mentre
le stringeva la mano che tenne stretta a lungo. Victoria si
sentì rimestare dentro. Il cuore le sobbalzò nel petto. Era
attratta da lui ed era un'attrazione che non aveva mai sperimentato prima.

Rendendosi conto che le stava ancora tenendo la mano,

lui la lasciò andare. «Non mi aspettavo... voglio dire, non mi aspettavo qualcuno come *lei*.»

Nel vedere la sua perplessità, aggiunse: «Pensavo che una fotografa del suo calibro fosse una donna più vecchia».

Di colpo sentì salire in gola una risata e non poté fare altro che lasciarla sgorgare. «Credo di essermi immaginato una donna più in età, più seria, più dura. Oh, non so...» Scosse la testa. «Non siamo strani noi umani? Abbiamo sempre idee preconcette sulla gente... Giudichiamo senza saperne molto.»

«Posso sedermi?» chiese Victoria, annuendo. «Per rendere l'intervista più facile.»

«Che scortese che sono. Certo che può. Vuole del caffè o un tè? Acqua? Posso farle portare qualcosa di fresco?»

«No, grazie. Me lo ha già offerto l'uomo che mi ha fatta entrare, Rory, e anche a lui ho risposto che sono a posto così.»

A posto lo era davvero, pensò Christopher. «Melinda mi ha mandato alcune pagine della rivista con alcuni suoi scatti e ho capito immediatamente che lei ha una grande immaginazione. Le sue foto sono uniche e audaci. Dio solo sa cosa farà con me.» Nei suoi occhi scuri guizzò un'espressione birichina. «Non sono un candidato per foto interessanti e rocambolesche, tipo dondolare da un lampadario.»

«Non posso essere d'accordo con lei, signor Longdon...»

«Per piacere, mi chiami Christopher e io la chiamerò Victoria, se posso.»

«Naturalmente. I miei amici più intimi mi chiamano Vicki...» S'interruppe bruscamente, non capiva perché glielo avesse confidato.

«Victoria mi piace molto», mormorò lui, abbassando lo sguardo e sfogliando alcune carte sulla scrivania, chiedendosi se non stesse flirtando con lei. No, non era possibile.

Non lo faceva da anni. Come mai? Perché non aveva voluto incoraggiare le donne a provare interesse per lui.

«Da quanto tempo fa la fotografa?» domandò per rompere il silenzio.

«Da quando avevo undici anni», rispose Victoria.

«Oh, mio Dio, siamo ancora ai tempi di Charles Dickens? Al tempo del lavoro minorile? Non può essere.» Inarcò un sopracciglio e le sorrise.

«Sono cresciuta con i romanzi di Charles Dickens», rispose lei. «Il fatto è che a undici anni mi avevano regalato una Kodak e avevo scoperto subito che amavo scattare fotografie. Poi una famosa fotografa mi ha insegnato tutto quello che sapeva. Mi ha aiutata anche a trovare il mio primo lavoro a Londra.»

«Gentile da parte sua. Chissà se la conosco.»

«Credo di sì. Si chiama Paloma Glendenning e dal momento che lei ama il giardinaggio, sono sicura che conosce i suoi libri sulla natura e i giardini.»

«È vero e li ho trovati meravigliosi. Come ha conosciuto Paloma?»

«È una lunga storia, signor Longdon. Non sono sicura che la voglia ascoltare.»

«E invece sì.» E voglio sapere tutto di te, pensò. Ancora una volta si rimproverò per essere tanto interessato a lei. L'aveva appena conosciuta, inoltre non sembrava avesse più di venti anni.

«D'accordo, Christopher, gliela racconto, ma poi non mi venga a dire che non l'avevo avvertita.»

«Non lo farò, ma ora, inizi, adoro le belle storie.»

«Non so se è bella, ma di certo è autentica. Durante la guerra ero una sfollata, la mia scuola a Leeds aveva deciso che le bambine dovevano andare a vivere in campagna nello Yorkshire, che era più sicuro e distante dalle grandi città che sarebbero state bombardate. Io sono andata a vivere nel villaggio di Little Skell con la signora e il signor Swann. Il loro figlio Harry aveva sposato Paloma Glendenning, la figlia del famoso attore, Edward Glendenning. Durante la guerra Harry era nella RAF.»

S'interruppe un attimo e si schiarì la voce. «Paloma aveva tempo e mi ha insegnato fotografia e io ho fatto un sacco di scatti del loro bambino, poi, crescendo, l'ho aiutata nel suo lavoro. Mi ha istruita e, quando potevo e avevo tempo durante le vacanze e nei fine settimana, l'assistevo. Ho imparato moltissimo da lei. Alla fine della guerra la signora Swann è andata a parlare con i responsabili dell'organizzazione dell'Operazione Pifferaio Magico e ha scoperto che mia madre e mia nonna erano morte, così come mio padre che era di stanza nella marina mercantile sui convogli russi. Era affondato con la sua nave.»

Christopher si chinò sopra il tavolo, il volto colmo di comprensione. «Mi spiace che lei abbia perso suo padre», mormorò con sincerità. «Entrambi i genitori in realtà e sua nonna. È stata una guerra micidiale.»

«Grazie. Allora gli Swann, la signora Alice e il signor Walter, mi hanno adottata e da allora li chiamo zii. Diventare parte della loro famiglia mi ha resa molto felice.» Sorrise e sul suo viso si lesse la gratitudine che provava per quella coppia, i suoi nuovi genitori.

«Saranno stati felici pure loro, ne sono sicuro. E così è cresciuta a Cavendon?»

«Sì. Be', a Little Skell, uno dei villaggi della tenuta. Ci è mai stato?»

«No, ma Noel Jollion, un mio amico, abita lì vicino. Per caso lo conosce?»

«Non molto bene. Era a Biggin Hill con lei, giusto?»

«Sì. Come fa a saperlo?»

«Me lo ha detto Charlie Stanton, un amico di Noel.» Sul suo volto si allargò un sorriso. «Avevo pensato di chiederle di farsi fotografare là. Non le dispiacerebbe tornare a Biggin Hill?»

«Affatto.»

«So che genere di foto vorremmo Melinda e io. Dovrò circondarla di aeroplani, ho bisogno dell'atmosfera giusta. Lei è uno dei nostri più grandi eroi di guerra.»

«Per favore, Victoria, non ero l'unico. Molti altri giovani coraggiosi hanno combattuto quella guerra...»

Christopher s'interruppe nel vedere aprirsi la porta. Dora, la governante, entrò scusandosi per averli interrotti. «Il pranzo è servito, signor Christopher.»

Per un attimo la guardò sbigottito, poi controllò l'orologio. Erano già le dodici e trenta. Che cosa era successo al tempo? Fissò Victoria.

«Pranzerà con me? Per piacere.»

«Volentieri.»

«Per favore, Dora, aggiunga un posto a tavola.»

«Già fatto, signor Christopher.»

Lui guardò Victoria, entrambi scoppiarono a ridere e lui aggirò il tavolo da solo.

Lei non cercò di aiutarlo, l'istinto le diceva che si sarebbe offeso.

Victoria notò quanto era bella la sala da pranzo con il caminetto. Ma quello che attirò il suo sguardo fu il disegno di uno splendido giardino di fiori vivaci su uno sfondo argenteo, alto fino al soffitto.

Christopher, che non riusciva a toglierle gli occhi di dosso, vide l'espressione di piacere e sorpresa sul volto di Victoria. «È carta da parati argentata. Ho disegnato io stesso il giardino e ho fatto fare la carta su misura. Vedo che le piace.»

«È splendido. So quanto le interessano i giardini e i paesaggi. Melinda mi ha riferito che ha un giardino speciale. Peccato sia già ottobre.»

«Non è in piena fioritura, è vero, ma più tardi se vuole possiamo fare un salto fuori. Gli alberi si stanno tingendo di rosso e oro. Potrà scattare qualche foto.»

Christopher era seduto a capotavola e Dora la fece accomodare alla sua destra. «Per primo c'è minestrone, poi crocchette di pesce», la informò Christopher. «Se preferisce qualcos'altro, Dora può portarle altro...»

«Oh, no», lo interruppe Victoria. «Mi piacciono le zuppe, anzi, mi piace cucinare il minestrone e le crocchette di pesce sono tra i miei piatti preferiti. A dire il vero non sono tanto per il cibo elaborato.»

«Allora in questo ci assomigliamo», disse con un sorriso Christopher. «Lei scrive anche l'articolo che accompagna le fotografie?»

«Oh, già. Ha ragione. In effetti prima ho usato il verbo intervistare, mentre avrei dovuto dire che volevo parlare con lei. Melinda preferisce che prima si scattino le foto, poi l'art director stende un layout grezzo. Una volta che Melinda è soddisfatta, si può procedere con l'intervista.»

«Capito. Ha parlato di layout, quindi vuol dire un bel po' di fotografie?» Inarcò un sopracciglio interrogativamente. «Non credo di essere il suo soggetto migliore.»

«Penso di poter ottenere parecchie foto buone qui in casa. Nel suo studio, per esempio, con lei vestito casual come adesso. Ha ragione sul giardino e le foglie che stanno cambiando colore, anche quello potrebbe essere uno sfondo ideale. E spero di poterne scattare un paio a Biggin Hill.»

Lo fissò con un mezzo sorriso, pensando che era un bell'uomo, con grandi occhi marrone, folte sopracciglia e una fossetta sul mento. Aveva un volto virile, con occhi gentili. Sì, proprio così, i suoi occhi erano... amorevoli, caldi.

«Mi sta fissando, Victoria. Ho una macchia sulla faccia?» domandò lui in tono divertito.

«Temo che fissare le persone, specialmente i soggetti che stanno per essere fotografati, sia una delle peggiori abitudini dei fotografi. La stavo semplicemente immaginando nell'uniforme della RAF. Se la sente di indossarla?»

«Nessun problema, giù a Biggin Hill potrei anche mettere la mia tuta da volo. È quello che portavamo tutti in guerra.»

Dopo pranzo Victoria chiese a Christopher se potevano tornare nello studio, che per lei era una stanza estremamente personale, con molte foto sue con i suoi corpi volanti, come li chiamava, e le medaglie che gli erano state insignite.

Fissò a lungo quella con re Giorgio VI e Winston Churchill a Buckingham Palace, quando aveva ricevuto la Croce al merito per atti di eroismo. Si mise poi a osservare altri cimeli, si fece un appunto mentale delle centinaia di libri sugli scaffali e decise che quella stanza raccontava la storia speciale su quell'uomo notevole.

«Che ne pensa?» chiese Christopher, avvicinandosi. «Funzionerà? Questa stanza va bene?»

Girandosi, lei gli sorrise e annuì. «È piena di lei e sarà una foto meravigliosamente intima.»

Si concentrò poi su uno scatto appeso alla parete di fronte. «Quelli sono i suoi genitori, vero?»

«Sì. Sono morti, ma hanno vissuto abbastanza a lungo da sapere che ero sopravvissuto alla guerra. Mia madre non aveva mai smesso di preoccuparsi per il fatto che volavo. Eravamo tutti molto giovani, sa. Diciotto anni. Nessuno di noi aveva terminato gli studi e nessuno era sposato. Non credo che avessimo mai pensato di morire. Eravamo esaltati, su in cielo a fare il nostro dovere, abbattendo gli aerei dei crucchi, tornando alla base tutti interi.»

«Eravate veramente giovani. Quella lì», si girò e indicò un gruppo di foto davanti a un aereo. «Facce infantili. Sembrate avere tutti dodici anni.»

«Lo so. Ripensandoci è difficile crederci. Un decennio fa. Era un altro mondo.»

24

Dopo pranzo, Christopher le aveva presentato due dei suoi amici più intimi: il suo assistente personale, Rory Delaney, di stanza a Biggin Hill durante la guerra, uno degli aiutanti a terra del comandante di stormo. Negli ultimi tre anni aveva lavorato per Christopher assieme a Freddy Angier, il fisioterapista che manteneva Christopher in forma. Rory aveva promesso che avrebbe telefonato a Biggin Hill per vedere se le avrebbero consentito di fare un servizio fotografico.

Lei e Christopher erano usciti sul terrazzo che dava sul giardino. Oltre le mura c'era Hampstead Heath. Sebbene fosse ottobre, la giornata era bellissima, con un cielo azzurro, nuvolette bianche, un sole brillante e una temperatura mite. Come ricordò Victoria, zia Alice chiamava le giornate come quella Estate di san Martino.

Notò quanto bene Christopher avesse progettato il giardino, cui si era dedicato dopo la morte dei genitori.

Verso l'estremità, vicino al muro, alcuni alberi stavano cambiando colore. Entro pochi giorni avrebbero assunto tonalità rosso scarlatto, oro e miele. Aveva ragione, quella zona sarebbe stata perfetta per alcune fotografie e lo disse a Christopher.

«Quanto è lontano Biggin Hill?» gli domandò.

«Un'ora e mezzo, a volte meno, dipende dal traffico. Non è tanto lontano da Londra. Basta prendere per Beachy Head e la costa.»

«Ho parlato con Biggin Hill, Christopher, e puoi andarci quando vuoi», li informò poco dopo Rory uscendo sul terrazzo.

«Oh, avevo sperato di poterci andare venerdì», esclamò Victoria. «Devo sbrigarmi con questo servizio perché Melinda vuole pubblicarlo sulla rivista il più presto possibile. Per dare una mano al suo ente benefico. Abbiamo due mesi di tempo.»

«Venerdì a me sta bene, non è vero, Rory? O dobbiamo fare qualcosa di speciale?» s'informò.

«Un pranzo con il tuo commercialista, che si può cancellare», rispose Rory. «Per quello che riguarda Biggin Hill, sono ai tuoi ordini. Ho parlato con un caposquadriglia che mi è parso molto contento. Tu sei una... ecco... una specie di leggenda per loro.»

«Non hai parlato con il comandante della base?» chiese Christopher ad alta voce.

«Non c'era. Ma ti prometto che ti accoglieranno a braccia aperte, parola di scout.»

«Temo che il nostro amico irlandese abbia baciato troppo spesso la Pietra di Blarney, la pietra dell'eloquenza», disse Christopher rivolgendosi a Victoria. «Tende a esagerare. D'altra parte in questo periodo nessuno mi è d'aiuto quanto lui.»

Rory si sedette accanto a Victoria e le fece l'occhiolino. «E non ti riferisco tutti gli altri elogi che ti hanno fatto, Chris, potrebbero montarti la testa.»

Victoria rise. «Sono sicura che hanno cantato le sue lodi, Christopher.»

Parlarono ancora un poco della sessione a Biggin Hill, e

Rory assicurò che si sarebbe occupato di ogni dettaglio, se lei gli avesse spiegato di cosa avrebbe avuto bisogno.

«Parecchi aerei sul campo di volo, questa è la cosa più importante, e forse alcuni degli uomini che sono di base là. Mi chiedo inoltre se lei, Christopher, non voglia invitare Noel Jollion e un altro paio di suoi ex compagni di Biggin Hill. Che ne pensa?» lo guardò per vedere come reagiva alle sue proposte.

«Vedrò chi posso far venire e darò un colpo di telefono a Noel. Ora che abbiamo deciso di scattare le foto a Biggin Hill venerdì, quando pensa di fare le altre?»

«Non voglio intromettermi nel suo fine settimana, ma le dispiacerebbe se venissi qui sabato?»

«Per niente, e potrà venire anche domenica, se lo desidera.» Si rivolse a Rory: «Non ti dispiace essere presente?»

«Al tuo servizio, come sempre, capo.» Poi Rory si rivolse a Victoria: «Vuole che passiamo a prenderla venerdì mattina per portarla con noi a Biggin Hill?»

«Ecco, non voglio...»

«Abbiamo una vecchia Daimler molto confortevole», la interruppe Christopher. «C'è un sacco di posto e un grande bagagliaio per la sua attrezzatura. Credo che andarci tutti insieme sia la cosa migliore.»

«D'accordo, e grazie.»

«Penso che ora sia meglio che me ne vada», affermò Victoria alzandosi. «Le ho rubato anche troppo tempo, ma grazie per essere stato tanto disponibile e per il pranzo. Era tutto squisito.»

«Ma deve restare per il tè!» esclamò Rory, notando l'improvvisa delusione sul volto di Christopher. Rivolse a Victoria uno sguardo d'intesa.

Lei fissò Rory, quindi si sedette di nuovo.

* * *

Durante il tè sul terrazzo, Victoria rivolse a entrambi domande sull'ente benefico fondato da Christopher, dato che sapeva soltanto che avrebbe aiutato i reduci di guerra.

Christopher le spiegò che la sua prozia gli aveva lasciato una piccola casa in Charles Street a Mayfair. Visto che non aveva intenzione di andarci a vivere, aveva deciso di donare la casa alla fondazione e di usarla come quartier generale dell'ente e come club per i veterani.

«Che bella idea offrire loro un club», osservò Victoria. «Potranno condividere esperienze, socializzare, chiacchierare, fa sempre bene potersi riunire. Quando sarà pronto?»

«La casa è in buone condizioni e non richiede grandi lavori o ristrutturazioni», rispose Rory. «Abbiamo già tolto i mobili dalle tre camera da letto che stiamo arredando come uffici per le persone che lavorano fissi per l'ente. Siamo quindi a buon punto.»

«Il salotto, la sala da pranzo e la biblioteca, tutte al pian terreno, hanno bisogno di un tocco maschile», aggiunse Christopher, «ma non sarà un grande lavoro. Vogliamo che si metta in moto il più presto possibile.»

«E cerchiamo quanta più pubblicità possibile», fece notare Rory.

«Questo me l'ha sottolineato Melinda e io ne parlerò con la mia amica, Elise Steinbrenner, giornalista al *Daily Mail*. Potrebbe scrivere un articolo sul vostro ente.»

«Grazie, Victoria, molto gentile da parte sua», mormorò Christopher.

«Trovo molto strano», continuò in tono triste, «che i reduci di guerra non vengano trattati come si dovrebbe. È un dato di fatto che i governi e la popolazione paiono indifferenti a loro e alle loro sofferenze, e questo da sempre e ovunque, non solo in Inghilterra. Le persone si comportano molto male con loro, altre sono persino ingrate.»

«Non me ne ero resa conto», ammise Victoria. «Ma che atteggiamento tremendo e che difficile situazione per loro.»

«Lo è davvero. A me pare che nessuno s'interessi a quei coraggiosi *ragazzi*, perché è questo che erano, solo dei ragazzi che hanno messo in pericolo la loro vita per proteggere il loro Paese. Non sto parlando solo di aviatori, ma anche di soldati e marinai... le nostre forze combattenti quando tornano in patria non sono molto riconosciute. Di fatto, sono uomini dimenticati. È così che li chiamo io.»

Rory s'intromise nella conversazione. «Molti di loro hanno bisogno di aiuto. Alcuni sono malati fisicamente o soffrono di disturbi post-traumatici e stanno veramente male.»

«Quella è una delle cose peggiori», riprese Christopher. «L'angoscia in cui vengono lasciati dopo avere visto i loro commilitoni e compagni cadere feriti e morire su quei campi di battaglia, spesso in Paesi stranieri. Ci aspetta un grande impegno, lo so, ma penso che la mia fondazione li aiuterà.»

Victoria lo aveva ascoltato con attenzione e aveva sentito la passione e la determinazione nella sua voce, notato il dolore scolpito sul suo viso. E aveva capito che era un uomo altruista che desiderava aiutare i meno fortunati di lui, quelli che erano in difficoltà. Si rese conto che la sua bontà e compassione l'avevano commossa.

Quando lasciò quella bella e vecchia casa a Hampstead, Christopher chiese a Rory di accompagnarla al taxi. «È attratto da lei», le sussurrò Rory, mentre ne cercavano uno, «come non ho mai visto prima. È incredibile.»

«Anche a me piace molto. È un uomo speciale», ammise Victoria con un caldo sorriso.

Rory annuì, ma quando il taxi accostò al marciapiede e lui l'aiutò a salire, borbottò: «Non giochi con lui, non lo scombussoli, intendo dire».

Victoria lo fissò a bocca aperta, sbalordita dal suo commento.

«Ci vediamo venerdì alle nove», aggiunse Rory prima che lei potesse replicare. E chiuse di botto la portiera.

Nel taxi Victoria capì che Rory era semplicemente protettivo. L'ultima cosa al mondo che avrebbe fatto sarebbe stata ferire un uomo come Christopher Longdon. Lui l'aveva commossa e sorpresa. Avrebbe voluto tornare e sedersi accanto a lui e... E cosa? si chiese. Farlo sorridere, farlo sentire felice, essergli semplicemente accanto, furono le risposte che si diede.

«Grazie per avermi sistemato l'abito», disse Alicia Stanton con un sorriso. «Non ho fretta, il Royal Command Film Performance si terrà in novembre.»

«Lo so e l'abito è veramente adatto a te, Alicia», replicò Greta. «Di nuovo azzurro. Ma che ci vuoi fare? Il colore ti dona.»

«L'ha scelto Adam, tra tutti quelli che ci hai mostrato questa mattina, questo era il suo preferito.»

«In ogni caso non hai nulla di tanto vaporoso nel tuo guardaroba. Ti sta benissimo ed è all'ultima moda.»

Alicia si sedette sul divano nel salone principale e bevve un sorso del tè che zia Dottie aveva appena portato loro.

«Sono contenta di non dover girare oggi e che Adam sia potuto venire qui con me. Questo pomeriggio deve prendere un aereo per New York, ecco perché era tanto di fretta. E aveva bisogno di parlarmi, per questo sono dovuta tornare.»

«Chi è il responsabile quando il produttore è in viaggio?» volle sapere Greta.

«Il produttore esecutivo e il regista. Un sacco di persone, anche se penso che Adam sia la forza trainante, il migliore di tutti. Sta finendo il film in tempo e non ha sforato il budget.»

Nel vedere che Greta non commentava, ma rimaneva in silenzio, Alicia la scrutò e domandò: «Ti è piaciuto Adam quando l'hai conosciuto sabato?»

«Sì, è un uomo gradevole, con cui è facile parlare. È piaciuto a tutti e devo aggiungere che è anche molto bello. Vorrei che la mia Elise trovasse uno carino come lui.»

«Mi era sembrato che il fratello minore di Arnold Templeton fosse rimasto molto colpito da lei. Ha trascorso buona parte della serata accanto a Elise. E, per inciso, grazie per averci invitati a cena, Adam ha così potuto conoscere te e alcuni membri della famiglia.»

«Piacere mio, Alicia. Voglio ripeterti che tu eri la personificazione del fascino.»

«In un abitino azzurro», rispose Alicia concisa.

Un attimo dopo arrivarono Dottie e Constance Lambert. «Quando la signora Lambert ha saputo che era qui, signorina Stanton, non ho potuto trattenerla dal correre su», si scusò Dottie.

«Ho acquistato una delle sue borsette metal box dorate, Greta. Penso che questa nuova linea sia fantastica. Dottie me la sta incartando e... spero di non aver interrotto qualcosa.» Constance fece scorrere lo sguardo dall'una all'altra.

«No, certo che no», esclamò Greta. Constance era una delle loro clienti abituali e inoltre piaceva a tutto il personale.

Alicia le mostrò l'abito che aveva appena acquistato. «È per il Royal Command di novembre. Ti piace?»

«È perfetto, mia cara. L'attenzione di tutti sarà solo su di te.» Constance la fissò a lungo, poi aggiunse sottovoce: «Lo sa tutta la città, tutti parlano del tuo rapporto con Adam...»

«Caspita! Le notizie volano. Ci hanno visti in pubblico insieme sabato. Oggi è martedì, quindi solo quattro giorni fa. Accidenti!»

«Uau! Uau! Uau!» gridò Constance, in tono divertito.

«In ogni caso, è un pettegolezzo buono. Mi sembrano tutti contenti per te. Elettrizzati, in realtà.»

«Ora capisco perché ieri a Shepperton erano tutti così premurosi con me e non facevano che lanciarmi occhiate.»

«Probabilmente ti invidiavano. O invidiavano Adam», commentò Constance.

Quando, un'ora dopo, Greta entrò in casa, trovò Victoria seduta al tavolo della cucina intenta a prendere appunti su un piccolo blocco. «Ciao, Greta», la salutò, alzando lo sguardo.

«Come è andata la tua giornata con Christopher Longdon, è stata un successo?» domandò Greta, appoggiata allo stipite della porta.

«È andata molto bene. È un uomo estremamente gentile, disponibile e cordiale. Siamo andati subito d'accordo e il tempo è volato. Sono rimasta pure per pranzo.»

Nel notare la strana espressione sul volto di Greta, le domandò: «Come mai sei tanto sorpresa?»

«Succede spesso?» le chiese Greta in tono perplesso.

«No, ma abbiamo lavorato duramente per programmare l'intera sessione di foto. Abbiamo scelto quali stanze della casa usare, se scattare delle foto nel giardino, anche se non è più fiorito, ma con gli alberi che stanno cambiando colore. Inoltre abbiamo discusso su Biggin Hill, dove era di stanza durante la guerra. Ci andremo venerdì.»

«Mio Dio, Vicki, hai fatto un sacco di cose in così poco tempo. Ma dimmi, lui come è?»

«Favoloso», rispose entusiasta. «E molto cooperativo. Gli è piaciuta l'idea di essere fotografato tra gli aerei con indosso la tuta da volo, circondato da alcuni degli aviatori di base lì ora. E telefonerà a Noel Jollion, che era con lui a Biggin Hill. Andrà tutto a meraviglia.»

194

«Sono contenta che tu sia riuscita a organizzare il tutto tanto rapidamente.» Greta s'interruppe, un'espressione pensierosa sul viso. «È su una sedia a rotelle, vero?»

«Sì, ma non me ne sono accorta...» Fissò Greta. «Possiede una personalità calorosa, ed è estroverso e molto socievole. Immagino che il suo carisma abbia il sopravvento.» Si raddrizzò e concluse: «In verità, non ho mai conosciuto un uomo come lui».

Greta continuò a fissarla e si rese conto Victoria era raggiante e che le brillavano gli occhi.

Oh, mio Dio, pensò, si è innamorata. Decise di concludere immediatamente quella conversazione. «Vado di sopra a fare un bagno, Vicki. A dopo.»

25

Venerdì mattina, alle nove meno dieci in punto, Victoria infilò la testa in cucina. «Buongiorno Greta.»

«Buongiorno anche a te. Vedo che sei già pronta per andare a Biggin Hill. Devo dire che sei molto elegante, quella giacca Swann ti sta molto bene.»

«L'ho da anni, ma mi piace come ruota dietro e penso che il crema si abbini bene alla camicetta e ai pantaloni neri, tu che dici?»

«Assolutamente. Sai, avresti potuto fare la modella, Vicki, se non avessi scoperto il tuo talento per la fotografia.»

Victoria rise. «Preferisco scattare foto che mettermi in posa di fronte alla macchina fotografica. Vuoi venire a salutare Christopher e la sua banda?»

«Mi piacerebbe, ma per banda intendi Noel Jollion e gli altri che saranno sulle foto?»

«No, no, con loro ci troviamo là. A Noel fa piacere partecipare, ma per banda intendo il suo assistente personale e il fisioterapista.»

Greta si alzò. «Vado di sopra a prendere la giacca e la borsa, dopo la tua partenza andrò in ufficio.»

«E io devo portare le sacche dell'attrezzatura alla porta, ci vediamo tra un minuto.»

Victoria custodiva le fotocamere e le due grandi borse in pelle in un armadio in sala da pranzo e aveva appena finito di sistemarle quando Greta tornò e si fermò sull'uscio.

«Hai fortuna con il tempo, Vicki. Un'altra giornata da Estate di san Martino, proprio come martedì scorso. Lavorerai soprattutto all'esterno, giusto?»

«Sì, con gli aerei, ma ho pensato di realizzare delle foto spensierate nella mensa, con il gruppo attorno a Christopher che regge boccali di birra o altro. Desidero cogliere qualcosa di... conviviale, ma virile.»

Poco dopo Victoria e Greta si diressero all'automobile e Rory aprì la portiera dalla parte di Christopher.

Victoria gli si avvicinò, sorridendo. Si allungò nell'auto e baciò Christopher sulla guancia, sorprendendo più se stessa che lui.

«Christopher, lei è Greta Chalmers», la presentò, indietreggiando rapidamente. «Greta, mi fa piacere presentarti Christopher Longdon.»

Greta tesa la mano, per un attimo senza parole, stupita dalla bellezza dell'uomo. Impossibile descriverlo in altro modo. Era incredibilmente affascinante, virile, una fossetta sul mento quando sorrideva e vivaci occhi marrone scuro.

«Buongiorno, signora Chalmers, Victoria non mi aveva detto che sarebbe venuta con noi, ma è la benvenuta.»

«Mi fa molto piacere conoscerla, signor Longdon, ma temo di non potervi accompagnare. Devo andare al lavoro.»

Scoprì di non riuscire a distogliere lo sguardo da lui, tanto era affascinante nella sua tuta da volo leggermente logora e la sciarpa bianca al collo. In quel momento ricordò che tutti gli aviatori portavano quella sciarpa e che loro l'avevano copiata.

«Noi abbiamo copiato la sciarpa, signor Longdon!» esclamò, rendendosi conto che lo stava fissando. «Alla Swann

Couture durante la guerra. Tutte le donne ne volevano una, visto che le indossavate voi.»

Lui annuì e rise. «Non le portavamo per essere dei damerini, ma perché in uno Spit, uno Spitfire, si gira spesso la testa. La sciarpa impediva che l'irritazione al collo, dato che ci guardavamo costantemente in giro per vedere se c'erano aerei della Luftwaffe dietro di noi.»

«Ne abbiamo vendute moltissime.» Greta si rivolse poi a Victoria: «Buon lavoro». E a Christopher disse: «È stato un privilegio conoscerla, signor Longdon».

Salutò Rory e rientrò in casa. Non mi meraviglia che Victoria sia infatuata di lui, cosa di cui Greta era certa. L'uomo aveva carisma e aveva ammaliato anche lei nel giro di un paio di minuti. Per quanto menomato, era una tentazione per qualsiasi donna.

Rory si mise al volante della Daimler e chiuse il vetro divisorio, dando così, come faceva sempre, riservatezza a Christopher.

Christopher baciò Victoria sulla guancia, la fissò, un grande sorriso stampato sulla faccia. «Lei mi ha baciato per prima, ora sono obbligato a baciarla a mia volta.»

L'essere di nuovo con lui la riempì di gioia. Si rilassò, appagata di essergli vicina.

«Ho pensato che fosse una buona idea indossare subito la tuta da volo. Rory ha chiesto agli altri di fare lo stesso, così saremo tutti pronti, appena arrivati a Biggin Hill.»

«È stata una grande idea. Preferisco sempre scattare all'aperto, finché il tempo è bello. Un'altra giornata quasi estiva, speriamo duri.»

Lui chinò la testa e si spostò leggermente nel sedile per poterla guardare bene. «Condivide la casa in Phene Street con Greta?»

«No. Sono accampata lì solo per il momento.»

«Non ha un altro posto dove vivere?» chiese, un accenno di apprensione nella voce.

«Oh, sì, ho un appartamento in Belsize Park Gardens, ma è successo qualcosa e io...» Si bloccò di colpo, rendendosi conto che stava per parlargli di Phil Dayton. Si schiarì la voce e si precipitò a continuare: «Sua sorella Elise ha deciso di andare a vivere da sola e ha trovato un appartamento nelle vicinanze. Greta si sentiva sola e io un poco isolata, lontana dai miei amici a Chelsea e Mayfair. E pure dalla redazione. E così mi accamperò da Greta per un po' ed Elise mi sta aiutando a trovare un appartamento in zona».

«È gentile a far compagnia a Greta, comprendo la sua difficile situazione anche troppo bene. Anche a me piace la sua compagnia, Vicki.»

«Mi ha chiamata Vicki, come fanno i miei amici. Siamo amici, allora?»

«Lo siamo, se me lo permetti», disse, passando al tu.

Victoria deglutì, la gola stretta dall'emozione. «Affare fatto», esclamò vivacemente. Si strinsero la mano ridendo, poi lui le aprì la mano e le baciò il palmo. «E suggellato con un bacio.»

«Devi avere fatto delle ricerche su di me per il servizio fotografico», osservò lui, senza staccarle gli occhi di dosso. «Sono sicuro che sai tutto di me, mentre io non so quasi nulla di te... a parte il fatto che sei la ragazza più adorabile che abbia mai conosciuto.»

«Cosa vuoi sapere?» gli domandò, eccitata dalle sue parole.

«Credo che tu sia molto giovane. Sui diciannove anni?»

Lei scosse la testa.

«Allora, quanti anni hai?»

«Ventuno, ne compio ventidue il marzo prossimo. Ma ho lavorato da quando ho lasciato la scuola. Sembrerò giovane, ma sono una donna indipendente, sai. E tu hai ventotto anni.»

«Sette anni di differenza. Una bella differenza d'età.»

«Io non la penso così. Prossima domanda.»

Lui la guardò, con un'espressione difficile da interpretare. «Hai una relazione sentimentale al momento?»

«No. E tu?»

«Libero e senza vincoli. E lo sono da un bel po'. Un attimo fa, quando hai menzionato il tuo appartamento in Belsize Park Gardens, hai detto che era successo qualcosa, poi ti sei affrettata a cambiare discorso. Che cosa è successo esattamente?»

«È una lunga storia...»

«Le tue lunghe storie mi piacciono», la bloccò. «Per cui, racconta.»

«Appena arrivata a Londra ho lavorato per la famosa agenzia fotografica Photo Elite, grazie a Paloma che conosce Michael Sutton, il proprietario dell'agenzia, che mi aveva offerto un posto da praticante, per acquisire esperienza. In ogni caso uno dei ragazzi che lavoravano lì aveva cominciato a importunarmi, voleva portarmi fuori, ma io non ero interessata.» S'interruppe e trasse un profondo respiro.

«Ma lui ha insistito», continuò per lei Christopher. «Spero che non ti abbia fatto male.»

«No, ma ha iniziato a parcheggiare la sua auto nella mia strada, poco oltre il numero 43. Avevo notato la macchina e la cosa mi aveva infastidita. Alla fine ne ho avuto abbastanza. Una sera sono tornata a casa, l'ho vista di nuovo ferma sotto casa, così sono salita su un taxi e ho dato l'indirizzo di Phene Street. Ne ho parlato con Greta che ha insistito, affinché passassi la notte da lei, e ancora non ho avuto il tempo di traslocare. Siamo entrambe felici di stare insieme. Poi, grazie a lei, ho trovato un lavoro a *Elegance Magazine*. La soluzione perfetta per me.»

«E che mi dici di quel Dayton? L'hai denunciato al proprietario dell'agenzia?»

«No.»

«Perché no? Potrebbe continuare a tormentarti da lontano.»

«Non lo farà. Perché appena ho dato le dimissione da Photo Elite, sono andata da lui e l'ho avvertito che l'avrei denunciato a Michael Sutton e alla polizia, se non mi avesse lasciata in pace. L'ho spaventato, credo. Se avessi riferito il suo comportamento a Michael, lui avrebbe potuto licenziarlo e Phil Dayton sarebbe diventato mio nemico.»

Christopher, già infatuato, provò ammirazione per lei. «Ragazza intelligente», mormorò. «Hai fatto la cosa giusta. E che è successo del tuo appartamento?»

«Ce l'ho ancora, perché non voglio stare da Greta per sempre. Ci tornerò prima o poi, ma sono stata troppo impegnata e non ho ancora trovato un appartamento a Chelsea.»

«Capisco.»

Christopher rimase in silenzio. Si appoggiò allo schienale e chiuse gli occhi. L'attrazione che provava per quella giovane donna entrata tanto inaspettatamente nella sua vita, cogliendolo di sorpresa con la sua energia e naturalezza, lo stupì. Era diversa da tutte le altre donne conosciute nel passato. Di fatto, doveva essere un esemplare unico. Sorrise tra sé a questi pensieri. La sua personalità estroversa, la sua naturale *joie de vivre* gli riscaldavano l'anima. E gli pareva che il carattere di Victoria corrispondesse al suo.

Victoria aveva il suo stesso ottimismo e la sua stessa felicità interiore. Era una caratteristica che l'aveva aiutato a superare grandi difficoltà. Rimasero in silenzio e Christopher si rilassò. La sua presenza lo calmava, lo faceva sentire al sicuro.

* * *

Quando arrivarono a Biggin Hill, Rory parcheggiò vicino all'edificio della mensa, poi aprì la portiera a Victoria.

«Ho chiesto al comandante della base, su istruzioni di Christopher, di non allineare qui fuori un comitato di benvenuto», spiegò Rory, aprendo il bagagliaio. «Ho consigliato di fare aspettare tutti nella mensa.»

«Buona idea, grazie.» Victoria tirò fuori la sacca dei corpi macchina, mentre Rory prendeva l'altra.

Un attimo dopo arrivarono Freddy e Bruce, che avevano posteggiato il furgone nero dietro la Daimler. Dopo avergli presentati, Rory disse a Victoria che, portata fuori dal furgone la sedia a rotelle, i due uomini avrebbero aiutato Christopher a scendere dall'auto.

«Non dimenticate le stampelle», gridò loro Rory.

Victoria fissò Rory con espressione interrogativa. «Christopher può usare le stampelle?» gli chiese.

«Oh sì, almeno per un poco. Le lesioni sono per lo più nella parte sinistra. Quella gamba è inutilizzabile, ma può appoggiarsi alla destra con l'aiuto delle stampelle. Vuole mostrarsi in piedi in una delle foto di gruppo.»

«Credevo fosse paraplegico.»

«Lo è, ma solo in parte. Ha una lesione parziale nella parte bassa della spina dorsale, ed è lì che c'è la paralisi.»

Lei rimase in silenzio, assimilando quelle parole.

«La parte superiore del copro di Christopher è molto forte, in particolare le braccia e il torace, e questo gli consente di fare molte cose. A questo ha pensato Freddy.»

«È un fisioterapista anche Bruce?»

«Sì, e anche un esperto massaggiatore. Entrambi lo mantengono in forma.»

«Molto ben in forma», dichiarò Christopher avvicinandosi loro da solo. «Aspettiamo qui?» chiese poi a Victoria. «Vedo che ci sono molti aerei, e alcuni Spit. Cosa non darei per salire su uno di quelli e alzarmi in volo nel selvaggio blu, come dice la canzone della Air Force.»

«Vorrei anch'io che ti fosse possibile», ammise Victoria guardando il cielo. «Il tempo è ancora bello, ma si stanno radunando alcune nuvole, vorrei scattare le foto con gli aerei il più presto possibile.»

«Facciamolo subito allora.» Christopher si rivolse a Rory: «Potresti andare a prendere Noel e gli altri ragazzi, per favore».

Rory corse nell'edificio centrale.

Victoria si avvicinò alla sedia a rotelle e mise una mano sulla spalla di Christopher. «Rory mi ha detto che puoi stare in piedi appoggiato alle stampelle per un breve periodo. Lo faresti per alcuni scatti?»

«Certamente. Oh, guarda, Noel sta uscendo con alcuni che conosco e, oh mio Dio, c'è anche il mio ex comandante di stormo. Quanta gente!»

Lei sorrise nel sentire quelle parole. Lui era tanto modesto. Era normale che fossero venuti in tanti, Christopher era il più grande eroe di guerra inglese con più di cento missioni sui cieli della Germania: un capitano d'aviazione che aveva salvato molte volte la sua unità prima di pensare a sé, che aveva compiuto il sacrificio finale costringendoli a salvarsi per primi durante il suo ultimo volo. Un gesto altruista e generoso che gli era quasi costato la vita, mentre precipitava con il suo aeroplano.

26

Cecily, seduta accanto al caminetto nella biblioteca, attendeva il ritorno di Miles che aveva cenato a Harrogate con alcuni membri della giunta comunale di quella città.

La serata aveva avuto a che fare con il Festival della Gran Bretagna, che era già in fase di pianificazione in tutto il Paese, anche se avrebbe avuto luogo solo nel 1951.

Dal momento che Miles era il conte di Mowbray e uno dei principali conti d'Inghilterra, la giunta comunale gli aveva chiesto di mettersi a capo della partecipazione dello Yorkshire al Festival e lui aveva accettato.

Cecily si appoggiò ai cuscini, godendo di quel piccolo momento di calma e silenzio.

Ultimamente Miles aveva acconsentito a molte cose. Tre mesi, solo tre mesi da quando aveva accettato il prestito bancario, mettendo il senso pratico davanti all'orgoglio.

Aveva facilitato il fatto che fosse una banca privata e che il direttore generale con cui trattava fosse il figlio del proprietario, un vecchio studente di Eton come lui.

Bussarono alla porta ed Eric entrò reggendo un vassoio. «Le ho portato una bottiglia del miglior cognac, vostra signoria. È quello che sua signoria preferisce.»

«Grazie Eric.» Allungò la mano e sfiorò la bottiglia, poi

sorrise a Eric. «Per fortuna che il quarto e il quinto conte amavano il brandy e ne avevano fatto scorta tanti anni fa. Non credevo al prezzo battuto all'asta.»

Eric sorrise. «Alla fine sua signoria è stato favorevole dell'asta e, a dire il vero, si è divertito a trastullarsi nelle cantine. Credo si sia stupito più di me della quantità di ottimi vini, cognac e liquori ci siano immagazzinati là sotto e non ancora inaciditi.»

«Lo so», convenne Cecily. «Ha pensato che i suoi antenati fossero tutti degli ubriaconi, al che gli ho fatto notare che se così fosse stato non sarebbero rimaste tutte quelle bottiglie.»

«Ha fatto del bene a questa famiglia, Ceci», le sussurrò Eric Swann, cugino di suo padre. «Sempre. E Cavendon è di nuovo in piedi, o quasi, grazie a lei. Siamo tutti fieri di lei, volevo solo che lo sapesse.»

«Grazie ancora, Eric, e grazie per tutto ciò che ha fatto per aiutare me e Miles a far sì che tutto filasse liscio.»

Lui chinò la testa e uscì, silenzioso come nessun altro maggiordomo avesse mai conosciuto. Eric faceva parte della sua famiglia, ma si comportava sempre in modo impeccabile.

Di solito non esprimeva commenti, ma lei si rese conto che aveva avuto bisogno di farle sapere che gli Swann di Cavendon la stimavano per avere migliorato enormemente la situazione.

Il prestito era stato una manna, la vendita all'asta dei vini un grande successo. La tenuta si era ripresa, un bene sia per loro sia per gli Ingham.

La sua stessa attività era in ascesa grazie alla zia Dottie e a Greta. Uffici più piccoli, personale ridotto, l'inatteso guadagno dalla recente svendita avevano consolidato la Swann. Il denaro che le aveva dato la zia Charlotte e l'investimento di Greta nella società come socia avevano permesso loro di affrontare con entusiasmo il lavoro per la collezione della prossima estate. E quello che era successo oggi era stato provvidenziale.

La porta si aprì e l'entrata di Miles interruppe le sue riflessioni. «Eccoti qui, tesoro. Mi hai aspettato alzata. Gentile da parte tua.»

Lei si alzò in piedi e lui l'abbracciò e le baciò la guancia. «Mi sembri felice», osservò Cecily. «La serata deve essere andata bene.»

«Proprio così. E devo ammettere che ritengo l'idea del Festival della Gran Bretagna brillante. Farà miracoli per il Paese. In molti modi. Una delle cose più importanti, per quello che mi riguarda, è che le città bombardate verranno ricostruite. Finalmente. Da gennaio 1950. Il governo vuole che il Paese faccia bella figura. A quanto pare prevede visitatori da tutto il mondo. E il Festival servirà anche a noi, aiuterà moltissimo Cavendon.»

«Fantastico e sono contenta che tu sia contento.» Cecily si risedette, prese la bottiglia di cognac e versò una dose generosa nei due ballon. «Anch'io ho delle ottime notizie, Miles.»

«Devono essere notizie tremendamente buone, se hai versato il nostro cognac più pregiato.»

«Il denaro della vendita delle due fabbriche a Leeds è stato versato oggi sul conto della Swann. E voglio fare un brindisi a Emma Harte.»

Miles la fissò, sorpreso. «Non mi hai mai detto che era coinvolta!» esclamò. «Le ha acquistate *lei*?»

«Solo una, per la sua linea di abiti prêt-à-porter, la Lady Hamilton Clothes; i prezzi sono ragionevoli e quella collezione si vende ancora bene. Un suo amico che lavora nell'industria di abiti maschili a Leeds ha acquistato l'altra. E così, brindiamo a Emma.»

«A Emma Harte! Tua buona amica e salvatrice.»

«A Emma, mia eroina», disse Cecily, gli occhi splendenti.

«Ce l'abbiamo fatta un'altra volta, Miles», continuò Cecily dopo avere fatto tintinnare i bicchieri. «Abbiamo messo a segno ogni sorta di accordi che hanno mantenuto a galla Cavendon. Siamo ben assortiti, tu e io, non è vero? Una Swann e un Ingham insieme ce la fanno sempre. Come i nostri avi, Humphrey Ingham e James Swann.»

Miles scoppiò a ridere. «A parte che quei due non erano sposati come noi.»

«Ovvio, erano uomini assolutamente eterosessuali. In ogni caso, erano uniti per la pelle, direi come una famiglia. In verità erano strettamente connessi.»

«Che cosa intendi? L'hai detto in tono strano.»

«Voglio mostrarti una cosa e raccontarti una storia.»

«Che storia?» chiese il marito, di colpo incuriosito.

«Una storia che abbiamo decifrato zia Charlotte e io. Dapprima separatamente poi insieme... grazie ai registri.»

«Stai per rivelarmi i segreti nascosti nei registri Swann? Non è proibito?»

«In teoria. E io ritengo che in quel periodo avessero le loro buone ragioni, perché c'era molto da tenere nascosto agli inizi della nostra comune storia famigliare. Veri segreti.»

«Anche gli Ingham avevano tenuto dei registri, ma io non ho mai avuto il tempo per scorrerli. Ho lasciato questo compito a zia Charlotte e lei non mi ha mai confidato niente.»

«Lo so. Mi ha detto che aveva pensato che tu non fossi interessato.»

«Non stai infrangendo un giuramento nel rivelarmi i segreti degli Swann?»

«No, perché sono anche segreti degli Ingham.»

«Gli Swann avevano giurato di proteggere gli Ingham», borbottò Miles. «La lealtà mi vincola. Ricordi?»

«Sì, avevo giurato anch'io, ma è anche il motto della famiglia Ingham. In ogni caso a chi importano ora quei tempi andati?»

«Presumo a nessuno. Ma ora racconta.»

«Tu conosci tutti i fatti riguardanti Humphrey Ingham e James Swann, come avessero lavorato insieme nel diciassettesimo secolo, come Humphrey avesse ricevuto il titolo di conte e via dicendo, per cui andrò diritta alla storia. Dobbiamo andare nella galleria dei ritratti.»

Cecily si alzò, tese la mano e lo tirò in piedi.

Miles, sempre più incuriosito, la seguì in cima allo scalone e si fermò davanti al primo ritratto. «Sai chi è, vero?» domandò Cecily.

«Naturalmente, sciocchina. È Humphrey, il primo conte, colui che ha dato inizio alla nostra stirpe. Li conosco tutti.»

«Zia Charlotte pensa che tuo padre assomigliasse a Humphrey. E tu?»

«Sì, l'ho sempre pensato anch'io. Avevano occhi, sopracciglia e fronte uguali.» Miles le lanciò un'occhiata, ancora perplesso.

Cecily sorrise e continuò. «E questo è Marmaduke, il secondo conte, ed è qui che inizia realmente la storia.»

«Con Marmaduke? Il figlio ed erede di Humphrey?»

«Era illegittimo.»

Attonito, Miles scosse la testa. «Suvvia, non è possibile! Come avrebbe potuto essere illegittimo? Humphrey era sposato con Marie prima di diventare conte... lei era la madre di Marmaduke.»

«No, non lo era, non poteva concepire. In ogni caso, Humphrey era il padre biologico di Marmaduke che era nato qui e qui era cresciuto. Nessuno l'aveva mai messo in dubbio. A questo ci aveva pensato James... lui si occupava di ogni cosa... strano, non ti pare? La loro era una collaborazione stretta, soci in tutto.»

«Quindi nessuno aveva mai dubitato della legittimità di Marmaduke?»

«Nessuno. Charlotte mi ha riferito che nei registri Ingham

ci sono delle carte, un antico certificato di nascita. Humphrey e Marie sono citati come i genitori del piccolo, ma Charlotte crede che quel documento sia stato falsificato.»

«Come mai sei tanto sicura che sia vero?»

«Perché siamo arrivate alla stessa conclusione e non insieme. Dai un'altra occhiata a Marmaduke, Miles, una lunga occhiata, soffermati a guardarlo bene. Dimmi chi ti ricorda?»

Miles si avvicinò al ritratto, prese gli occhiali e lo scrutò di nuovo. «Harry! Assomiglia a tuo fratello. Che io sia dannato.»

Si voltò e fissò la moglie. «Stai cercando di dirmi che la madre di Marmaduke era una Swann?»

«Sì, ed è vero. Sarah Swann Caxton era la sorella di James, una giovane vedova con bambini. Ma era Humphrey che aveva sempre amato e lei gli diede prima Elizabeth e poi Marmaduke. Vieni qui, Miles. Esamina l'unica figlia di Humphrey.»

Miles lo fece e capì immediatamente che aveva ragione. Con abiti diversi e una pettinatura moderna, sarebbe stato facile scambiare la donna del ritratto con Cecily sui vent'anni. «È uguale a te», mormorò. «E noto che il ritratto era stato dipinto da Romney, un grande ritrattista del tempo. Humphrey deve averla amata molto.»

«Ha amato molto anche la madre di lei, Sarah Swann Caxton era l'amore della sua vita, ma lui era sposato con Marie quando era nata Elizabeth.»

«Mi chiedo come mai la contessa Marie avesse tollerato la situazione? Lo sai, Cecily?»

«Ecco, lei aveva sette anni più del marito, non poteva avere figli e potrebbe essersi sentita in colpa. E così aveva allevato la figlia del marito come se fosse la propria. In quegli anni molte donne avevano dovuto fare cose sgradevoli. Si chiama stare al gioco.»

«E poi pure Marmaduke, ma, aspetta un attimo, lei era morta di parto, non è vero? Marie, intendo. Ricordo che una volta mio padre me ne aveva accennato.»

«No. Te l'ho detto, lei non poteva concepire. Ecco come è andata, Miles. Alcuni mesi prima della nascita di Marmaduke, il ventre di Marie aveva cominciato a gonfiarsi e così tutti avevano creduto che fosse incinta. Non lo era, con ogni probabilità aveva un tumore maligno, un cancro. Ed era deceduta prima che Sarah desse alla luce Marmaduke.»

«Che fortuna!» Miles fissò la moglie. «James Swann non avrebbe potuto manipolare quel fatto.»

«Hai ragione. Scendiamo nella galleria principale e osserviamo assieme i ritratti di James Swann e della sua famiglia, appesi, come ben sai, vicino all'ala est, dove James e Anne avevano trascorso tutta la loro vita. Come ho dedotto dai registri, su insistenza di Humphrey che aveva bisogno di avere sempre al suo fianco James.»

«Che cosa stai insinuando?»

«Nulla, non essere sciocco! Erano amici intimi, molto uniti. Ricorda, nel diciassettesimo secolo qui si viveva molto isolati, senza altre nobili famiglie con cui socializzare. I due facevano molto affidamento l'uno sull'altro. Inoltre viaggiavano insieme, andavano di continuo a Londra per affari.»

«D'accordo», ammise Miles, mettendosi a scrutare il ritratto di Sarah Swann Caxton, sorella di James e madre dei figli di Humphrey. Una vera Swann, appena diversa dalla Swann che aveva sposato.

Cecily gli si avvicinò e lui le cinse le spalle, la tenne stretta a sé, poi gli venne un nodo in gola. Quanto erano legati loro due, dalla storia, dal passato.

«In cima allo scalone ci sono gli Ingham, quaggiù gli Swann e noi due abbiamo i loro geni», commentò Miles. «Siamo una combinazione delle due famiglie, tu e io.»

«L'altro giorno avevo pensato la stessa cosa, Miles, a quanto pare si erano trovati irresistibili.»

«È ancora così», confermò lui, stringendola a sé.

«Non è mai finita, sai.»

«Che cosa?»

«La fornicazione è continuata nel corso dei secoli.»

«Parli sul serio? C'è qualcosa di più in questa storia?»

«Sì», rispose titubante. «La prozia Gwendolyn, dopo essere rimasta vedova, ha avuto una lunga relazione romantica con mio nonno, Mark Swann. Hanno avuto un figlio che è morto. Ma poi è nata Margaret.»

Miles la studiò, tanto scioccato da rimanere senza parole. «No, non la prozia Gwen. Non ti credo. Forza, ammettilo, Ceci. Stai scherzando.»

«No. Torniamo in biblioteca e finisci il tuo cognac e io ti racconterò tutto sulla tua prozia e mio nonno.»

Più tardi, sola nel salottino privato della camera da letto, Cecily si rese conto di percepire in modo diverso se stessa, Cavendon e Miles. Ogni cosa, in realtà.

Quando Charlotte le aveva confidato fatti ed eventi importanti provenienti dai registri Ingham, le cose che aveva letto sui registri Swann si erano incastrate completandosi.

Era stato come sistemare i pezzi di un puzzle. Quello che aveva saputo su James Swann aveva ora un senso compiuto. Per carattere, visione e genialità James Swann era stato alla pari con Humphrey Ingham ed era stato trattato come tale. Non era ricco come Humphrey, perché non possedeva una sua attività, ma aveva lavorato per un uomo d'affari che era diventato conte.

Humphrey si era comunque assicurato che James venisse ben compensato per la sua dedizione e diligenza. In realtà, lo aveva trattato come un membro della propria famiglia.

James e sua moglie avevano sempre vissuto a Cavendon Hall e, in un certo senso, per Humphrey ne facevano veramente parte e Sarah Swann gli aveva dato i suoi unici figli.

Quanto era orgogliosa di James Swann. Era stato davvero il cofondatore di Cavendon Hall, della tenuta e del villaggio di Little Skell e aveva contribuito alla prosperità della famiglia Ingham.

Gli Swann avevano ogni diritto di vivere lì e saperlo le procurò un inatteso moto di gioia. Cavendon era anche sua e pensò che la zia Charlotte la pensasse come lei.

Prima d'ora, Miles non aveva avuto bisogno di esserne a conoscenza, inoltre non si era mai veramente interessato ai suoi antenati.

Miles si era sempre focalizzato su suo padre, il sesto conte, e sul nonno, il quinto conte, seguendo le loro regole. Tutti i predecessori erano persi nella notte dei tempi. Cenere alla cenere, polvere alla polvere, era questa la sua posizione.

Dopo la morte del padre, Charlotte aveva ricordato a Miles che avrebbe potuto avere facile accesso ai registri Ingham, ma lui si era spaventato di fronte all'alta pila di scatole etichettate. Lei aveva notato che era rabbrividito nel vederla.

Ora Cecily rammentò le esatte parole dette da Miles a Charlotte. «Il passato non appartiene a me, ma a coloro che sono morti. Io sono vivo e il futuro è mio. È il futuro che devo affrontare. Devo preservare questo posto, portarlo in una nuova era.»

Ed è quello che aveva fatto. Cecily era fiera di Miles. Da quando era diventato il settimo conte, le probabilità erano state contro di lui. Ce la farà, pensò. Non conosce altro modo di essere. E io sarò al suo fianco. Sua moglie e sua ancora. Legati uno all'altra fin dal principio. La lealtà mi vincola.

27

Nubi nivee si rincorrevano nel cielo azzurro e il sole brillava, ma nella brughiera, a High Skell, soffiava un forte vento.

Victoria si strinse nel cappotto di cammello e si sistemò la sciarpa, poi si sedette sulla roccia piatta all'interno della nicchia creata dai giganteschi megaliti, un punto particolarmente protetto.

Era andata lassù per riflettere, per riordinare i pensieri, ma in quel momento era distratta dal panorama. Cavendon Hall e il parco erano magnifici sotto la luce pomeridiana e lei desiderò soltanto che Christopher potesse ammirarlo. Amava la bellezza della natura, ma gli sarebbe stato impossibile salire là in cima. Lui stesso aveva scherzato sul fatto di non potersi arrampicare fin lassù.

Christopher Longdon.

Era sempre presente nei suoi pensieri, era infatuata di lui. Anzi, era innamorata. Ma che fare? E che provava lui per lei? Inoltre, anche se lei gli fosse piaciuta, cosa che sospettava, che genere di rapporto avrebbero potuto avere? Quel venerdì a Biggin Hill si era stupita, e, quando lui si era messo in piedi con le stampelle per essere fotografato accanto allo Spitfire con Noel e il suo ex comandante di stormo, aveva dato l'impressione di essere stabile sulla gamba destra.

Aveva anche notato che era alto, almeno un metro e ottanta, d'altronde fino a quel momento l'aveva visto solo seduto.

Rory le aveva spiegato che era solo parzialmente paraplegico, ma lei non sapeva che cosa significasse esattamente e non aveva il coraggio di chiederlo a Christopher.

D'altra parte, si sentivano a loro agio insieme, c'era una empatia che non aveva mai sperimentato prima. Erano molto simili, forse *avrebbe potuto* affrontare quel tema con lui.

Nel sentire dei passi, Victoria si guardò in giro e vide avvicinarsi Alicia. Anche lei era avvolta in un cappotto caldo con una sciarpa di Hermes stretta sui capelli biondi. Alicia la salutò, sventolando la mano.

Victoria si alzò e le due donne si abbracciarono e si sedettero sulla roccia. Victoria rimase colpita dal pallore di Alicia che pareva tirata e molto tesa. Forse le mancava Adam che era ancora a New York come le aveva detto lei stessa, quando era arrivata a Cavendon con Charlie la sera prima.

«Come è andato il servizio fotografico con Christopher Longdon?» le domandò Alicia.

«A dire il vero, molto bene. Siamo andati a Biggin Hill, dove è stato di stanza durante la guerra. C'erano anche Noel Jollion e il suo ex comandante di stormo e altri aviatori. Ho potuto fare delle foto meravigliose.»

«Ne hai qualcuna con te? Mi piacerebbe vederle.»

«No, ho finito di svilupparle martedì, e ora le ha Tony del Renzio. Posso fartele vedere la settimana prossima e magari anche le bozze della rivista con le tue foto.»

«Sarebbe splendido! Adam muore dalla voglia di vederle.» Alicia sospirò e il suo viso si chiuse in un'espressione triste.

Victoria se ne accorse immediatamente. «Va tutto bene tra te e Adam?» le chiese. Di fronte al suo silenzio disse: «Sembri triste».

«Va tutto bene, ne sono abbastanza sicura. È solo che si è arrabbiato con me, ha cercato di raggiungermi al telefono appena arrivato a New York, ma io ero fuori con Charlie. Non mi ha creduta, pensava che fossi uscita con un altro. Alla fine ha accettato la mia versione, che è la verità, Victoria, ma mi sono resa conto che... Adam è geloso e molto possessivo.»

«Penso che qualsiasi uomo si sentirebbe così nei tuoi confronti, Alicia», mormorò dolcemente Victoria. «Sei molto bella e per di più un'attrice famosa.»

Alicia la fissò e iniziò a ridere in modo forzato. «Adam non mi considera un'attrice famosa... dice che *lui* mi renderà una grande diva.»

Victoria rimase tanto stupita da questo commento che per un attimo non seppe che rispondere. «Forse sta semplicemente cercando di apparire più importante ai tuoi occhi», replicò.

«Ho sempre saputo che sei una ragazza intelligente», esclamò Alicia. «E come direbbe la signora Alice, a te non sfugge niente. Gli uomini sono difficili e molto diversi dalle donne. Come il giorno e la notte. A volte penso che siano stupidi.»

«Zia Alice conosce un altro detto sugli uomini», incalzò Victoria. «Mi ha ripetuto spesso di non dimenticare che gli uomini sono stupidi e le donne sciocche. Con ogni probabilità lo siamo davvero. Ma non tutti gli uomini sono stupidi.»

Scoppiarono a ridere. Come Victoria, anche Alicia adorava Alice Swann che era sempre stata devota a sua madre, Daphne, e a lei. Alicia sapeva inoltre che Alice amava Victoria come se fosse sua figlia.

«Allora, per parlare di uomini», s'informò Alicia, «che tipo è il più grande eroe di guerra inglese?»

«Carismatico, bello, cordiale e amichevole. Molto affascinante e gentile. Siamo andati d'amore e d'accordo.»

«Oh, no! Ti sei innamorata di lui!» esclamò Alicia, notando lo scintillio nei suoi occhi e il viso raggiante.

«No!» ribatté Victoria, che non voleva che a Cavendon si venisse a conoscenza di quello che provava per Christopher Longdon. «Sto solo cercando di spiegare che uomo eccezionale è.»

«E non stupido e tonto come tutti gli altri? Ce l'hai scritto in faccia, mia cara.»

«Cosa?» chiese Victoria.

«Quello che provi, ecco cosa. L'eroe ti ha conquistata.» Dopo un attimo di silenzio si ricordò che Christopher Longdon era su una sedia a rotelle.

«Scusami se sbaglio», domandò Alicia, schiarendosi la voce per non dare l'impressione di voler indagare troppo a fondo, «ma Christopher Longdon non è paraplegico?»

«Non proprio», rispose lei. «Rory, il suo assistente personale, mi ha spiegato che è paraplegico solo parzialmente. Qualsiasi cosa significhi.»

Alicia guardò nel vuoto, gli occhi fissi sulla brughiera, l'espressione assorta. «Sai se puoi avere un rapporto fisico con lui?» domandò infine.

«Non lo so. Quando sei arrivata, stavo pensando proprio a questo. Sono venuta quassù per schiarirmi le idee e fare mente locale.»

«Proprio come me. Entrambe conosciamo questo posto. Mio nonno mi portava qui per ammirare il panorama e Alice faceva lo stesso con te. È comunque un posto perfetto per chiarirsi le idee.»

Alicia si alzò. «Su, Victoria, tu e io dobbiamo fare quattro chiacchiere sui fatti della vita, ma nella mia camera da letto, che è molto più calda di questo posto ventoso.»

«Ho studiato biologia al college di Harrogate», disse Victoria mentre si allontanavano dai giganteschi megaliti.

«E... hai fatto anche pratica?»

Victoria rimase in silenzio.

«Hai mai fatto sesso con un uomo?»

«Ecco...» iniziò Victoria, s'interruppe, poi continuò sottovoce: «Non esattamente».

Qualunque cosa significhi, si chiese Alicia, sospirando dentro di sé. La signora Alice sarebbe furiosa con lei, se venisse a sapere che Victoria stava per imparare qualcosa sull'intimità sessuale da lei.

Victoria, seduta davanti a un bel fuoco nella camera da letto di Alicia, aspettava che l'amica tornasse.

Era scesa nell'ala sud per prendere una bottiglia di cognac e due bicchieri. «Abbiamo bisogno di scaldarci», aveva detto prima di scomparire.

Guardandosi in giro, Victoria ammirò quella camera dalle pareti tinte di un verde chiarissimo, un colore che creava uno sfondo perfetto per le tende verdi e rosa alle due finestre e la testata del letto drappeggiata. Erano gli unici due colori nella stanza ed erano un ottimo abbinamento. La camera era spaziosa e semplice, per nulla stipata di cianfrusaglie.

«Eccomi qui, armata di alcol», esclamò Alicia entrando e chiudendo la porta con il piede. Appoggiò la bottiglia e i bicchieri sulla scrivania in stile georgiano, versò il cognac e allungò a Victoria un bicchierino.

«Dobbiamo accontentarci di questi, non ho trovato i ballon. Forza, bevilo in un sol sorso. È il modo migliore per scaldarsi.»

«Non bevo spesso del brandy», ammise Victoria, ma ne trangugiò metà alla svelta, poi mise il bicchiere sul tavolo e tossì. «È forte.»

«Ma serve allo scopo.» Alicia si mise comoda. «Per prima cosa voglio parlare di te, Victoria, per poterti consigliare.

217

Credo che tu abbia bisogno di un po' di aiuto sotto certi aspetti.»

«Ti dirò tutto ciò che vuoi sapere, ma non puoi riferire questa conversazione a zia Alice.»

«Oh, mio Dio, non lo farei mai! S'infurierebbe con me, se sapesse di cosa abbiamo parlato. La stessa regola vale per te. Non farle sapere che hai parlato con me di una questione tanto personale. O a chiunque altro.» Alicia si passò le dita tra i ricci biondi e mosse i capelli. Con un po' di colore sulle guance era tornata a essere se stessa.

«Non lo farei mai.»

«Ti farò alcune domande e tu, se preferisci, potrai rispondere solo con un sì o un no.»

«D'accordo, se non capisci qualcosa, non avrò problemi a spiegartela.»

«Sei vergine?»

«No.»

«Ma nella brughiera mi hai fatto capire che non hai mai fatto all'amore con un uomo.»

«Ho detto, *non esattamente*, perché la prima volta non è andata bene. Martin Peek, il fratello della mia amica Christine, si era preso una cotta per me e a me lui piaceva molto. Avevamo iniziato a uscire insieme quando frequentavo il college a Harrogate. Una sera avevamo parcheggiato in un bosco vicino a Harewood e avevamo tentato di fare sesso sul sedile posteriore della sua auto. Poi tutto era andato storto perché... ecco... la *cosa* era scivolata via e ci siamo fermati. In seguito lui era preoccupato di avermi messa incinta.»

«Ma non è successo, giusto?»

«No, ma potrebbe esserlo diventato il mio vestitino», mormorò Victoria, le labbra tirate in una smorfia.

Alicia scoppiò a ridere, imitata da Victoria. «Non hai perso il senso dell'umorismo, Vicki. Hai più rivisto Martin?»

«Sì, quando è tornato a casa da Cambridge e quella volta

la *cosa* era rimasta al suo posto. Ma tutto si è concluso alla svelta e io non ho provato niente. Forse perché non ero innamorata di lui?»

«Potresti avere ragione. D'altra parte lui mi sembra tremendamente inetto. Quanti anni avevate?»

«Io quasi diciotto, Martin ventuno. Non l'ho più rivisto.»

«Martin è l'unico uomo che hai... *conosciuto* in quel senso?»

«Sì.»

«Parliamo di Christopher Longdon e di ciò che provi per lui. Oh, e per la cronaca, quanti anni ha?»

«Ventotto.»

«Da come hai parlato, sospetto che tu ti sia innamorata follemente di lui. E io conosco anche troppo bene quella sensazione», dichiarò Alicia. «Non c'è nulla come una forte attrazione. È un'emozione potente che attrae l'uno verso l'altra. Il desiderio, la voglia prendono il sopravvento. E fanno sì che niente importi di più dello stare insieme, con quella persona speciale.»

S'interruppe e scosse la testa. «Ha rovinato anche la vita di molti uomini e donne», continuò. «Soprattutto perché ottenebra il raziocinio. Tutto quello che importa è solo l'appagamento sessuale. Sotto sotto penso che quel genere di desiderio accechi.»

«È quello che provo per Christopher.» Victoria si chinò verso Alicia. «Voglio essere sempre con lui, vicina a lui. Desidero stringerlo, Voglio fare tutto con lui.»

«Penso che dovremmo discutere cosa significherebbe impegnarsi con lui a tutti i livelli», riprese Alicia dopo un attimo di silenzio. «Richiederà grande responsabilità da parte tua, Victoria.»

«Che cosa vuoi dire?»

«In questa situazione sei tu ad avere il controllo. Devi riflettere attentamente prima di iniziare una relazione con

219

Christopher. È paraplegico, ma anche un uomo encomiabile, degno di rispetto. Tutto il mondo sa quanto sia stato coraggioso durante la guerra...» S'interruppe e strinse la mano di Victoria. «Devi prendere questa faccenda molto sul serio, non puoi iniziare una storia con lui e poi piantarlo, allontanarti se scopri che la situazione non è di tuo gradimento.»

«Questo lo so, lo capisco bene. Se m'impegnassi con Christopher, sarebbe per sempre. Vorrei sposarlo, prendermi cura di lui, mettere al mondo i suoi figli.»

«Se fosse in grado di avere dei figli», osservò lei dopo un lungo momento di silenzio. «Se potesse avere un rapporto sessuale con te. Può? Ne ha mai parlato?»

«Certo che no!» esclamò Victoria.

«Che cosa prova lui per *te*? Ovviamente gli stessi sentimenti, ne sono sicura.»

«Credo si sia invaghito di me, sì.»

«Ti ha mai toccata? Sembro un membro dell'inquisizione spagnola.»

«No, stai tentando di aiutarmi. Christopher non mi ha mai sfiorata con un dito. Mi ha dato un bacio sulla guancia, mi ha stretto la mano, questo è tutto. Credo comunque che Rory, il suo assistente personale, sia consapevole dell'attrazione che Christopher prova per me.»

«Che cosa te lo fa pensare?»

«Quando ho conosciuto Christopher all'inizio del mese, sono uscita da casa sua dopo il tè. Stava calando la sera e Rory mi ha accompagnata alla ricerca di un taxi. Mentre salivo sull'auto, mi ha lanciato un avvertimento. Ha detto qualcosa come... *non scherzi con lui, non lo scombussoli.* A dire il vero quelle parole mi hanno sorpresa.»

«È quello che ti sto dicendo pure io.»

«Quella sera Rory mi ha anche rivelato che Christopher è attratto da me come da nessun'altra. Rory pensa che la reazione di Christopher nei miei confronti sia insolita.»

«E così sappiamo che condivide i tuoi sentimenti, ma che vuole dire paraplegia parziale?»

«Non lo so, quando ho sentito Rory menzionare le grucce a Biggin Hill, gli ho chiesto se Christopher poteva usarle, e lui mi ha riposto di sì. Quello che ho capito è che Christopher ha subito un danno parziale e che ha una lesione incompleta alla base della spina dorsale. È questo che intendeva con paraplegia parziale. Vorrei solo saperne di più.»

«Concordo.» Alicia sorseggiò l'ultima goccia di cognac, riflettendo velocemente. All'improvviso si raddrizzò sulla poltrona e guardò Victoria. «Mi sono appena ricordata di una cosa. Ho un'amica che ha sposato un esperto di paraplegia. Si chiama Abel Palmerston. Potrei rivolgermi a Violet per saperne di più.»

Victoria reagì al nome Palmerston. «Il marito della tua amica è un medico?»

«È un famoso neurologo, forse uno dei migliori al mondo. Perché?»

«Perché sabato scorso, una settimana fa oggi, stavo fotografando Christopher nel suo studio e tra uno scatto e l'altro l'ho sentito ricordare a Rory di chiamare il signor Palmerston il lunedì, per confermare l'appuntamento. E ora mi è venuto in mente che uno specialista viene sempre chiamato *signore* e non dottore.»

«Giusto. Vuoi che telefoni a Violet la prossima settimana?»

«Non ne sono sicura. Ti direbbe quello che ha scoperto su Christopher? Non credo che i medici possano parlarne.»

«Segreto professionale, lo so, ma io le chiederei semplicemente qualcosa di generico sui paraplegici, senza menzionare nessuno in particolare.»

«Quando ero su nella brughiera ho pensato di chiederlo direttamente a Christopher. Che ne pensi?»

«Sono d'accordo e sarebbe un modo per fargli capire che fai sul serio con lui.»

«Voglio che capisca che sono seria, un'adulta. Dato il mio aspetto giovanile, temo che lui si consideri troppo vecchio per me. Anche se lavoro da quando avevo diciotto anni.»

«Quando lo rivedrai?»

«Domenica sera. Tu hai sempre intenzione di tornare a Londra in macchina?»

«Sì. Devo prepararmi per la sessione di lunedì. La prossima settimana girerò ogni giorno. E sarei felice se tu mi accompagnassi. Domani Charlie non torna a Londra con me, deve leggere le bozze.»

«C'è dell'altro», aggiunse Victoria. «Martedì scorso sono andata a cena con Christopher, prima di venire a trovare lo zio Walter e la zia Alice. A un certo punto mi ha chiesto quali programmi avessi per il fine settimana, intendendo la settimana prossima. Io gli ho risposto che non ne avevo, che ero libera, al che mi ha spiegato che vorrebbe mostrarmi un posto che ama, perché crede che piaccia anche a me.»

«Dove?»

«Una casa nel Kent. Dove è cresciuto, vicino alla zona delle paludi salmastre, la Romney Marsh. Devo andarci?»

«Sì, è una ottima occasione per conoscerlo meglio. In ogni caso, chi sa cosa potrebbe accadere. Potresti ottenere tutte le risposte che ti occorrono.»

28

ERA tornato di nascosto, solo il personale di casa sapeva che era a Londra. Adam Fennell aveva bisogno di stare da solo, di calmarsi e di riprendersi dalle conseguenze negative del suo viaggio a New York.

Neppure Alicia Stanton sapeva che era tornato in città. Brontolò contro se stesso per essere stato tanto scorbutico con lei al telefono. Avrebbe potuto prendersi a calci per essere stato tanto stupido.

Il prossimo passo era il matrimonio con Alicia. Non dubitava che sarebbe diventata presto sua moglie.

Sorrise mentre guardava la fotografia incorniciata di Alicia sulla scrivania nella biblioteca del suo appartamento. Eccola lì, aristocratica, nipote di un importante conte d'Inghilterra, modi impeccabili. Eppure lui poteva trasformarla in un corpo fremente di desiderio ed esigenze sessuali. La sua abilità sessuale era un altro modo per legarla a sé. Lei era sempre disponibile, anzi, molto disponibile.

Era stato irritabile e aggressivo al telefono da New York, per cui ora doveva aggiustare alcune cose. E tutto per colpa di Vince Ramsay. Vince era uno dei suoi finanziatori che si era ritirato inaspettatamente, quando gli aveva chiesto di investire in *Dangerous*, un thriller alla Alfred Hitchcock. Si era tirato indietro anche Rick Carrier. Le loro decisioni avevano fatto naufragare i suoi piani.

A nessuno dei due era piaciuta la sceneggiatura e forse avevano avuto ragione. Forse bisognava lavorarci di più. L'avrebbe data a Felix Lambert e avrebbe chiesto la sua opinione.

Adam si fidava di Felix, uno dei «vecchi» che rispettava, dotato di una grande capacità di giudizio, ed era pure l'agente di Alicia. Lo era anche di James Brentwood, su cui lui aveva messo gli occhi e sperava di poterlo agganciare per un altra sua produzione, *Revenge*. Di nuovo in stile Hitchcock e Hitch era decisamente di moda al momento e Adam lo considerava il migliore.

Alla fin fine Adam era riuscito a procurarsi il denaro per *Dangerous* da Catherine Marron, una produttrice di Broadway che aveva già investito in lui nel passato. Lei si considerava una produttrice cinematografica ed era infatuata di lui. Andare a letto con lei faceva parte dell'accordo, un piccolo prezzo da pagare per il suo enorme investimento in *Dangerous*.

Opportunista per natura, Adam era spietato e calcolatore, anche se era bravo a nascondere quei difetti del suo carattere. In questo lo aiutavano fascino, aspetto e credibilità.

Riprese a pensare ad Alicia. Con Catherine Marron in pugno come principale investitrice, poteva concentrarsi sulla sua futura moglie.

Per prima cosa, doveva scusarsi con lei. Era bravo a mostrarsi pentito e, una volta portata a letto, lei avrebbe dimenticato il suo scatto d'ira. Quando non era riuscito a trovarla quella sera, l'aveva accusata di essere con un altro. *Che stupido.* Era stato veramente stupido. Sapeva che a una persona del lignaggio di Alicia il suo comportamento non sarebbe piaciuto. E il retaggio di Alicia l'aveva sempre in mente. Sposandola, sarebbe salito in cima alla scala sociale.

Grazie a lei sarebbe entrato a fare parte della nobiltà inglese, sarebbe diventato uno di loro.

Fin dall'infanzia aveva programmato di salire al vertice della scala sociale che riteneva fosse alla sua portata. Ma per farlo doveva controllarsi.

Era tornato a Londra la sera precedente. Oggi era lunedì e Alicia stava girando, conosceva bene la sua tabella di marcia. Sarebbe stata una settimana di duro lavoro per lei. Lui non sarebbe andato negli studi di Shepperton fino a giovedì. Il suo piano era quello di sorprenderla, di sorprendere tutti, Mario compreso. E li avrebbe conquistati tutti. Non falliva mai.

Adam non era in forma. Le gambe gli davano nuovamente fastidio. Aveva crampi ai polpacci e spesso, quando camminava, si sentiva uno storpio.

Il problema era sorto alcuni mesi prima. In quel momento si era ricordato di suo padre e ci ripensò pure adesso. Quell'ubriacone aveva detto a tutti che soffriva di reumatismi, ma Adam non gli aveva creduto e aveva dato la colpa dei problemi del padre al bere. Max, il suo massaggiatore, aveva cercato di convincere Adam che non soffriva di reumatismi e aveva avuto ragione. Si era fatto esaminare da uno specialista che gli aveva raccomandato di camminare di più e di assumere potassio.

Adam andò in camera da letto e da un cassetto prese due scatole. Le mise sul letto, ci guardò dentro e annuì. Parte dei soldi di Catherine gli erano tornati utili.

Wilson bussò alla porta, entrò e annunciò che era arrivato Max e che l'aveva mandato nella sala dei massaggi. «Ha detto di fare con comodo, che doveva preparare il tavolo.»

«Grazie Wilson, e non si dimentichi, se arrivassero delle telefonate, io sono ancora a New York.»

* * *

Il rumore della redazione era sempre stato musica per le orecchie di Elise e lì era felice. Quella mattina non faceva eccezione. Era impegnata con un articolo sul Royal Command Film Performance che avrebbe avuto luogo a novembre.

Vi avrebbero presenziato anche il re, la regina e le due principesse. Ancora non aveva informazioni sui loro abiti, ma avrebbe telefonato a Constance Lambert.

«Come posso esserti d'aiuto, Elise?» chiese Constance, dopo essersi scambiate i soliti convenevoli.

«Devo scrivere un articolo sul Royal Command Film Performance e, sì, sono in anticipo, ma mi chiedevo se potevamo parlarne un momento?»

«Questo lo saprai di certo, si svolgerà all'Odeon Theatre il diciassette di novembre. Sarà presente la famiglia reale, ma non il principe Filippo che al momento è di stanza a Malta con la marina reale.»

«Sì, buona parte di queste informazioni le ho, ma, dal momento che tu sei nel comitato di beneficenza, speravo sapessi quali divi vi prenderanno parte.»

«Be', naturalmente Errol Flynn, dato che è il principale protagonista maschile in *La saga dei Forsyte* e mi hanno assicurato che ci sarà anche Greer Garson, la protagonista femminile. Penso che Errol farà palpitare molti cuori.» Constance ridacchiò. «È un adone. In ogni caso, ho qui un elenco, aspetta un attimo.»

«Fa' con calma. Io ho qui pronti matita e blocco.»

«Allora, ecco i nomi delle star inglesi che so saranno presenti: Margaret Lockwood, Anne Todd, James Mason, Phyllis Calvert, John Mills e consorte, Mary Hayley Bell. Loro saranno sempre presenti perché finanziano il Royal Variety Charity, che trae vantaggio finanziario da questa première.»

«Immagino sia troppo presto per farti domande sugli abiti delle attrici femminili, vero, Constance?»

«Proprio così, ma, senti, Alicia Stanton vi parteciperà con

il suo produttore, Adam Fennell. Potrai scrivere che Alicia indosserà un abito da ballo in tulle azzurro, creato da sua zia, Cecily Swann.»

«Oh, ma che stupida! Avrei dovuto chiederlo a mia sorella invece di disturbare te. Pensi che le principesse Elisabetta e Margaret indosseranno modelli di Norman Hartnell?»

«È più che probabile. È il loro stilista preferito e crea abiti eleganti che la principessa Elisabetta adora. Perché non dai un colpo di telefono allo showroom del signor Hartnell?»

«Lo farò, grazie del consiglio, Constance. E grazie per tutto il resto, ora posso scrivere un buon pezzo d'apertura.»

«Piacere mio, Elise.»

Elise passò l'intera mattinata a lavorare all'articolo, concentrandosi sul glamour del grande evento, sulla presenza alla serata inaugurale della famiglia reale e delle personalità di Hollywood. Stava rielaborando il testo, quando il suo telefono squillò. «Pronto? Elise Steinbrenner.»

«Ciao, Elise, come stai?»

«Alistair!» esclamò lei, riconoscendo la voce. «Come ti senti?»

«Molto meglio grazie», rispose lui, felice di avere ricevuto una reazione tanto cordiale.

«Dove sei? Ancora con i tuoi genitori nel Surrey?»

«Sono tornato nella vecchia cara Londra, perché mi sento molto meglio. Chi avrebbe mai pensato che un'appendicite potesse causare un tale scompiglio?»

«Può essere molto grave, sai», replicò Elise. «Poteva trasformarsi in peritonite. Ma questa è una gran bella notizia. Si torna al lavoro, spero.»

«Mi sono preso un'altra settimana di permesso e poi si riprende.» Fece una pausa prima di riprendere: «Per prima cosa desidero ringraziarti per essere venuta in ospedale e avermi tirato su di morale. In secondo luogo, voglio mantenere la promessa di portarti fuori a cena. Se ti va ancora di uscire con me, naturalmente».

«Certo che sì, Alistair. Tra noi è scattato qualcosa quando ci siamo conosciuti a casa di mia sorella, o almeno è quello che ho pensato.»

«Esatto. E pochi giorni dopo sono collassato al lavoro e hanno dovuto portarmi in tutta fretta al Pronto Soccorso. Sei per caso libera questa sera?»

«Sì, si dà il caso che oggi finisca presto, verso le cinque e mezzo dovrei essere libera.»

«So che ti piace *Le Chat Noir*, perché il mio grande e prepotente fratello non ha fatto che ripetermi quanto ti era piaciuto. Andiamo là?»

«Volentieri. Mi piacerebbe. Arnold mi ha sentita parlare con entusiasmo di *Le Chat Noir*, perché ha un certo non so che ed è un posto molto carino. Piacerà anche a te.»

«Prenoto immediatamente un tavolo. Diciamo alle sette? O è troppo presto?»

«Va benissimo.»

«A più tardi, Elise.»

«Ci vediamo.»

Finalmente si sarebbero rivisti. Alistair gli era piaciuto subito quando l'aveva conosciuto alla cena da Greta, ai primi di ottobre. Avevano chiacchierato per tutta la serata e lui le aveva domandato se poteva telefonarle il lunedì seguente per fissare un appuntamento.

Poi non l'aveva chiamata e lei era rimasta delusa, si era sentita una sciocca e si era anche un po' indispettita. Aveva messo da parte ogni pensiero su di lui, aveva abbassato la testa sulla macchina per scrivere e si era dedicata al lavoro.

Qualche giorno dopo Arnold le aveva telefonato al giornale per spiegarle che Alistair era in ospedale, gravemente malato.

Dopo l'operazione di appendicectomia, quando Alistair si stava riprendendo, Arnold l'aveva chiamata di nuovo e le aveva chiesto, se le avrebbe fatto piacere andare con lui a trovare il fratello.

Lei aveva accettato immediatamente e le aveva fatto piacere notare quanto era stato contento Alistair nel vederla. Di fatto, per tutto il tempo che era rimasta in ospedale, lui non aveva mai smesso di sorriderle.

Avevo avuto ragione su di lui, pensò. Avevo capito subito che era un uomo sincero e onesto. Avevamo legato subito e spero che continueremo a farlo. Il suo viso si accese in un lento sorriso.

29

Qualsiasi cosa stesse succedendo nella sua vita personale, Alicia era la quintessenza della professionista e al primo posto metteva sempre il lavoro.

Aveva la capacità di incasellare ogni cosa concentrarsi sulla più importante del momento, seguendo le priorità. In questo caso il film che stava girando.

Era anche riuscita a mettere da parte la rabbia verso Adam, a seppellire il dolore per non averlo sentito da giorni, anzi, dalla loro lite.

D'altro canto sapeva che nessun altro aveva ricevuto un messaggio da lui. Anche Mario, il produttore e socio di Adam, pareva sconcertato dal suo silenzio.

Ne parlò con Charlie, seduti al bar del *Siegi's Club* in Charles Street a Mayfair. «In ogni caso gli ultimi giorni sono stati molto impegnativi e il lavoro è un sollievo. A te, mio caro, e al tuo nuovo libro», brindò poi facendo tintinnare il bicchiere contro quello di Charlie. «So che sarà un grande successo.»

«Sono sicuro che lo sarà anche il tuo film.» Bevve un sorso di champagne, poi aggiunse: «È stato un sollievo ricevere oggi le bozze, adesso posso iniziare a pensare al prossimo».

«Accipicchia, Charlie, tanto presto? Sei un masochista.»

«Ho un'idea che mi piacerebbe sviluppare e voglio parlarne con la zia Diedre. Ma torniamo ad Adam. Non credo che il suo silenzio sia indice di qualcosa di serio, come una rottura tra voi due. In primo luogo è ancora a New York e devi considerare il fuso orario.»

«Sono d'accordo. È solo che si è comportato in modo tanto infantile, sembrava geloso e possessivo.»

«Ebbene, tesoro, è il tipico comportamento degli uomini o, per meglio dire, è il tipico comportamento di un uomo innamorato di *te*. E penso lo *sia* in modo piuttosto serio.»

«Lo pensi davvero?»

«Ci scommetterei il mio ultimo dollaro, ragazzina», mormorò lui usando il gergo della loro gioventù. «Devo ammettere che Adam mi piace molto e che voi due state bene insieme.»

«Si pavoneggerebbe, se ti sentisse dire quello che hai appena detto», ribatté lei in tono sarcastico.

«Parli come se lo ritenessi un idolo dai piedi di argilla», commentò Charlie. «Non ti piace più? Non sei più affascinata da lui?»

Charlie aveva parlato in tono tanto serio, che Alicia scoppiò a ridere. «No, non sono disincantata, immagino che il fatto che lui non mi avesse creduta quando gli ho detto che ero fuori con te mi abbia infastidita. Non è una dimostrazione di mancanza di fiducia?»

«Un po' sì, ma ricorda che con ogni probabilità era frustrato per non essere riuscito a parlarti, mentre aveva tanto desiderato farlo. Ecco, ammettiamolo, gli uomini innamorati possono diventare piuttosto irrazionali.»

«Questo è l'unico bicchiere che posso bere questa sera, Charlie», disse Alicia sollevando la sua coppa di champagne «Domani devo girare una scena importante e devo essere al meglio.»

«Sono sicuro che sarai perfetta, e ci tengo a dirti che sono orgoglioso per come hai lavorato sodo da quando avevi vent'anni. Sei un'attrice fantastica e ora è giunto il tuo momento. Sono sicuro che questo film ti darà tutti i riconoscimenti che meriti.»

«Grazie, Charlie. Quello di cui sono veramente fiera è che non sono mai rimasta senza lavoro e che, come te, mi sono mantenuta da sola. Nessuno di noi due ha mai chiesto ai nostri genitori un aiuto finanziario.»

«È vero ed è così che voglio sia. Come stanno? Li hai sentiti ultimamente?»

«La settimana scorsa ho ricevuto una lettera da mamma in cui mi augurava buona fortuna per la nuova pellicola. Al momento sembrano in forma. Le cose si sono appianate dalla lite di questa estate, anche se lei non parla di tornare. A quanto pare intendeva proprio quello che aveva detto.»

Charlie annuì. «L'altro giorno stavo parlando con papà e lui mi ha fatto capire che rimarranno a Zurigo fino alla prossima primavera.»

«Penso che a Cecily dispiacerà, se non verranno a Cavendon per Natale. Ma che possiamo farci?» Alicia si strinse nelle spalle e lanciò un'occhiata all'orologio. «Possiamo passare al piano superiore per la cena, Charlie? Non voglio fare tardi.»

«Certo.» Salirono nella sala da pranzo e poco dopo erano seduti al tavolo e stavano leggendo il menu.

«Scommetto che ordinerai gli stessi miei piatti», scherzò Alicia fissando il fratello da sopra il menu.

«È quello che facciamo sempre, non è vero?»

«Io prenderò dei gamberetti come antipasto e poi un filetto alla diana.»

«Anch'io.»

Charlie ordinò anche un altro bicchiere di champagne, ma Alicia continuò con l'acqua. Per non parlare più di Adam, chiese a Charlie quali erano i suoi programmi per Natale.

«Avendo parlato dei genitori poco fa, continuo a pensare al Natale», riprese Alicia. «Se ho capito bene, hanno intenzione di restare a Zurigo. Dulcie e James sono a Los Angeles, anche se potrebbero tornare in tempo, sempre che James riesca a finire le riprese.»

«Se devo essere sincero, Alicia, non ho proprio voglia di andare a Zurigo. Sai bene quanto amo il nostro Natale tradizionale a Cavendon. Sono all'antica, suppongo, e sarò a casa nello Yorkshire. E tu?»

«Adam ha accennato di andare a Beverly Hills e quello sarebbe un bel problema per me, per i tuoi stessi motivi. Preferisco passarlo a Cavendon. Inoltre non vorrei dare a zia Cecily e a zio Miles l'impressione di essere abbandonati da tutti noi.»

«Concordo. Ci saranno anche zia Diedre, Robin e zio Will e naturalmente zia Charlotte.»

«Che mi dici dei nostri fratelli? Sai niente?»

«Thomas e Andrew andranno certamente a Zurigo. Dopotutto lavorano nella società di papà, la gestiscono in sua assenza. Ma Annabel sarà a Cavendon, ne sono sicuro», rispose Charlie.

«Mi sento in colpa per non averla vista ultimamente. E tu?»

«L'altro giorno sono passato dalla galleria d'arte e le ho offerto un pranzo veloce», replicò Charlie. «È la persona più indipendente che conosco. È determinata a fare a modo suo. Ama ancora suonare il piano, ma con la morte di Alex Dubé è morta anche la sua ambizione di diventare una concertista.»

«Mi spiace, ha un grande talento e io l'ho sempre considerata un prodigio della musica. Pensi che sia stata la mamma a scoraggiarla? A convincerla a *non* puntare a diventare concertista?»

«Non lo so, ma penso di no. Annabel è una persona pragmatica e, per inciso, è splendida. Molto tempo fa mi ha confessato di volersi guadagnare da vivere. La sua altra passione è sempre stata l'arte, sai che ama essere il braccio destro di Dulcie, gestire la galleria in Conduit Street. E, come hai fatto tu, a pranzo ha parlato del Natale. Immagino che tutti noi ci si stia pensando.»

«E non è neppure tanto lontano», mormorò Alicia, chiedendosi, se Adam avrebbe creato problemi, se lei non l'avesse seguito a Los Angeles. Mise da parte quel pensiero. Ci penserò un altro giorno, decise.

Charlie vide il cameriere dirigersi verso di loro. «Ecco i nostri gamberetti. Alicia, come mai quell'espressione perplessa? O sei preoccupata?»

«Niente, lascia perdere... mi stavo solo chiedendo se Adam farà il difficile riguardo il Natale.»

«Invitalo a Cavendon. Non rifiuterà il tuo invito, nessuno lo farebbe.»

Il mattino seguente l'auto dello studio passò a prendere Alicia sul presto. Era giovedì, e avrebbero girato la scena più importante della settimana. Non tanto per la durata, ma per la sua rilevanza nella trama. Come succede spesso, la scena non viene girata in sequenza, ma, sarebbe stata l'ultima durante il montaggio del film.

Alicia pensava a questo, mentre prendeva posto nell'auto e ringraziava silenziosamente Dio per le segretarie di edizione che tenevano tutto sotto controllo.

Scacciato deliberatamente Adam dalla mente, si concentrò su Victoria e si chiese cosa sarebbe successo durante il prossimo fine settimana nel Kent.

Mentre tornavano a Londra, Victoria le aveva parlato della fondazione e di quello che Christopher voleva fare per i reduci di guerra.

Quello che più le piaceva era che l'ente benefico avrebbe aiutato non solo gli aviatori, ma anche i soldati e i marinai.

Un brav'uomo, pensò Alicia. Si rilassò, comprendendo di colpo che il famoso eroe di guerra avrebbe certamente fatto la cosa giusta. Era un uomo d'onore e integrità.

Aveva detto a Victoria che riteneva fosse lei al comando, ma ora cambiò idea. Era Christopher quello che prendeva le decisioni. Lui conosceva tutte le ramificazioni, si rendeva conto di ciò che poteva fare e di quello che implicava stare con una donna. Proprio come era consapevole che qualsiasi donna si fosse innamorata di lui avrebbe dovuto affrontare enormi responsabilità. Avrebbe preso la decisione giusta per entrambi. Istintivamente seppe che, in qualunque caso, Victoria sarebbe stata al sicuro con lui.

Arrivata agli studi, entrò nel suo camerino, si sfilò il cappotto e la sciarpa e si diresse subito alla sala trucco, dove Anna Lancing la stava già aspettando.

Lavoravano insieme da molto tempo e, dopo i loro soliti saluti scherzosi, Alicia si sedette e Anna si mise a lavorare sul suo viso. Non parlavano mai quando Anna le applicava cosmetici, perché aveva bisogno che il suo volto rimanesse immobile.

Alicia lasciò vagare i pensieri, passando da Victoria che andava alla Romney Marsh, alla nostalgia che provava per sua madre ancora a Zurigo, a Cecily che si affannava a Cavendon. Alicia avrebbe passato il fine settimana a Cavendon, con l'intenzione di svuotare i suoi armadi, come aveva promesso alla zia.

Cecily teneva una cesta nella sala da pranzo del personale vicino alla cucina, dove tutti potevano mettere vestiti che non usavano più e che poi venivano mandati all'Esercito della Salvezza a Harrogate che li donava alle famiglie bisognose. Era una tradizione iniziata anni prima e Cecily voleva mantenerla, decisa a non lasciare che Cavendon annegasse in sbiadite vestigia del passato.

Il pensiero dei vestiti portò Alicia a concentrarsi sul Royal Command Film Performance, ora non più tanto lontano nel tempo. Esaminò mentalmente i propri gioielli, alcuni donatigli dal padre e dalla prozia Gwen, chiedendosi quali indossare con l'abito da ballo in tulle azzurro. Pensare a Cavendon le fece capire quanto dovesse essere difficile per sua madre vedere i grandi cambiamenti in casa e il vecchio modo di gestire le cose stravolto dall'urgente necessità di pagare i conti.

Dopo il trucco, finì nelle mani della parrucchiera e poi tornò nel suo camerino dove l'aspettava Marriette Tufton, la costumista. Pochi minuti dopo indossava il costume di scena ed era pronta per recarsi sul set.

I tecnici la salutarono calorosamente, mentre lei scavalcava cavi ed evitata attrezzature, diretta al set dove avrebbero girato le riprese.

Chiacchierò per un momento con il regista, Paul Dowling, e il coprotagonista, Andrew Vance, che poi l'accompagnò sul set.

Alicia possedeva un talento speciale che, in un certo senso, le dava un vantaggio sugli altri attori. Aveva una memoria straordinaria, una memoria fotografica. Le sue battute si radicavano nella sua banca dati tanto solidamente che la lasciavano libera di concentrarsi sulla recitazione. Le parole scaturivano automaticamente e con naturalezza.

«Ciak! Si gira!» urlò Dowling.

Il set era allestito come una cucina di campagna. Alicia e Andrew erano in piedi nel bel mezzo della stanza. Lei iniziò a parlare per prima, sottovoce, in modo gentile, mentre diceva ad Andrew, suo amante nel film, che sarebbe tornata dal marito e dalla famiglia. Dovevano separarsi in quel momento, lei lo stava lasciando.

Andrew, ottimo attore pure lui, reagì di botto. Sembrava sconcertato, poi in lacrime, arrabbiato e infine di nuovo in lacrime.

Ripresero a gridare, l'ira esplose di nuovo, le parole si fecero più dure e più aspre. Seguirono le lacrime, lei strillò quando lui l'afferrò brutalmente, lottò, si liberò.

Alla fine Andrew uscì dalla cucina infuriato, lasciando Alicia da sola, le guance solcate dalle lacrime.

Alicia era certa che il regista avrebbe ritenuto buona la prima, ma, con sua grande sorpresa, Paul fece loro girare di nuovo la scena, poi una terza e una quarta volta, prima di essere completamente soddisfatto.

Finalmente il regista gridò: «Stop. Buona».

Prima che Paul avesse il tempo di lodare i due attori, qualcuno della troupe iniziò ad applaudire e poi, da lontano, una voce gridò: «Bravi! Bravi!»

Tutti si guardarono in giro, perplessi.

Alicia fu la prima a vederlo. Adam Fennell uscì da dietro il set, splendente come al solito, in camicia bianca e completo blu scuro, impeccabile, pensò Alicia.

Con un grande sorriso sul volto, lui corse da lei, l'abbracciò e la baciò sulla bocca.

Lei cedette all'istante e lo baciò con passione.

Attorno a loro la troupe impazzì. Fischi, applausi, ovazioni. Per un attimo lei pensò che non avrebbero più smesso. Era una sincera eccitazione causata dal vedere la magia e la finzione del film straripare nella vita reale. Era ciò che facevano, creare finzione e magia. Inaspettatamente erano diventate realtà.

Quando la staccò da sé, Adam le prese il viso tra le mani e la fissò negli occhi. «Mi dispiace, mi dispiace tanto», mormorò. «Sono stato distratto dagli impegni, ma ce l'ho fatta, Alicia. Ho trovato i soldi per il tuo prossimo film, tesoro.»

Le sorrise, le sfiorò una guancia e si allontanò per andare dal regista.

Stupita dalle sue parole, gli occhi di Alicia rimasero fissi su di lui, mentre parlava con Paul. Aveva raccolto il denaro per *Dangerous*. Provò un brivido di gioia. Continuò a guardarlo, mentre andava da Andrew, ovviamente per congratularsi con lui. Adam parlò poi con il cameraman e l'intera troupe, ridendo, facendo loro capire che era un produttore riconoscente. Alicia si guardò in giro chiedendosi dove fosse Mario, ma non lo vide.

Funziona, pensò. La miscela di Adam funziona e lui lo sa. È il suo fascino, quel suo atteggiamento cameratesco. Lui sarà anche stato il loro capo, ma era anche loro amico. Un buon compagno che mostra gratitudine.

E lei amò Adam, perché li faceva sentire bene. E la rabbia scivolò via, la ferita guarì e lei si sentì colma d'ammirazione per lui.

30

Appena uscì dal camerino, lui la trascinò alla sua auto e, mentre tornavano a Londra, le disse che l'avrebbe portata fuori a cena. Poi la colmò di elogi, si congratulò con lei, le disse che la sua recitazione in quel film le sarebbe valso un Academy Award.

Le promise che l'avrebbe resa una grande star e che l'amava come non aveva mai amato un'altra donna.

Adam era conosciuto in città e venne salutato con cordialità dal maître nella Grill Room del *Dorchester Hotel*.

Furono fatti sedere a uno dei tavoli migliori, in un angolo tranquillo, e lui ordinò subito una bottiglia di Dom Pérignon. Si appoggiò poi allo schienale della sedia e la guardò raggiante.

Lei ricambiò il suo sorriso, allungò la mano e strinse la sua, appoggiata sul tavolo. «Grazie per avere concluso l'affare per *Dangerous*, Adam. Sono molto emozionata.»

«Lo sarai ancora di più quando ti dirò che ho acquistato un'altra sceneggiatura per te. S'intitola *Revenge* e, sotto molti aspetti, credo sia la miglior sceneggiatura tra le due. Mi ricorda *Notorious*. Hai visto quel film?»

«Sì, era uscito qualche anno fa e i protagonisti erano Ingrid Bergman, Cary Grant e Claude Rains.»

«Secondo me è il miglior film girato da Hitchcock fino a questo punto della sua carriera. L'aveva prodotto e diretto tra la fine del 1945 e gli inizi del 1946 ed era uscito nell'estate del 1946. Io l'ho visto una decina di volte. Lo considero un film di spionaggio *noir*. *Revenge* non racconta, ovviamente, la stessa storia, ma lo si potrebbe chiamare un film *noir*... e ci renderà realmente famosi.»

Lei rise, scuotendo la testa. «Non fare il modesto, tu sei già famoso.»

Un cameriere versò lo champagne e, appena furono di nuovo soli, lui le fece un brindisi. «Non vedo l'ora di averti nel mio letto», le sussurrò, «per mandarti in estasi. Ti amo tanto, Alicia, e anche tu mi ami, non è vero?»

«Assolutamente! Come puoi pensare che non sia così?» Gli diede una lunga occhiata, poi soggiunse: «Ce ne andiamo adesso? Lasciamo perdere la cena?»

Lui scoppiò a ridere, divertito. «Il personale è ancora in casa e sai che preferisco essere solo quando siamo insieme. Abbiamo tutto il fine settimana per deliziarci a vicenda.»

Il sorriso di Alicia si spense. «Oh, Adam, domani devo andare a Cavendon! Avevo promesso a Cecily che le avrei dato una mano con i vestiti. Non posso non mantenere la promessa.»

Lui la fissò, in collera. Il suo volto s'irrigidì, poi di colpo si ammorbidì e aveva ormai ripreso il controllo quando disse: «Capisco, ma, che diavolo, sono stato lontano per giorni e mi sei mancata tanto, ti ho desiderata intensamente. Mi basta guardare quel tuo splendido faccino per eccitarmi. E adesso lo sono». Si appoggiò allo schienale e un'espressione triste offuscò i suoi bei lineamenti.

Osservatrice come era, Alicia aveva notato che il suo viso si era indurito, ma aveva scambiato quell'espressione per delusione e non per fastidio.

«Perché non vieni con me a Cavendon?» gli propose.

«Possiamo andarci in macchina e passare il fine settimana insieme. In ogni caso, voglio che tu conosca il resto della famiglia. Per favore, di' di sì.»

«Dirò di sì, se lo dirai anche tu.»

«A che cosa?»

Adam non rispose. Fece scivolare la mano nel taschino della giacca, tirò fuori una piccola scatola in pelle rossa e gliela mise davanti. «Di' di sì a questo, mia cara. Mi renderai felice.»

L'aveva sorpresa, senza dubbio. Lei riconobbe all'istante la scatolina di Cartier. Quando l'aprì, rimase a bocca aperta. All'interno c'era l'anello con diamante più splendente che avesse mai visto. Una solitario affiancato ai due lati da due diamanti a baguette.

«Oh, Adam, è meraviglioso...» L'anello le aveva tolto il fiato.

La bocca gli si stirò in un sorriso. «Vuoi sposarmi, Alicia? Vuoi diventare mia moglie?»

Lei non esitò. «Sì.» Il suo viso si aprì in un sorriso di vera e propria felicità mentre prendeva l'anello dalla scatola e lo fissava.

«Per piacere, lascia che te lo infili io al dito.» Adam allungò la mano e glielo mise sull'anulare della mano sinistra. «Mi emoziona sapere che diventerai mia moglie, che saremo sempre insieme, tesoro. E sì, domani verrò con te a Cavendon.» A voce bassa chiese: «Avrò una stanza per me? Immagino di sì».

«Sì, ma verrò a trovarti di nascosto, non preoccuparti.»

«Non vedo l'ora di vedere finalmente Cavendon. Ne ho sentito tanto parlare... una delle grandi residenze inglesi, giusto?»

«Sì, anche se io la considero solo casa mia, il luogo dove sono cresciuta.»

«Chi altri ci sarà?» domandò, come sempre curioso.

«Forse mio fratello Charlie. Lo conosci, l'hai visto a casa di Greta.»

Lui annuì e fece un cenno al cameriere. «Ordiniamo qualcosa? Devi avere fame, oggi hai lavorato sodo. E grazie a Dio per come lavori, e per il tuo magnifico talento. Sei un'attrice straordinaria. E presto sarai mia moglie.»

Alicia dimenticò tutte le sue paure. Adam l'amava e voleva sposarla. All'improvviso il futuro le parve scintillante.

Dopo cena tornarono nel suo appartamento in Bryanston Square. Il personale se ne era andato alle dieci e furono accolti dal roseo bagliore delle lampade nell'ingresso.

«Sbrigati», la incitò Adam, conducendola verso la camera da letto e nello spogliatoio. «Per piacere, fa' in fretta.»

Una volta sola, Alicia si guardò nello specchio, ricordandosi di togliersi rossetto e trucco. Si spogliò con rapidità, eccitata quanto lui.

Quella notte sarebbe stata speciale, forse la più speciale della sua vita. Si era fidanzata con l'uomo che amava e da cui era amata alla follia. Questo lui glielo aveva fatto sempre capire chiaramente.

S'infilò il kimono in chiffon e andò nella camera da letto. Lui la strinse a sé e si baciarono con passione, poi, sul letto si strinsero tra le braccia e si lasciarono andare senza freni. L'amplesso parve a entrambi più intenso del solito e continuarono a fare all'amore fino alle prime ore del mattino.

La sensualità di Adam non conosceva limiti e lui la portò all'estasi con la sua solita esperienza; lei rispose con ardore, ebbra di desiderio e adorazione.

Per Alicia, nessun uomo era come lui e, quando lui le sussurrò nell'orecchio «Non vedo l'ora che tu sia mia moglie», lei gli si aggrappò, scoppiando di felicità. Lui le apparteneva e lei apparteneva a lui.

* * *

Arrivarono a Cavendon venerdì pomeriggio alle tre, in tempo per il tè. Adam aveva noleggiato un'automobile con autista e viaggiarono senza fermarsi.

Cecily li salutò nell'atrio e accolse Adam con cordialità, quindi Alicia lo condusse al piano superiore, dove c'era la spaziosa suite, arredata in bianco e grigio chiaro, che aveva scelto per lui.

Adam l'ammirò e le sorrise, silenziosamente eccitato. Finalmente era nel posto che gli spettava. In un'imponente casa coloniale in una grande proprietà fondiaria e presto sarebbe diventato membro di una famiglia con molti soldi e lustro.

«Vado a sistemarmi prima del tè», disse Alicia. «A momenti Eric ti porterà su la valigia.»

«Ti devo aspettare qui?» domandò Adam.

«Sì, sono qui vicino.» Lo prese per mano e lo condusse nel salottino adiacente la camera da letto e gli indicò il bagno. «Là troverai tutto ciò che ti serve.»

«Sono felice che tu sia qui», gli disse mentre tornavano nel salotto. «Sono sicura che ti piacerà.»

«Porterai l'anello e dirai loro che sei fidanzata?» le domandò.

«Naturalmente.» Lo accompagnò poi nel corridoio e aprì una porta. «Questa è la mia stanza, se avessi bisogno di me.»

«Questo è un dato di fatto», rispose lui, con un sorriso fanciullesco.

31

IL vecchio casolare si chiamava Seamere. Non era molto distante da Aldington, vicino alla Romney Marsh nel Kent. Durante il viaggio Christopher raccontò a Victoria che i genitori l'avevano acquistato anni prima della sua nascita e l'avevano arredato con mobili antichi trovati in zona.

«Vicki», disse Christopher, mentre la vecchia Daimler percorreva il lungo viale d'accesso tra una fitta area boschiva.

Victoria si voltò verso di lui che come sempre sorrideva.

«Questo posto è molto importante per me», le sussurrò. «Trascorro molto tempo qui... spero che ti piacerà tanto quanto piace a me.»

«Ne sono sicura.» Provò quell'impeto di desiderio, il bisogno di essere più vicina a lui, di stringerlo tra le braccia, ma si controllò. Finché non avesse fatto lui la prima mossa, lei doveva mantenere il controllo delle proprie emozioni che temeva potessero prendere il sopravvento. Era un tormento amare qualcuno e non poterlo dire.

Lui si chinò su di lei e le diede un bacio sulla guancia. «Ho scelto una camera che sono sicuro ti piacerà», la informò. «Ecco, siamo finalmente arrivati!»

Freddy arrestò la Daimler nel mezzo di un ampio cortile e il furgone nero guidato da Bruce parcheggiò dietro di loro.

«Forza, Vicki, salta fuori e fatti una prima idea di Seamere», esclamò Christopher, con ancora un accenno della risata di prima nella voce.

Lei uscì dall'auto e alzò gli occhi sulla casa che era tanto importante per lui. Per un attimo rimase senza fiato, stupita dalla sua bellezza.

Il casolare non era proprio in stile elisabettiano, eppure aveva una precisa aria Tudor. Lungo e basso, perfettamente proporzionato, con un tetto spiovente e numerose finestre.

All'improvviso le fu accanto sulla sedia a rotelle. «Allora, qual è il verdetto?» le chiese.

Lei gli appoggiò una mano sulla spalla. «È bellissima. Potrei vivere qui per sempre, Christopher.»

Spero che tu lo intenda per davvero, pensò lui, girando la testa al rumore di passi affrettati. Victoria seguì la direzione del suo sguardo.

Un uomo alto e robusto stava correndo verso di loro. Indossava un maglione da pescatore, calzoni di velluto a coste e una vecchia giacca in tweed. «Sono Alex, Alex Poniatowski, signorina Brown», si presentò a Victoria con un allegro sorriso su un bel viso irregolare. «Benvenuta.»

«Sono felice di essere qui, signor Poniatowski.»

«Per favore, mi chiami Alex.»

«E tutti chiamano me Vicki.»

Alex annuì, quindi andò ad abbracciare Christopher. Era chiaro che erano molto affezionati l'uno all'altro.

«Meglio entrare», annunciò Alex. «Fa sempre più freddo e tra breve calerà il buio. E ricorda che tu vuoi essere sempre qui in quello speciale momento, Christopher.»

Alex spinse con decisione la carrozzina verso la casa. Victoria ne comprese il motivo nel vedere che c'erano numerosi scalini in pietra davanti all'enorme porta d'ingresso. La sedia a rotelle doveva essere spinta a mano.

Lei sapeva chi era Alex. Christopher gliene aveva parlato il giorno precedente. Era il suo primo assistente personale. Alex si occupava dell'ente benefico dei reduci e degli eventi pubblici ai quali Christopher doveva partecipare, e gestiva i suoi affari.

Era un polacco fuggito dal suo Paese natale appena prima che i nazisti lo devastassero, lo riducessero in macerie e ne rovesciassero la classe dirigente. Una volta a Londra era entrato nella divisione polacca dell'esercito inglese. Lui e Christopher erano diventati amici durante la guerra, presentati da un amico comune.

Victoria sapeva che Alex lavorava per Christopher dal 1946 e che gli era devoto.

Una volta entrati in casa, l'occhio fotografico di Victoria recepì le scure travi, le pareti bianche, il lucido pavimento in legno e alcuni quadri alle pareti. Si rese anche conto che era una casa più piccola di quanto avesse suggerito l'esterno.

Alex l'aspettava nell'ampio ingresso. «Christopher è andato in biblioteca», la informò. Si voltò e indicò il corridoio. «Laggiù. Bruce le porterà la valigia. Vuole che la governante gliela sistemi?»

«Grazie, ma ci penserò io. Non ho portato molte cose.»

«Più tardi Christopher le mostrerà la sua camera, ora c'è qualcosa che desidera che lei veda. Qualcosa all'esterno. Dovrebbe affrettarsi.»

Lei corse lungo il corridoio e guardò nella prima porta aperta. Era la biblioteca: pareti blu scuro e centinaia di libri. Erano state accese numerose lampade e nel caminetto ardeva un bel fuoco.

«Sono qui, vicino alla finestra», la chiamò Christopher sentendola arrivare.

«Ti vedo.» Victoria attraversò la stanza, le scarpette silenziose sul pavimento in legno. Ovviamente non c'erano tappeti neppure nella casa a Hampstead, nulla che intralciasse la sedia a rotelle.

La finestra, come l'aveva chiamata Christopher, era di fatto una portafinestra aperta su un terrazzo che dava sui giardini.

Lei uscì e scoprì che era già stata portata fuori una sedia per lei e che su un piccolo tavolo c'era il secchiello dello champagne e due bicchieri.

«Posso versare?» domandò.

«Sarebbe meraviglioso, mia cara.»

Dopo avergli allungato un flûte, lei prese il suo e si sedette accanto a lui.

«Alex mi ha detto di affrettarmi, che c'era qualcosa che vuoi farmi vedere. Cosa?»

«A quest'ora nella marcita cambia qualcosa. Ho sempre pensato che fosse un momento magico. Più tardi, dopo cena, se la notte fosse serena, si vedono le luci della Francia. Ma ora dobbiamo aspettare e poi ti spiego.» Si zittì un momento. «Non so dirti quanto sono felice che tu sia qui, accanto a me, Vicki. Seamere è costruita su un'altura, quindi un po' più in alto dei giardini. Se guardi attentamente, vedrai che sono leggermente in pendenza.»

«È vero, qui sono quasi a livello della casa, ma poi digradano gradualmente.»

«Oltre i giardini ci sono parecchi acri di terra piana e al di là miglia di basse marcite, alcune addirittura sotto il livello del mare. Ecco perché il mare pare alto nel cielo.»

«Hai ragione! Un'illusione ottica. E ora la foschia si sta alzando, Christopher. Oh, sì, è magico!» Victoria si girò verso di lui, gli occhi scintillanti.

«Era stato mio padre a spiegarmi il fenomeno quando ero un bambino e ancora mi piace sedermi qui fuori quando si alza la foschia, galleggia e ricordo le vecchie storie che mi ha raccontato sui contrabbandieri che hanno reso questo posto tristemente famoso, e altre favole romantiche.» Allungò il braccio e le strinse la mano. «Era questo che volevo condividere con te, Vicki.»

«Sono contenta che tu l'abbia fatto. Desidero condividere *tutto* con te», mormorò, ponendo l'accento sulla parola tutto.

«Un altro motivo per cui desideravo che tu venissi qui per alcuni giorni», riprese, riallacciandosi a quelle parole, «era per poterci conoscere meglio. Stare sotto lo stesso tetto insieme, vedere quanto ci sopportiamo su base giornaliera.» Un debole sorriso apparve sulla sua bocca. «Più tardi vorrei parlare con te di altre cosucce. Ma adesso spero non ti dispiaccia se Alex si unirà a noi per la cena. Sono certo che hai già capito che siamo molto amici e che io faccio conto su di lui.»

«Non mi dispiace affatto, sono io l'ospite qui.»

«Passiamo molto tempo assieme lui e io, Vicki, e questo non cambierà.» S'interruppe, la fissò intensamente con espressione interrogativa.

Lei gli sorrise. «Purché ci sia anch'io con te.»

«Lo spero. Tra breve conoscerai Vita e Joe. Vivono qui, dirigono la casa, si occupano di tutto e Vita è un'ottima cuoca. Per questa sera sta preparando una zuppa di porri e patate e uno squisito timballo di pesce. So che ti piace il pesce.»

«Piace a tutti gli inglesi, no? Dopotutto siamo cresciuti su un'isola, non avevamo altra scelta.»

«Beviamoci un altro po' di bollicine prima di cena, che ne dici?»

Lei si alzò, riempì i loro bicchieri, si risedette e gli lanciò un'occhiata. «Non ti ho mai visto bere molto alcol, in realtà pensavo tu fossi astemio.»

«In un certo senso lo sono. Sento di dover essere sempre lucido, dal momento che sono quasi sempre su questa sedia, destreggiandomi da solo. Ma questa serata è per me molto speciale. Mi emoziona averti qui, in questo posto che amo tanto. Condividerlo con te, vedere la tua reazione. Domani ti farò fare un giro della casa, ti porterò nella mia camera da letto da bambino. Ho fatto installare un ascensore quando sono tornato alla fine della guerra», spiegò, notando lo sguardo perplesso sul suo volto.

Poco dopo Christopher si spostò nella biblioteca e poi nel corridoio. Si fermò per aspettarla. «Quella è la tua camera», annunciò, indicando una porta aperta. «Entra e dà una breve occhiata, Vicki.»

Victoria notò subito che era una bella stanza, confortevole, arredata in modo sobrio. Dal piccolo ingresso si passava nella camera da letto. Un letto a baldacchino occupava il posto d'onore nella stanza che era un misto di toni delicati, gialli e color crema sbiaditi.

Lei attraversò un passaggio a volta aperto e si ritrovò in un salottino arredato con grandi e confortevoli poltrone, un divano, una piccola scrivania e scaffali di libri. Gli stessi pallidi colori davano continuità alle due aree e le porte finestre si aprivano sulla terrazza. Nel salottino trovò anche la sua valigia.

Tornò nel corridoio e gli toccò la spalla. «È perfetta, grazie.»

Lui annuì, rimase in silenzio, ma i suoi scuri occhi luccicavano di piacere.

«Spero che tu sia abbia fame», disse, avviandosi lungo un altro corridoio più corto. «A dire il vero, io ho una fame da lupo», dichiarò poi, spostandosi in una sala da pranzo di media grandezza dove ardeva un caminetto e sulla tavola erano state accese delle candele.

«Siediti qui, accanto a me. Alex si siederà all'altro lato. Oh, eccolo che arriva.»

Alex entrò, sorridente e cordiale, e Victoria notò che si era cambiato d'abito. Ora indossava un blazer scuro, una camicia a scacchi, una cravatta in lana e pantaloni grigi.

Christopher non si era cambiato, ma indossava già una giacca in tweed, una camicia celeste e una cravatta blu scuro.

Lei non poté esimersi dal chiedersi, se non avrebbe dovuto cambiarsi, ma non c'era stato tempo. Sperò che l'abito a maglia grigio chiaro fosse adatto per una cena in campagna.

Alex le stava domandando se la sua camera le era piaciuta, quando Vita, una donna di mezza età, entrò per salutare Christopher e darle il benvenuto a Seamere. Scappò poi via, spiegando che sarebbe subito tornata con la cena.

«All'inizio ti sembrerà un po' fredda, Victoria, ma è soltanto timidezza. Suo marito Joe è molto più ciarliero. Erano qui con i miei genitori e lavorano a Seamere da anni.»

«L'ho trovata molto gentile», ribatté Victoria, interrompendosi di colpo nel vedere Vita tornare spingendo un carrello da tè che lasciò nel corridoio; portò le scodelle di zuppa una alla volta.

«Questa minestra è squisita», esclamò Victoria, parlando tra una cucchiaiata e l'altra. «I colori della mia camera Alex sono bellissimi.» Poi, guardando Christopher, aggiunse: «Seamere è così tranquilla, tanto rilassante dopo la frenesia di Londra. Non mi meraviglia che tu voglia vivere qui tutto il tempo».

«Come Christopher», s'intromise Alex, «anch'io non vedo l'ora di tornare qui. C'è qualcosa che crea dipendenza in questo buffo vecchio casolare e in tutte le leggende popolari su questo posto e i suoi misteri. E la campagna del Kent è meravigliosa. Forse domani le piacerebbe fare una passeggiata nei boschi o scendere al mare.»

«Forse porterò in giro io Victoria e le mostrerò il bosco

delle campanule, Alex», disse Christopher, prima che Victoria potesse rispondere. «Anche se in questo periodo dell'anno non sono fiorite. Ma tu le vedrai in primavera, vero Vicki?»

«Dipendesse da me, sì, e raccoglierò campanule», replicò, ridendo.

Lui la fissò e le fece l'occhiolino, cosa che la colse di sorpresa.

Vita *era* una brava cuoca, anche il timballo di pesce era eccellente come aveva detto con vanto Christopher. Vita l'aveva cucinato con gamberetti, vongole e cozze, pezzetti di eglefino e di merluzzo, con aggiunta di cipolle e sedano, il tutto in una leggera crema vellutata. Il timballo era ricoperto da una crosta di patate abbrustolita nel forno.

Per un po' parlarono del Kent, poi Christopher fece alcune domande ad Alex sugli sviluppi dell'ente.

Victoria ascoltò. A volte i suoi pensieri passavano ad altro, al consiglio che le aveva dato Alicia, chiedendosi se dovesse metterlo in pratica o no. Il suggerimento di Alicia era stato un po' audace. E se le sue azioni l'avessero scioccato? Quando aveva menzionato questa possibilità ad Alicia, l'amica aveva sorriso, facendole notare che Christopher era con ogni probabilità un uomo evoluto, non uno facile da impressionare. Eppure, devo ancora rifletterci meglio, si disse Victoria.

32

«Che cosa sono quelle luci che lampeggiano laggiù?» domandò Victoria.

Stavano prendendo il caffè nella biblioteca e guardavano fuori dalle porte finestre chiuse, perché la notte si era fatta fredda. Alle loro spalle ardeva un fuoco che rendeva la stanza accogliente.

«Sono i raggi del faro di Dungeness», rispose Christopher. «Guarda alla tua sinistra e vedrai una linea di luci sfavillanti. È la costa della Francia, forse non te ne sei accorta, Vicki, ma siamo molto vicini al canale della Manica.»

«Hai ragione, non me ne ero resa conto.» Si alzò e avvicinò la faccia al vetro. «Caspita, le vedo... sono come stelle.» Tornò a sedersi. «Ancora grazie per avermi invitata qui per questo splendido fine settimana.»

«Mi fa piacere. Avevo i miei motivi per desiderare che tu venissi a Seamere. Ecco, te ne avevo già accennato, devo parlare con te di alcune... cose... importanti, Victoria, e preferisco farlo stasera. È importante.» Lei rimase in silenzio e lui soggiunse: «Ti va bene? Non è troppo tardi, sono solo le otto e mezzo».

«Certo che non lo è, so che ore sono. Abbiamo cenato

presto.» Aveva parlato in tono tanto solenne che lei si pre-occupò.

«Credo che sarà una lunga chiacchierata, per cui ti consiglio di metterti addosso qualcosa di più confortevole, forse un paio di pantaloni e un maglione. E disfa i bagagli. Nel frattempo Freddy o Bruce verranno a prepararmi per la notte, così non dovrò disturbarli più tardi e tu e io potremo rilassarci davanti al caminetto con un brandy e chiacchierare senza venire interrotti.»

«Puoi andare a letto da solo?»

«Sì, con le stampelle. Nessun problema, non preoccuparti di questo.»

«Vuoi che vada a cercare uno dei due?» domandò lei, alzandosi.

«No, non è necessario. Nella mia camera da letto c'è un congegno, lo premo e li avverte che ho bisogno di loro. Ci vediamo tra una quindicina di minuti. Che ne dici?»

Lei annuì e uscì. Le sue parole, tanto serie, l'avevano spaventata. Le avrebbe detto qualcosa di terribile? Qualcosa che non desiderava sentire? Su di lui? Sulla sua salute? Scacciando questi pensieri, disfece la valigia, appese i pochi abiti, infilando la biancheria intima in un cassetto, quindi andò in bagno e svuotò il necessaire. Si lavò le mani e i denti, poi si spazzolò i capelli. In camera da letto si spogliò.

Victoria adorava gli ampi e morbidi pantaloni di Cecily e Greta gliene aveva dato un paio in crêpe de chine blu scuro. Li accoppiò a una semplice camicetta bianca e infilò i piedi in un paio di scarpe con i tacchi.

Tornò in bagno, si osservò allo specchio e decise che aveva un aspetto presentabile. Si spruzzò soltanto due dita di profumo Ma Griffe. Diede un'occhiata all'orologio e vide che ci aveva messo esattamente venti minuti.

Si affrettò a tornare nella biblioteca dove trovò Christopher seduto davanti al caminetto. Indossava una vestaglia ed era a piedi nudi.

«Eccomi qui. Sono tutta orecchi», esclamò, sedendosi di fronte a lui.

«Non essere tanto cupa», la tranquillizzò lui dopo averla osservata per qualche istante, «non ti dirò nulla di brutto, o almeno nulla di troppo brutto.»

«Sapevo che sarebbe stato...» sbottò Victoria, arrabbiata.

Lui la interruppe. «Non brutto nel senso che intendi tu. Voglio solo parlarti con onestà, mettere alcune cose in chiaro, rifletterci con te. Sinceramente, quello che sto per dirti non ti sconvolgerà. Va bene?»

Per il sollievo non riuscì a rispondere. Negli ultimi secondi le si era stretta la gola. Annuì e si rilassò nella poltrona.

«Non ci conosciamo da molto...»

«Dal quattro di ottobre e oggi è il ventuno», lo interruppe lei.

«Non credo che importi quando si parla di emozioni», riprese, divertito dalla sua precisione femminile. «Credo che tutti capiscano subito di avere incontrato la propria anima gemella. Sei d'accordo?»

«Sì. Sono io la tua anima gemella?» chiese, tirando un profondo respiro.

«Penso che tu lo sia», dichiarò, poi esitò. «Alcune cose mi preoccupano, Victoria. Non sono come gli altri uomini. Tanto per cominciare sono disabile.»

«Mi stai dicendo che non puoi avere un rapporto intimo con me?»

«No, posso averlo. La settimana scorsa sono andato dal mio neurologo che mi ha esaminato a fondo. Si chiama Abel Palmerston e non siamo solo medico e paziente, ma anche buoni amici. Abel mi ha rassicurato e mi ha detto che posso avere dei figli.»

«Quindi non ci sono problemi. È tutto normale, vero?»

«In quel senso sì, ma sono preoccupato per te, Vicki. Temo che potresti stufarti di me, perché sono bloccato su questa sedia e che potresti sentirti obbligata a restare con me per non ferire i miei sentimenti. E questo è qualcosa che non vorrei.»

Victoria si appoggiò allo schienale della poltrona, i pensieri che le turbinavano nella testa. Ricordò le parole di Alicia, come le aveva consigliato di sedurlo, di dimostrargli che poteva avere un'erezione perché lei, Vicki, l'aveva eccitato. Alicia le aveva addirittura spiegato cosa fare, affinché accadesse.

«Sono innamorata di te, Christopher», ammise infine. «E lo sono dal primo giorno che ti ho conosciuto. Tu sei innamorato di me?»

«Sì, molto, fin dal momento in cui sei entrata nel mio studio come qualcosa emerso da uno splendido sogno. E ce lo siamo detti, senza pronunciare una parola, no?»

«È vero.» Lo fissò e prese il coraggio a due mani. «Come mai allora siamo seduti qui a discuterne? Perché non siamo nel tuo letto a fare all'amore invece di sprecare tempo?»

Lui scoppiò a ridere, e l'amò ancora di più per la sua sincerità, per la sua schiettezza. Sapeva inoltre di potersi fidare di lei, e questo gli piacque, lo rassicurò. Il suo forte codice morale lo portava a disprezzare le donne ambigue.

Victoria era consapevole di essere capace di divertirlo, di farlo ridere e aveva usato spesso quella sua abilità. Ora si sentì sollevata. Balzò in piedi e corse da lui, sapendo che la tensione tra loro si era di colpo finalmente infranta. Avevano infine ammesso di essere innamorati l'uno dell'altra.

Si chinò sulla sedia e lo baciò sulla bocca. Lui la cinse con le braccia e lei sentì i suoi muscoli, la forza delle sue braccia, mentre lui l'attirava a sé e la baciava con passione.

«Mettila in questo modo», gli disse staccandosi da lui.

«Stiamo per fare una prova generale. Se non dovesse funzionare, che importa, potremo sempre riprovarci.»

Come sapeva sarebbe successo, lui iniziò a ridere, le prese la mano e le baciò le dita. «Grazie a Dio per essere entrata nella mia vita, tesoro.»

«E sono qui per restarci.»

«Va' in camera tua e mettiti qualsiasi cosa usi per dormire, poi torna qui. Io sarò a letto, ad aspettarti. La mia camera è oltre quella porta.» Indicò l'altro lato della biblioteca. «Oh, quando torni, chiudi a chiave la biblioteca.»

Seguendo di nuovo il consiglio di Alicia, indossò una camicia da notte rosa, molto femminile e piuttosto trasparente. Appoggiò sulla piccola toletta in bagno orecchini e orologio, si spruzzò con Ma Griffe e uscì, chiudendosi la porta alle spalle.

Rientrando nella biblioteca, notò che Christopher aveva spento la maggior parte delle luci, lasciando accesa solo quella accanto al caminetto. «Sono tornata. Posso venire da te?» domandò, chiudendo a chiave la porta.

«Ti sto aspettando, Victoria, vieni, amore mio.»

Lei aprì la porta della camera da letto, entrò e si bloccò. La camera era molto diversa da come se l'era aspettata. Era quasi sterile, con pareti bianche e disadorna a parte una versione moderna di un antiquato letto in ottone, la sedia a rotelle e una cassa tinta di bianco sotto la finestra. Le stampelle erano appoggiate a una parete.

Christopher giaceva sul letto, due cuscini dietro la testa e lei lo guardò affascinata. Era veramente bello, con i folti capelli castani, i luminosi occhi marrone e la sensuale fossetta sul mento.

Aveva tirato il lenzuolo fin sopra i fianchi, ma era nudo.

Lei notò l'ampio petto e le forti spalle e capì quanto Bruce e Freddy l'avessero fatto allenare.

Si sentì sommergere dal desiderio e si avvicinò al letto, sapendo quanto fosse trasparente la propria camicia da notte.

Christopher non riusciva a staccarle gli occhi di dosso. La forma dei suoi seni tondi e pieni, i fianchi snelli e le gambe lunghe erano visibili attraverso il tessuto leggero e lo stuzzicavano. La desiderò. Subito.

Lei si fermò in fondo al letto, si sfilò la camicia da notte che lasciò cadere a terra e salì sul letto.

Gli scivolò accanto.

Traboccante di desiderio, lui l'attirò a sé e la strinse tra le braccia. Nel toccare la sua pelle setosa, nel sentire i suoi seni contro il suo petto, venne sopraffatto dalla felicità. Quanto l'amava. L'avrebbe amata per sempre, l'avrebbe tenuta al sicuro e avrebbe impedito che soffrisse.

Fece scorrere le mani sul corpo di Vicki, poi chinò la testa e le baciò i seni. Lei gli aveva infilato le mani tra i capelli ed emise un gemito quando lui le accarezzò i seni e le succhiò i capezzoli.

Quando le mise una mano sulla coscia e con sensualità la infilò tra le sue gambe, lei tremò sotto il suo tocco e inarcò la schiena.

Victoria avvampò, lo toccò, lo accarezzò, eccitata nel sentire che era eccitato quanto lei. L'amore che provava per lui esplose. Lui era suo, non l'avrebbe mai lasciato andare via.

All'improvviso Christopher le bloccò la mano. «Per favore, fermati, sono troppo eccitato», le mormorò contro la guancia.

«Ti desidero dentro di me», ansimò lei.

«Temo di dover restare sulla schiena», le sussurrò. Senza alcuno sforzo allungò il braccio sul corpo di Victoria e la tirò sopra di sé. Muovendola leggermente con entrambe le mani, riuscì a sistemarla.

Quando la penetrò, lei emise un grido di piacere, quindi cominciò a muoversi su di lui, sapendo che lui non poteva farlo. Aumentò la velocità, finché entrambi raggiunsero il culmine. Si avvinghiarono e urlarono di gioia e, quando lui non poté più trattenersi, fremette e gridò di nuovo e lei ripeté più e più volte il suo nome. Erano uniti. Una persona sola. Come entrambi avevano saputo sarebbe successo. Anime gemelle per sempre.

«Per essere una prova generale, non riesco a immaginare come sarà quella reale», bisbigliò Christopher, le labbra sui capelli di lei.

Victoria iniziò a ridere. «Ancora più bella, suppongo. Non posso dirti quanto sia felice che il tuo neurologo abbia avuto ragione.»

Christopher sorrise pensando a quanto Abel fosse stato utile e anche un po' audace quando gli aveva offerto ogni genere di consigli. «Che faremo, Victoria?»

«A proposito di che?»

«Non abbiamo appena avviato una liaison? Dobbiamo tenerla segreta?»

«Non credo che qui sia più un segreto. Sono sicura che tutti sanno che sono nel tuo letto.»

«Lo so. Non è quello che intendevo, pensavo ad Alice e Walter Swann. Che penseranno e diranno quando verranno a sapere di noi due?»

«Se io sono felice, lo saranno anche loro.»

«Non so», replicò Christopher in tono dubbioso. «Mettiti nei loro panni. Tu hai solo ventun anni e ti stai affacciando alla vita, mentre io ne ho ventotto e sono sfinito dalla guerra e per di più disabile. Non saranno contenti come pensi tu.»

Victoria si sollevò su un gomito e lo fissò. «Sarai anche

disabile, ma per quello che mi riguarda, sei un vero uomo. Un grand'uomo. Non avranno alcun problema.»

«No, ne avranno. Penseranno che ti stai accollando un invalido.»

«Per favore, non parlare così, Christopher», strillò lei. «Non sono affatto così. Non sono bigotti.»

«Il bigottismo non c'entra. Quello che c'entra è il loro amore per te. Loro desiderano il meglio per te. Inoltre sei tremendamente giovane, tesoro.»

«In numeri, sì, ma non per carattere e intelligenza. Secondo Alice sono molto matura per i miei ventun anni. Un'adulta. Non dimenticare che ho lavorato da quando ho finito gli studi. E un sacco di ragazze della mia età sono sposate.»

«Forse dovrei sposarti alla svelta, Vicki, forse dovrei fare un Edoardo IV.»

«Che cosa è un Edoardo IV?»

«Edoardo è diventato re d'Inghilterra a diciotto anni. Era un bell'uomo, alto, biondo e per giunta un donnaiolo. Per questo il suo mentore, il conte di Warwick, l'aveva promesso al re di Francia per sua figlia, tanto desiderava un buon matrimonio per il suo protégé. Ma Edoardo incontrò una bellissima inglese di nome Elizabeth Woodville e se ne innamorò. Lei non aveva voluto andare a letto con lui e così l'aveva sposata in gran segreto.»

«E Warwick si era infuriato come pure il re di Francia. Stai parlando della Guerra delle due Rose, tra i due diversi rami della casa regnante dei Plantageneti: i Lancaster e gli York.»

«Ragazza intelligente.»

«Alla lunga andrà tutto bene», lo rassicurò, appoggiando la testa contro la sua spalla. «In qualche modo la vita si prende cura di se stessa.»

«Forse.»

«Non voglio che sia un segreto, Chris, non lo voglio davvero.»

«Come mai mi hai chiamato Chris?» le chiese dopo un attimo di silenzio.

«Non saprei, ho avuto la sensazione che ti avrebbe fatto sentire meglio. Perché?»

«L'unica persona che mi chiamava Chris è stata mia madre.»

«Oh, ti dispiace che l'abbia fatto io?»

«Non essere sciocca. Mi piace e potrai chiamarmi come più ti va. Ti amo, Vicki.»

«E io amo te, Chris.»

Victoria si addormentò poco dopo questa conversazione, ma Christopher rimase sveglio, la mente un turbinio di pensieri.

I suoi pensieri riguardavano Victoria. Non si era aspettato di conoscere una persona come lei e per di più di innamorarsi di una donna tanto giovane e bella. Dalla fine della guerra era riuscito ad accettare le sue lesioni e aveva smesso di pensare al matrimonio e a una famiglia, gettandosi invece a capofitto nella sua opera benefica e nel giardino.

All'improvviso le sue priorità erano cambiate. Riusciva a pensare solo a Victoria e se avrebbe potuto sposarla. Desiderava prendersi cura di lei, proteggerla. La settimana prossima, tornati a Londra, sarebbe andato dal suo avvocato. Avrebbe steso un nuovo testamento, con lei come una degli eredi. Doveva proteggerla e quello era un modo semplice per farlo. Le avrebbe anche lasciato Seamere e la casa a Hampstead.

Questa decisione lo fece sentire meglio, ma non riuscì comunque a togliersi dalla mente gli Swann. Avrebbero potuto sollevare obiezioni e lui non li avrebbe biasimati. Dopotutto, lei era per loro come una figlia.

Vero è che Victoria aveva ventun anni ed era maggiorenne. Non voleva comunque mettersi tra lei e quelle due adorabili e amorevoli persone che l'avevano accolta durante la guerra.

All'improvviso trovò la risposta. Avrebbe chiesto a Victoria se poteva andare con lei a Cavendon entro le prossime settimane per conoscerli e dar loro la possibilità di conoscerlo. Avrebbe parlato con loro, mettendo in chiaro le sue intenzioni. Avrebbe chiesto in modo corretto la sua mano. Era sì o no un brav'uomo, lui? Forse l'avrebbero accettato.

Allungò la mano e la toccò con tenerezza: avrebbe dato la vita per quella ragazza che amava tanto.

33

«ADAM piace a tutti», dichiarò Cecily mentre, seduta al lungo tavolo nella sala da pranzo del personale, ripiegava degli abiti per l'Esercito della Salvezza con Alicia.

«Lo so. Ha avuto un grande successo ieri sera a cena. Sa conversare su tutto e di tutto, un pregio in situazioni sociali, ed è affascinante.»

«Sei splendida e raggiante, mia cara», osservò Cecily. «Si vede che sei innamorata e che lui ti adora. È una cosa seria?»

Con un sorriso sulle labbra Alicia infilò la mano nella tasca del cardigan, tirò fuori la scatola di Cartier e la allungò a Cecily.

«Oh, mio Dio, quanto è grande!» Cecily se lo infilò al dito e allungò la mano, ammirando l'anello. «Caspita! È davvero molto bello.»

«Non è troppo grosso? O volgare?» domandò Alicia.

«Chiunque ti dica che questo anello è volgare esprime solo invidia. No, non è affatto volgare. Grande, sì, ma portabile. Ha buon gusto. Ma perché lo tieni in tasca e non sul dito?»

«Volevo aspettare l'arrivo di Charlie per dirglielo di persona e devo telefonare anche a mamma e papà. Ma sono contenta che tu sia la prima a sapere che siamo fidanzati, Ceci. E lo porterò questa sera. Chi ci sarà a cena?»

«Le stesse persone di ieri sera, noi quattro, zia Charlotte, Diedre e Will. Ho invitato anche Paloma e Harry. Saremo in dieci con Charlie che dovrebbe arrivare oggi.»

«Ho detto ad Adam di non portare lo smoking. Miles non ha cambiato le regole del nonno senza dirmelo, vero?»

«No e non lo farà mai. Sono contenta che tuo nonno l'abbia bandito. Durante la guerra aveva deciso che era troppo stupido e frivolo indossare uno smoking e vestirsi bene, mentre c'erano uomini che stavano morendo per il loro Paese. So che i maschi della famiglia sono sollevati di non doverlo più indossare. In ogni caso, a me piace sempre mettere un bel vestitino.»

«Lo farò anch'io. Ho pensato che Miles, quale capo famiglia, avrebbe voluto annunciare che Adam e io ci siamo appena fidanzati. Lo farà, non è vero?»

«Naturalmente.» Cecily si appoggiò allo schienale e guardò nel vuoto, l'espressione assorta. «Come stanno i tuoi genitori?» chiese infine. «Daphne? Sta bene?»

«Charlie ha parlato con loro da poco e a quanto pare stanno tutti bene. Settimane fa, quando ho iniziato le riprese del nuovo film, mamma mi ha scritto un biglietto, augurandomi buona fortuna. Ma non sanno che mi sono fidanzata, è successo solo giovedì. Ho intenzione di telefonare loro appena Charlie sarà arrivato.»

«Ciao, mamma, possiamo entrare?»

Cecily si voltò nel sentire la voce di Gwen. La piccola si era fermata sull'uscio e teneva in braccio la gattina, Cleopatra.

«Entra, tesoro.»

La bambina di otto anni corse a dare un bacio sulla guancia alla madre, poi ne diede uno alla cugina.

«La tua gattina è ben curata oggi, Gwen. L'hai spazzolata di nuovo?» domandò Alicia.

«Sì. Mamma sostiene che devo farlo perché così rimuovo un sacco di peli morti.» Si sedette accanto a Cecily e notò immediatamente l'anello. «Oh, mamma, che bello! È nuovo?»

Ridendo, Cecily se lo sfilò dal dito e lo rimise nella scatola rossa che diede ad Alicia. «Non è mio», rispose sorridendo alla piccola. «Appartiene ad Alicia che si è appena fidanzata. Ma è un segreto fino a stasera, quando tuo padre lo annuncerà. Capito?»

«Non lo dirò a nessuno.» Sorrise alla cugina. «Mi piace avere dei segreti. A volte mamma mi racconta i suoi segreti.»

«E ricordiamoci che *sono segreti*», l'ammonì Cecily, lanciandole un'occhiata.

Christopher era seduto nella sedia a rotelle sull'uscio della camera da letto di quando era bambino e osservava Victoria gironzolare.

Le interessava ogni cosa e continuava a rivolgersi a lui, facendo commenti, sorridendo di tanto in tanto, felice di scoprire qualcosa in più su di lui.

Si avvicinò al cavallo a dondolo, lo spinse, poi lo bloccò. Vi montò sopra con slancio e iniziò a dondolare.

Ridendo divertito, Christopher applaudì.

«Adoro questo cavallo», gridò lei, sventolando una mano.

«Ne andavo pazzo anch'io», rispose lui. La presenza di Victoria lo fece sentire improvvisamente al settimo cielo.

Quando il cavallo smise di dondolare, lei rimase seduta e scrutò di nuovo la camera. «È una caverna del tesoro di Alì Babà per un ragazzino. Mi piacciono i poster degli aeroplani. Desideravi volare già allora. E i giocattoli e i libri sugli scaffali mi dicono molto di te. Oh, e quel piccolo orsacchiotto di peluche sul letto, malridotto come tutti i peluche. Ha un nome?»

«No, lo chiamavo semplicemente Orsacchiotto, il che non è molto originale. Ne avevi uno anche tu? E come si chiamava?»

Per un attimo lei non rispose, una strana espressione sul volto. «Sì, ne avevo uno», ammise infine. «Lo chiamavo Coccolino, perché lo coccolavo tanto.»

Con grazia e agilità saltò giù dal cavallo a dondolo e gli si avvicinò. «Grazie per aver condiviso questa stanza con me, Chris. Ora, vuoi portarmi a vedere il bosco delle campanule?»

Sebbene sorpreso, Christopher non commentò, ma si diresse verso l'ascensore e lei lo seguì. Pur non riuscendo a vedere il viso di Victoria, comprese che il suo atteggiamento era cambiato dopo la conversazione sull'orsacchiotto. All'improvviso pareva essersi chiusa in se stessa e lui così non l'aveva mai vista.

D'altra parte era contento che avesse menzionato la passeggiata nel bosco, c'erano ancora alcune cose di cui desiderava discutere con lei e che voleva trattare e risolvere durante questo fine settimana. All'aperto erano soli e avrebbero potuto dirsi tutto ciò che volevano.

Quel mattino, dopo che era andata in bagno, aveva chiamato Abel Palmerston come aveva promesso.

Il suo neurologo era stato felice di sapere che la sua diagnosi si era rivelata esatta e che Christopher era stato capace di «fare il suo dovere di uomo», come l'aveva chiamato Abel.

Freddy lo aiutò a infilarsi uno spesso giubbotto a scacchi sopra la giacca in tweed senza farlo scendere dalla sedia. Gli avvolse poi attorno alle gambe uno spesso plaid in lana. «Così dovrebbe andare bene», giudicò Freddy e Christopher lo ringraziò.

«Fa fresco, signorina Brown, anche se la giornata è soleggiata», l'avvertì Freddy, porgendole un Barbour verde e una sciarpa in lana rossa. «Ne avrà bisogno.»

Come al solito, Victoria comminò al suo fianco. Non parlarono, ma il loro era un silenzio amichevole, di complicità. «È meglio prendere il sentiero principale», disse Christopher, indicando l'ampio viottolo in terra battuta che portava nel bosco. «Negli ultimi anni Joe l'ha spianato per facilitare la sedia a rotelle.»

«Sei sicuro di non volere che la spinga io?» domandò Victoria, notando che il sentiero appariva a tratti accidentato.

«Forse sarebbe meglio», rispose lui, sorprendendola. «Di solito lo fanno i ragazzi e Alex. Grazie per averci pensato.»

«Nessun problema.» Victoria afferrò i manici e iniziò a spingere, scacciando così la sua improvvisa tristezza. Era riuscita a reprimerla da bambina, doveva reprimerla anche adesso, per non permettere al suo passato di guastare questo momento.

«Vicki, ho da farti una confessione...» iniziò Christopher, per poi interrompersi e cercare in silenzio le parole giuste. «Come promesso, questa mattina ho telefonato ad Abel e lui si è mostrato molto soddisfatto nel sapere che ero riuscito a compiere il mio dovere di uomo.»

«L'hai compiuto davvero. Eri talmente appassionato che potresti avermi messa incinta.» Victoria si fermò, si chinò su di lui e gli diede un bacio sulla guancia. Nella sua voce c'era un che di malinconico.

«Quando siamo usciti dalla mia stanza, mi sei parsa un po' triste, addirittura addolorata», notò lui, traendo un profondo respiro. «Che cosa è successo?»

«Se non ti dispiace, adesso non ne voglio parlare, te lo dirò presto.»

«Quando te la sentirai.»

«Hai detto che questo è il bosco delle campanule, ma dove sono, signor Longdon? Sono forse scomparse dalla sera alla mattina?» scherzò lei.

«Se la prossima primavera sarai a Seamere, vedrai un tappeto blu tra gli alberi. Ci sarai?»

«Certamente, o così spero. E un giorno spingerò una carrozzina, anche se non mi spiacerebbe spingere te per sempre.»

«Sai, volevo chiedertelo ieri sera, ma ero tanto eccitato e ti desideravo tanto che me ne sono dimenticato. Hai usato un diaframma?»

«No, perché non ero sicura, non sapevo come sarebbe andata.»

«Allora dovrò prendere io delle precauzioni.»

«No, Chris.» Vicki lo fissò. «Se facciamo sul serio, voglio il tuo bambino, Christopher, un mucchio di bambini tuoi.»

«Tra poco questo sentiero si diramerà a destra e a sinistra», disse lui invece di rispondere. «Gira a destra e arriveremo in una piccola radura, potrai sederti su una panca e insieme potremo guardare il mare al di là della marcita.»

Nel giro di pochi minuti Victoria stava ammirando il panorama. Il bosco era su un terreno più elevato di Seamere e ne poté seguire a perdita d'occhio l'estensione.

«Oh, Chris, che luogo meraviglioso», esclamò sedendosi sulla panca in ferro. «In questa giornata tanto serena, il mare è alto nel cielo.» Si voltò verso di lui e gli sorrise.

Lui le prese la mano e gliela strinse. «Desidero renderti felice, Vicki, e proteggerti. Se non vuoi usare un contraccettivo, a me sta bene. Dovrò fare un Edoardo IV, se restassi incinta.»

«D'accordo. Vedi quanto è facile risolvere i nostri piccoli problemi», rispose lei in tono trionfante.

«Ora voglio parlare degli Swann. Continuo a non credere che saranno felici della nostra relazione e del progetto di sposarci.»

«Su questo punto devi fidarti di me, Christopher. Li conosco molto bene e loro non sono mai andati contro la mia volontà. Vorrebbero essere sicuri che sono felice dopo la mia terribile...» S'interruppe bruscamente, scosse il capo, come se fosse contrariata con se stessa.

Christopher comprese, che lei stava per lasciarsi sfuggire qualcosa e che si era interrotta in tempo. Non volle costringerla a parlare, perché la rispettava. Gliene avrebbe parlato quando se la fosse sentita.

«Io... io sono stata... quando ero piccola sono stata maltrattata. Mia... madre mi ha maltrattata», confessò lentamente e con voce tremante, guardandolo intensamente.

Lui la fissò, incapace di parlare, sconvolto dalle sue parole. «Riesco a fatica a sopportare l'idea di ciò che deve averti fatto, Vicki. Per non parlare del motivo. Sei una donna bellissima, devi essere stata una bambina bellissima. Ma perché? Perché?»

«Quando avevo due, tre e quattro anni mi chiudeva in un armadio. Sotto le scale. Non potevo uscire, perché lo chiudeva con un chiavistello all'esterno. Avevo paura, tremavo e faceva molto caldo. Se avessi fatto un suono, in seguito mi avrebbe picchiata... a volte con la cintura.»

Trasse un lungo respiro prima di riprendere. «Mio nonno era un avvocato. Benestante. Quando morì, andammo a vivere con mia nonna nella sua casa a Headingley. Mia madre la temeva e così smise di farmi del male. Pochi anni dopo mia nonna ebbe un ictus e non poté più proteggermi.»

Victoria si sbottonò il Barbour e dalla tasca della giacca tirò fuori un fazzoletto. «Quando sono andata a vivere con zia Alice e zio Walter», continuò dopo essersi soffiata il naso e asciugata gli occhi colmi di lacrime, «lei ha visto i lividi sbiaditi.»

«E ti ha fatto delle domande e così finalmente hai avuto qualcuno con cui confidarti», sussurrò Christopher, comprendendo il dolore di Victoria.

«In realtà non lo feci, ma, una volta finita la guerra, avevo una tale paura che mi rimandassero da mia madre che finalmente ne parlai con zia Alice. Quando si rivolse all'organizzazione dell'Operazione Pifferaio Magico, le dissero che mia madre e mia nonna erano decedute e che mio padre era disperso in mare. E che potevano adottarmi.»

«Tuo padre non avrebbe potuto impedirle di farti del male?» domandò Christopher.

«Era sempre lontano, lavorava nella marina mercantile. Non l'ho mai realmente conosciuto.» Inaspettatamente, cominciò a piangere e si premette il fazzoletto sugli occhi. «Scusami, Chris, mi dispiace tanto.»

Lui si portò davanti alla panca e le prese la mano. «Che cosa tremenda ti è capitata, mia cara Vicki. Sono sicuro che Alice Swann si era sentita furiosa e inorridita come mi sento io adesso. Ciò che stai cercando di dire è che, a causa di quei maltrattamenti, ti lasceranno sposare chi vuoi. È così?»

«Quando ho guardato il tuo orsacchiotto, mi sono ricordata di Coccolino e quanto conforto mi aveva dato quando ero rinchiusa in quell'armadio. Un giorno, poiché avevo fatto rumore, mentre quell'uomo era in casa, lei me lo aveva gettato via.»

«Oh, mio Dio, no! A che cosa stava pensando quella donna tanto dura e vendicativa?»

«All'uomo che era con lei. Ai molti uomini che erano con lei durante la mia infanzia. Andavano e venivano e lei mi rinchiudeva, affinché non mi vedessero. Non sapessero che esistevo.»

«Vieni a sederti sulle mie ginocchia, Vicki, voglio stringerti», disse lui, le lacrime agli occhi. «Forza, tesoro, per favore. Desidero tenerti stretta e non lasciarti più andare.»

***

Quella sera, quando Victoria entrò nella sala da pranzo, Christopher aveva sistemato il proprio orsacchiotto sul posto di Victoria, un fiocco rosso al collo. E un biglietto. Lei lo aprì, lo lesse e il suo viso risplendette di gioia. Erano solo poche parole:

> Carissima Victoria,
> ora apparteniamo entrambi a te.
> Baci da Chris e Orsacchiotto.

«Grazie Chris, grazie mille. Vi terrò al sicuro per il resto della mia vita», mormorò lei, commossa.

«So che lo farai e io mi prenderò cura di voi due. Ti sposerò, Victoria Brown, con la benedizione dei tuoi genitori.»

La campagna non gli era mai interessata, non gli interessava la natura né amava gli animali. Il suo habitat naturale erano le vie delle città.

Ciononostante, Adam Fennell prestò grande attenzione al terreno che stava attraversando quella domenica mattina. Era uscito per fare una passeggiata, non faceva freddo e aveva pensato che l'aria gli avrebbe fatto bene. Inoltre Alicia era ancora indaffarata a etichettare e impacchettare i vestiti per l'Esercito della Salvezza.

Migliaia di acri. Una grande brughiera per la caccia ai galli cedroni in ottime condizioni. Soldi. Tutto faceva capire che avevano molto denaro. C'era poi la casa. Imponente. Una miniera d'oro in preziosissimi quadri, oggetti d'arte, antichità di grande valore. Nelle cantine era custodita la collezione di gioielli, tonnellate d'argento e vini d'annata a non finire. Gli Ingham erano una delle famiglie nobili più importanti d'Inghilterra. E lui stava per sposare Alicia Ingham Stanton. Sarebbe vissuto lì, in mezzo a tutto quello splendore.

Gli vennero in mente Jack Trotter e il *Golden Horn* e si chiese cosa avrebbe detto Jack, se fosse stato ancora vivo, a proposito della sua scalata al successo.

Sorrise, poi rise a crepapelle. Da Jack aveva appreso molto sugli affari e non solo. Gli tornò in mente Rosie, la donna, dieci anni più vecchia di lui, che gli aveva insegnato tutto ciò che sapeva sul sesso e su come procurare piacere alle donne. Non aveva avuto altri insegnanti. Solo il proprietario del pub e una cameriera. Il resto l'aveva imparato da solo. Per integrarsi, si era inventato un contesto più brillante, uno in cui i suoi genitori erano opportunamente morti.

Alzò gli occhi nel vedere uno stormo di uccelli librarsi alti nel cielo. Proprio come lui. Continuò la passeggiata verso Cavendon Hall.

Alicia gli aveva detto che la migliore scorciatoia per entrare nella casa dal parco era attraverso la biblioteca, per cui si diresse verso la terrazza sul retro della casa.

Mentre saliva i gradini, un crampo al polpaccio della gamba destra lo fece quasi cadere.

Si sedette su una panca in ferro battuto sistemata tra le due porte finestre e iniziò a massaggiarsi la gamba, gemendo sottovoce dal dolore.

Un attimo dopo sentì un rumore nella biblioteca e si accovacciò sulla panca, perché non voleva essere visto in quelle condizioni. E se fosse stata Alicia?

«Qui va meglio», disse qualcuno aprendo la portafinestra. «Ciò di cui ha bisogno questa stanza è un po' di aria fresca, zia Charlotte.»

Riconobbe la voce. Era Cecily Swann, la contessa di Mowbray. Tentò di alzarsi, ma un crampo lo fece ricadere sulla panca e si frizionò la gamba, ricordando che Max, il suo massaggiatore, gli aveva detto di non dimenticarsi di assumere potassio.

La contessa aveva ripreso a parlare e Adam ascoltò con attenzione.

«Ho svelato a Miles alcuni dei segreti, zia Charlotte.»

«Che cosa gli hai detto?»

«Non sei arrabbiata, vero?»

«Ma no! Gli hai parlato di Marmaduke?»

Cecily rise. «Sì, e anche di Sarah Swann, non ho resistito. In ogni caso ho sentito di dovertelo dire.»

«E che altro gli ha detto?»

«La storia della prozia Gwendolyn. Dopotutto è morta.»

«Non hai detto nulla su Daphne, vero? Oh, spero tanto di no, Cecily. Non posso svelare i guai che ha passato, neppure a suo fratello.»

«Non l'ho fatto e non lo farò mai. A Miles ho parlato solo delle vecchie generazioni. In fondo a nessuno importa di *loro* oggi.»

«I vivi invece importano. Dove è quel registro in particolare? Gli anni 1913 e 1914? Li avevi tirati fuori ultimamente.»

«Sono di nuovo nel baule in solaio.»

«Sei sicura che sia chiuso a chiave? Forse dovresti salire e controllare.»

«Per piacere, smettila di preoccuparti, zia. A chi potrebbero interessare quei vecchi registri?»

«Non si sa mai. Ma ora vado a darmi una rinfrescata. È quasi mezzogiorno.»

«E io devo andare a cercare la mia piccola Gwen.»

Poco dopo Adam udì chiudersi la porta della biblioteca e si rilassò, ripetendo mentalmente la loro conversazione. Daphne si era trovata in grossi pasticci molto tempo prima, quando era ancora una ragazza. Era evidente che la vecchia zia temeva che quel segreto potesse trapelare.

Adam si alzò e percorse la terrazza zoppicando, diretto alla porta d'ingresso della casa, la mente in subbuglio. Sapeva che Alicia era nata nel gennaio del 1914. C'era qualche segreto a proposito della sua nascita? Era forse illegittima? No, impossibile; d'altra parte, tutto era possibile.

Era stato il buon vecchio Jack Trotter a insegnargli che la conoscenza era potere. Con una simile informazione sono a posto. Ovviamente non c'era nessuno a cui avrebbe potuto porre delle domande. Avrebbe comunque potuto leggere quel registro, che era in un baule, nel solaio. Tutto ciò che doveva fare era trovare il baule e aprirlo.

Doveva pianificare ogni dettaglio con grande attenzione. Come aveva sempre fatto. Come si era costruito la vita che aveva sognato.

PARTE QUINTA

Percezioni differenti
1950

Non si può prevedere il futuro
partendo dal passato.

Edmund Burke,
Lettera a un membro dell'assemblea nazionale

34

ALICIA, seduta alla scrivania nella serra di Cavendon, stava prendendo appunti riguardanti la sceneggiatura di *Dangerous*. Appunti che le sarebbero serviti per la parte.

Aveva appena terminato di leggere la prima riscrittura fatta da Margo Littleton e Jeffrey Cox e l'aveva trovata migliore dell'originale.

Deposta la penna, si appoggiò allo schienale e guardò fuori della finestra. Era una fredda e cupa giornata, il cielo color piombo, gli alberi spogli. Una tipica giornata di febbraio.

Febbraio, mormorò sottovoce. Come poteva essere febbraio 1950, con il Paese che presto sarebbe tornato a votare? Dove erano finiti gli ultimi mesi? Erano semplicemente volati via, scomparsi in un vortice di lavoro: finire il film, partecipare alla festa di fine riprese, un Natale e un Capodanno affrettati. Poi Adam era partito per New York per incontrare i suoi finanziatori ed era tornato di cattivo umore e turbato. Da tempo Alicia aveva sospettato che avesse dei problemi con loro, ma quando gliene aveva accennato, lui l'aveva quasi aggredita. E questo non era da lui, che per lo più era amorevole e affettuoso. Di tanto in tanto instabile, e troppo possessivo... e geloso.

Ripensò a quanto le aveva detto suo fratello in ottobre dello scorso anno e cioè che Adam era un uomo innamorato e che il suo comportamento era normale. Ma lo era davvero? Le vennero in mente una serie di episodi, ma li scacciò dalla mente. Perché continuare a fare congetture? I suoi tratti migliori compensavano le scenate che lei considerava capricci infantili da ignorare.

Aveva preso appunti anche su un'altra sceneggiatura chiamata *Revenge* che aveva letto la settimana prima. Frugò in un cassetto, li trovò e li tirò fuori.

Mentre li cercava, vide un pezzetto della carta da lettera di sua madre. Era bianca con un bordo azzurro e in cima lo stemma della famiglia. Chiuse il cassetto e scosse la testa improvvisamente a disagio.

Il fatto che i suoi genitori non fossero ancora venuti a conoscere Adam l'aveva ferita e ancora lo era. Anche se non volevano tornare a Cavendon, sarebbero potuti venire a Londra per alcuni giorni.

Quando aveva telefonato loro per annunciargli che si era fidanzata, si erano congratulati con lei, ma non le avevano proposto di portare Adam a Zurigo.

Sua madre nutriva ancora del risentimento per ciò che aveva chiamato la commercializzazione di Cavendon? O si sentiva offesa perché lei e Charlie andavano a Cavendon quasi tutti i fine settimana? Forse i suoi genitori lo consideravano un atto di slealtà nei loro confronti? Erano tutte possibilità.

Alicia li amava e da bambina aveva messo Daphne su un piedistallo. Aveva pensato che sua madre fosse la donna più bella del mondo e suo padre l'intrepido cavaliere che proteggeva tutti loro.

Eppure, ripensandoci adesso, nel corso degli ultimi anni c'erano state delle piccole avvisaglie, una certa freddezza in sua madre, una mancanza di attenzione, delle piccole offese, una preferenza sempre più smaccata per Charlie, il suo prediletto. Questa sindrome madre-figlio, però, non aveva mai turbato né lei né gli altri fratelli.

Anche lei amava Charlie, lo ammirava e lo rispettava. Erano stati molto legati da bambini e lo erano ancora.

Erano compagni d'armi, come diceva Charlie, che si facevano strada attraverso il clan Ingham, trovavano il loro posto a testa alta, consapevoli che facevano parte di un'illustre famiglia. Sapevano tutto sulla lealtà e il dovere e su cosa ci si aspettava da loro due.

A volte, da piccola, quando sua madre l'aveva rimproverata o non le aveva prestato attenzione, Alicia era corsa dal nonno, Charles Ingham, il sesto conte. La bimba e l'anziano si erano avvicinati sempre più, si erano capiti, erano sulla stessa lunghezza d'onda e la sua morte l'aveva distrutta.

Alicia sospirò. Comprendeva quanto fosse difficile per sua madre accettare i cambiamenti avvenuti a Cavendon. La famiglia Ingham aveva patito la sua quota di tragedie, ma sotto la ferma mano del nonno aveva superato la guerra e gli scandali. La vita ora era diversa; le vecchie tradizioni erano scomparse, le due guerre mondiali avevano cambiato per sempre la società inglese. Anche Alicia ricordava una Cavendon diversa, una con una schiera di servitori e smoking per cena.

Alicia mise da parte quelle riflessioni sulla famiglia, rilesse i suoi appunti e riconobbe quanto quella sceneggiatura le fosse piaciuta fin dalla prima lettura. Mesi addietro Adam le aveva detto che poteva diventare un film *noir*, alla Hitchcock e lei aveva concordato: Alfred Hitchcock era il regista che sia lei sia Adam preferivano.

Alzò gli occhi dal copione nel sentire un rumore di tacchi sul pavimento in pietra della serra. Era Cecily che correva da lei, un gran sorriso stampato sul volto.

«Eccoti qui. Ti ho cercata dappertutto. Ho appena ricevuto una lettera da Dulcie, in marzo andranno tutti a New York da dove salperanno per l'Inghilterra. Per sempre», la informò. «A quanto pare le riprese del film sono terminate. Hanno messo in vendita la loro casa e stanno facendo i bagagli.»

«Oh, che bella notizia, Ceci. Mi sono mancati tanto, e non solo a me. Sei sicura che tornino a casa per sempre?» Alicia inarcò un sopracciglio.

«Sì. A James manca il teatro, come immagini, e vuole calcare di nuovo le scene. Almeno così si è espressa Dulcie.»

«Ne saranno felici anche Constance e Felix. Erano stati loro a scoprire James quando aveva suppergiù quindici anni.»

«Già, per loro è come un figlio.» Cecily rabbrividì. «Fa un po' freddo qui, Alicia. Vieni nel mio salottino. Potremo chiacchierare davanti a una bella tazza di caffè o te.»

La prima cosa che Alicia vide entrando nel salottino accanto alla sala da pranzo che Cecily usava come ufficio furono schizzi di vestiti.

«Ceci, sono meravigliosi!» esclamò. I disegni la colpirono per la loro originalità ed eleganza.

«Mi fa piacere che ti piacciano. Sono alcuni dei miei nuovi modelli che faremo realizzare questa settimana.»

«Sono diversi, attirano l'attenzione e questa nuova lunghezza mi piace molto, un po' più lunga ma morbida, e tu sai che adoro gli abiti da sera con la gonna a sbuffo.» Si girò con occhi scintillanti. «Adam mi ha detto che vorrebbe comperarmi alcuni vestiti della tua nuova collezione.»

«È molto generoso. Siamo tutti tanto contenti per te, Alicia», disse Cecily. «E che contrasto con Bryan Mellor. Molto più affascinante e piacevole. Che è successo a Bryan?»

280

«Non l'ho più sentito da quando è partito per quel tour», rispose lei, alzando le spalle.

«Adam verrà questo fine settimana? Volevo vederti anche per questo motivo.»

«Sì, è tornato da New York da una settimana ed è molto più riposato. Quei viaggi sono massacranti tra il fuso orario e così via.»

«Posso immaginarlo. Diedre e Will non ci saranno, passeranno il fine settimana a Ginevra.»

«Hanno mai avuto notizie dai miei genitori?» le domandò Alicia fissandola. «O sono andati a trovarli quando sono stati in Svizzera?»

«Per quanto ne so, no. Di fatto, nessuno ha avuto loro notizie. Io no di certo», rispose Cecily brusca. «Mi sembri improvvisamente preoccupata. Qualcosa non va?»

«Poco fa stavo pensando a loro, chiedendomi come mai non sono mai venuti a conoscere Adam.»

«Ci abbiamo pensato anche Miles e io. Ma non credo che Daphne provi sentimenti amichevoli verso di noi, verso di me in particolare. Secondo me non verrà a Cavendon per molto tempo. Non si è fatta vedere a Natale, quando sarebbe stato il momento migliore per porre fine a questa spinosa situazione.»

«Con ogni probabilità pensa che Charlie e io siamo sleali nei suoi confronti, perché abbiamo preso le tue parti. Pensi che mia madre possa essere ammalata?»

«Mi è passato per la mente e l'ho menzionato anche Miles. Ne hai parlato con tuo padre?»

«Non esattamente. In ogni caso lui non lo direbbe mai, né a me né agli altri. Adora la mamma, le è totalmente devoto. Cerca di proteggerla da tutto.»

«Lo so. Quando l'ha conosciuta, è stato amore a prima vista, anzi adorazione. E questo sentimento non è mai cambiato.»

«Non cambierà mai. Ma se fosse ammalata, penso che sarebbe importante informare i figli, che ne dici?» Alicia si sedette e le lanciò un'occhiata interrogativa.

«Ecco, sì, dovreste saperlo», concordò. «Ma Hugo sa essere molto cocciuto. Cerca di non preoccuparti troppo per loro, Alicia. Se tua madre fosse veramente malata, vi informerebbe. So che quando era partita era esausta, molto stanca.» Cecily andò a sedersi sul divano. «Cavendon è stata la sua passione per tutta la sua vita da adulta e mantenerla bella la sua vera vocazione. I cambiamenti che abbiamo dovuto apportare l'hanno sconvolta. Aveva esagerato, credo, e l'esaurimento può essere debilitante.»

Bussarono alla porta ed Eric entrò. «Desidera qualcosa da bere, sua signoria? Signorina Alicia?»

«Stavo per chiamarla», rispose Cecily. «Gradirei una tazza di caffè e tu, Alicia?»

«Lo stesso, per favore.»

«Solo Dio sa cosa farei senza di lui», confidò Cecily sottovoce. «Eric fa funzionare questa casa come un orologio. Mi ha dato il tempo per entrare nei panni di Daphne, lasciandomi quello per dedicarmi alla mia attività. È un tesoro. E lo è pure Peggy. Ma, di che stavamo parlando?»

Non volendo focalizzarsi di nuovo sui suoi genitori, Alicia decise di sollevare un altro argomento. «Che ne pensi di Christopher Longdon?» chiese.

«Che è un uomo meraviglioso!» esclamò Cecily. «I miei genitori sono rimasti stupiti quando Victoria ha detto loro che stava per fidanzarsi con lui, ma appena l'hanno conosciuto, sono caduti sotto il suo incantesimo. Come è successo a tutti noi. Ha chiesto formalmente a mio padre la sua mano.»

Alicia sorrise, orgogliosa di Victoria e di come aveva gestito l'intera faccenda. «E quel servizio su di lui su *Elegance Magazine* era favoloso. Penso che Victoria si sia superata», osservò Alicia. «Alcune delle fotografie mi hanno commossa, in particolare quella nella sua cameretta con il vecchio cavallo a dondolo e l'orsacchiotto di peluche. Mi ha detto che è stato uno scatto dell'ultimo momento e che sono riusciti a inserirlo.»

«Ha un grande talento, senza dubbio, e quanto sono belle le fotografie fate a te, tesoro. Anche quello è stato un servizio eccezionale. Miles e io siamo tanto contenti che sia stato fatto a Cavendon e non a Londra, un'ottima pubblicità per le visite alla casa di questa primavera.»

Un minuto dopo Eric tornò con il bricco del caffè che versò nelle tazze e le porse a Cecily e Alicia.

«Il signor Fennell verrà questo fine settimana, Eric», lo avvertì Cecily dopo averlo ringraziato, «ma non lady Diedre né il signor Lawson. Aspettiamo invece il signor Charlie.» Lanciò un'occhiata ad Alicia. «Verrà, vero?»

«Sì. In macchina con Adam.»

«Christopher Longdon è stato di grande aiuto a Miles», osservò Cecily una volta rimaste sole. «Gli ha mandato parecchi reduci e Miles e Harry li hanno assunti. Si sono trasferiti con le loro famiglie nelle fattorie vuote a Mowbray e Harry insegnerà loro a condurle. Un lavoro e una sistemazione estremamente necessaria per loro e di certo molto utile per noi.»

«Penso che l'ente fondato da Christopher sia fantastico. È disgustoso come vengono trattati i nostri ex soldati. Ho inviato all'organizzazione un assegno e lo stesso ha fatto Adam.»

«È stato gentile da parte tua, mia cara.»

Cecily sorseggiò il caffè, pensando ad Alicia. Era gentile, amorevole, e molto altruista.

Cecily non avrebbe mai dimenticato quanto sua nipote fosse stata devota al sesto conte, suo nonno, negli anni della vecchiaia e come fosse tornata nello Yorkshire per stare con lui invece di andare con la famiglia a Berlino.

L'aveva fatto per mantenere la promessa di passare con lui quell'estate del 1938. Il 1938. Così tanto tempo fa.

Il venerdì pomeriggio di quella settimana Charlie e Adam arrivarono a Cavendon alle tre, in tempo per il tè pomeridiano nel salotto giallo.

Quella era una tradizione che Adam adorava per l'atmosfera rilassata, il cibo e la cordialità. Educato come sempre, aveva portato alla padrona di casa un regalo che mise sul tavolo nell'atrio. Era una grande scatola di cioccolatini di Fortnum & Mason, i preferiti da Cecily.

Alicia si sentì sollevata nel vedere che era di buon umore e che aveva fatto un viaggio piacevole con Charlie.

Annabel era arrivata la sera prima e Alicia le aveva fatto il terzo grado, sperando di ricevere notizie sui loro genitori, ma anche la sorella era sconcertata quanto lei. Sì, il comportamento della madre era strano, ma no, non pensava che fosse malata. I gemelli andavano a trovarla regolarmente e non avevano menzionato nulla di fuori dell'ordinario.

Quando Alicia, Charlie e Adam entrarono nel salotto giallo, Annabel stava suonando il piano per la zia Charlotte. Miles e Cecily furono gli ultimi ad apparire.

«Dov'è Gwen?» domandò Alicia a Cecily, guardandosi in giro. «Mi aveva detto che ci saremo viste al tè.»

«È giù in cucina con Cleopatra. Dice che la gattina non sta bene», spiegò. «Ma non è nulla di grave, ne sono sicura.»

«Harry pensa che potrebbe aver mangiato qualcosa che le ha fatto male», s'intromise Miles. «La gatta guarirà.»

«Grazie Adam, per avermi inviato quel bel libro sulle grandi cattedrali del mondo», disse zia Charlotte. «È stato molto premuroso.»

«Piacere mio, zia Charlotte», ringraziò Adam sorridendole. Poi guardò Annabel che stava ancora suonando e si rivolse ad Alicia sottovoce: «Tua sorella ha un grande talento. Dovrebbe fare la concertista».

«Era quello che avrebbe voluto fare», sussurrò Alicia. «Te ne parlerò più tardi.»

35

ADAM Fennell era nel suo elemento.

Lo esaltava poter trascorrere la maggior parte dei fine settimana in quella residenza grandiosa, servito e riverito, quasi fosse, almeno nella sua mente, il signore del maniero.

Il vero signore del maniero, Miles Ingham, il settimo conte di Mowbray, l'aveva accolto cordialmente e, come il resto della famiglia, l'aveva trovato simpatico.

Quel luogo era adatto a lui. Gli spettava e qui avrebbe vissuto per il resto della sua vita. Con la stupenda Alicia. Aveva sperato che durante questo fine settimana avrebbero fissato la data del matrimonio, ma lei si era mostrata restia a farlo, voleva prima andare a Zurigo dai genitori. Sapeva che lei aveva sperato che Daphne e Hugo sarebbero volati a Cavendon a Natale per conoscerlo.

Era stato un fine settimana spensierato e la cena della sera prima era stata gioiosa. La famiglia pareva rendere la cena del sabato un'occasione speciale, gradevole per tutti.

Negli ultimi mesi Adam si era creato una sua propria routine, alzandosi a volte nel bel mezzo della notte, scendendo nella biblioteca dove avrebbe letto un buon libro.

La seconda volta che era scomparso, Alicia era subito venuta a cercarlo e lui le aveva spiegato che soffriva d'insonnia, che aveva bisogno di gironzolare per la casa, di leggere per un po' nella biblioteca per poter infine tornare a letto e addormentarsi. Lei aveva capito e non era più venuta a cercarlo.

Ora Adam si sentiva sicuro di sé, sicuro di poter salire nel solaio, aprire il baule con i suoi grimaldelli e leggere il registro del 1913.

Più ci pensava, più era sicuro che quello fosse un anno importante. L'estate del 1913. Nove mesi prima della nascita di Alicia nel gennaio dell'anno successivo. Era evidente che sulla sua nascita gravava un grande e forse pericoloso segreto, perché zia Charlotte si era mostrata molto preoccupata a proposito di quel particolare anno.

Adam aveva avuto successo nella vita in parte anche grazie alla sua infinita curiosità, qualcuno avrebbe potuto dire che era un ficcanaso, perché aveva bisogno di sapere tutto di tutti. Non aveva dimenticato la conversazione udita per caso mesi prima, mentre si stava massaggiando la gamba sul terrazzo.

Dato che Cavendon era una casa enorme, per settimane e settimane non aveva fatto altro che andarsene in giro, curiosando in molte stanze senza attirare su di sé alcuna attenzione. Di fatto, non aveva mai smesso di indagare furtivamente.

Si sollevò sul gomito, guardò Alicia e vide che stava dormendo profondamente. Nulla di strano, lei stessa, prima del bacio della buonanotte, gli aveva detto che era esausta.

Lanciò un'occhiata all'orologio. Era l'una. L'ora perfetta per salire nel solaio. Tutta la casa era addormentata. Lui non beveva, ma gli Ingham sì e durante e dopo la cena era stato consumato molto vino.

Adam scivolò giù dal letto, s'infilò la vestaglia e le pantofole, uscì in silenzio dalla camera di Alicia e andò in camera sua dove aveva lasciato le lampade accese quando si era recato da Alicia.

Prese dalla cabina armadio la ventiquattrore, l'aprì e tirò fuori il mazzo di grimaldelli e una torcia. Infilò il tutto nella tasca della vestaglia e uscì di soppiatto.

Adam si diresse nel corto atrio, entrò nell'ala ovest e aprì la porta che portava al solaio. Conosceva la strada, sapeva esattamente dove era il baule, perché negli ultimi mesi aveva fatto diverse prove.

Decise di poter accendere la luce senza pericolo, si chinò sul baule e forzò con maestria il lucchetto. Sollevò il coperchio e nel giro di pochi secondi aveva in mano il libriccino in pelle nera. Sull'etichetta bianca c'erano scritti con inchiostro nero gli anni: 1913 e 1914.

Lo sfogliò rapidamente, ma subito si accorse che era scritto in modo astruso. Decise allora che sarebbe stato meglio portarselo in camera invece di sforzarsi a leggerlo lassù. Chiuse il baule e il lucchetto, spense la luce e ridiscese la scala.

Con grande orrore, gli tornò il crampo alla gamba destra e, mentre cercava di attenuarlo con la mano destra, scivolò e cadde fino a metà scala. In qualche modo riuscì a interrompere la caduta aggrappandosi al corrimano sempre con la mano destra, mentre con la sinistra teneva stretto il registro.

Adam giacque immobile, tendendo le orecchie, chiedendosi quanto rumore avesse fatto. Non molto, decise, la casa era silenziosa.

Il crampo si sciolse e lui, rimettendosi in piedi, scese le scale e aprì la porta. Appena uscì nel corridoio, si ritrovò a fissare zia Charlotte, la cui camera da letto si trovava di fronte a quella che portava nel solaio.

Si fissarono stupiti, poi lei abbassò lo sguardo dal volto di Adam al libro che teneva in mano, lo riconobbe e aprì la bocca per dire qualcosa.

Istintivamente, Adam la spinse nella stanza e chiuse la porta con il piede.

«Che fa con quel libro?» gli domandò.

Adam non rispose, ma la spinse fino in mezzo alla camera e le strinse il braccio con la mano destra.

Lei tentò di prendere il registro, quasi ci riuscì, ma poi il libro scivolò dalle mani di Adam e finì dall'altra parte del tappeto. Charlotte lottò per liberarsi dalla stretta, poi barcollò leggermente e per poco non perse l'equilibrio.

Adam sfruttò quel momento e la spinse con maggior forza con entrambe le mani. Charlotte cadde all'indietro e sbatté la testa contro il parafuoco in ottone. Lui sussultò quando lei aprì gli occhi e lo fissò, tentando di parlare. Con cautela, si chinò su di lei, ma i suoi occhi si erano chiusi.

Era morta? si chiese. Non ne aveva idea. Ciò che sapeva era che, se fosse vissuta, l'avrebbe denunciato. Tutti i suoi piani tanto ben congegnati nel corso di numerosi anni sarebbero stati rovinati. Lui sarebbe stato rovinato. *Spacciato*.

Chinandosi ancor più su di lei, Adam afferrò i risvolti della vestaglia in lana di Charlotte e la sollevò. Notò che i suoi occhi rimanevano chiusi. La lasciò andare di colpo, lei cadde all'indietro e colpì di nuovo con forza il parafuoco con la testa.

Dove diavolo era finito il registro? Scrutò con cura il pavimento e infine lo vide sotto una sedia. Lo prese e lo appoggiò su una cassa vicino alla porta. Tornò da zia Charlotte e le tastò il polso. Non sentì il battito. Gli sfuggì un piccolo sospiro di sollievo. Era al sicuro.

Adam prese il registro e uscì. Nella fretta di tornare nella sua camera nell'ala sud non si accorse che la porta all'altra estremità del corridoio si stava lentamente chiudendo.

Era stata Peggy Swift Lane a scoprire il cadavere di zia Charlotte la domenica mattina. Quando aveva bussato alla porta della contessa vedova alle nove in punto ed era entrata come faceva sempre, aveva subito scorto il corpo della donna.

Peggy era corsa da lei, comprendendo immediatamente che era successo qualcosa di terribile. Si era chinata su di lei e si era subito resa conto che era morta. Per sicurezza, le aveva sfiorato la guancia con un dito. Era fredda.

Gli occhi le si erano colmati di lacrime e aveva soffocato un singhiozzo. Conosceva Charlotte Swann Ingham da quando era una ragazzina e lavorava a Cavendon come cameriera.

Peggy corse fuori della camera e giù per le scale. Una volta nella dispensa dietro la sala da pranzo, Peggy fece segno a Eric, che vedeva nella sala dove quasi tutta la famiglia stava facendo colazione, di avvicinarsi.

Eric notò immediatamente il suo volto affranto e un attimo dopo la raggiunse nella dispensa e le chiese cosa fosse successo. Lei glielo disse. Lui rimase a bocca aperta, poi riprese il controllo.

«Chiederò a sua signoria di lasciare la tavola», mormorò. «Tu aspetta nel corridoio, anzi, vai nella biblioteca.»

Eric tornò in sala da pranzo e parlò a bassa voce a Miles. «C'è una faccenda urgente, milord. Può seguirmi per cortesia?»

Miles alzò lo sguardo su Eric, vide quanto grave fosse la sua espressione e annuì. Si scusò con gli altri e uscì dalla stanza.

«Che c'è, Eric? Dalla sua espressione è chiaro che è successo qualcosa di terribile.»

«Sì, milord, c'è stato un tremendo incidente, che interessa la contessa vedova. Per piacere, milord, mi segua in biblioteca. Peggy la sta aspettando. Le darà lei tutti i dettagli. Io non li conosco. È appena scesa per riferirmelo.»

Miles provò immediatamente un impeto di apprensione e

quasi corse in biblioteca, dove Peggy lo aspettava, in mezzo alla stanza, l'espressione scioccata e disperata.

«Cosa c'è che non va, Peggy?»

«Si tratta della contessa vedova, sua signoria. Sono andata a svegliarla, alle nove, come sempre, e l'ho trovata a terra vicino al caminetto. È stato un terribile incidente...» Peggy si sforzò di mantenere la voce ferma, ma gli occhi le si riempirono di lacrime. «Deve essere caduta quando si è alzata durante la notte.»

Miles sentì stringersi il petto e deglutì con forza, mentre gli si formava un nodo in gola. Comprese che zia Charlotte era morta, anche se nessuno di loro era riuscito a pronunciare quella parola.

Sforzandosi di parlare con voce salda, chiese: «Zia Charlotte è morta, vero, Peggy?»

«Sì», riuscì a dire Peggy. Aveva cominciato a tremare e le lacrime le scendevano copiose lungo le guance.

Eric era bianco come un cencio. «Devo andare e chiedere a lady Cecily di venire qui, sua signoria?» si offrì.

«Sì, Eric, grazie e con la sua solita discrezione. Poi saliremo tutti e quattro.»

Mentre Eric si allontanava alla svelta, Miles guardò Peggy. «Nessun'altra delle cameriere entrerà nella stanza di zia Charlotte, vero?»

«Oh, no, lord Mowbray, mai. Mi sono sempre occupata io della contessa vedova, fin da quando aveva sposato suo padre, scusatemi, il sesto conte.»

Miles annuì e andò alla finestra, cercando di ricacciare indietro le lacrime. Charlotte aveva amato tanto suo padre, tutti loro, in verità. Lui e le sue sorelle erano stati come figli suoi. Sentì i tacchi di Cecily ticchettare sul pavimento in marmo del grande atrio ancor prima che entrasse nella biblioteca e corse alla porta.

Eric la fece entrare, poi chiuse la porta alle loro spalle e rimase lì accanto.

«È successo qualcosa?» chiese Cecily, correndo verso Miles, notando gli occhi umidi e l'espressione seria sul suo viso.

«Sì, Ceci, questa mattina, quando Peggy è andata a svegliare zia Charlotte, l'ha trovata sul pavimento accanto al caminetto. Deve essere caduta durante la notte... un terribile incidente.»

«Oh, no», esclamò Cecily, stringendogli il braccio, la voce spezzata. «È morta. È così, Miles?»

«Purtroppo sì.»

Cecily si rivolse a Peggy. «È sicura che sia morta, Peggy? L'ha toccata?»

«Sì, milady, era fredda come il ghiaccio.»

«Deve essersi già sviluppato il rigor mortis», osservò Miles. «Andiamo di sopra. Lasciamo che gli altri finiscano la colazione.»

Appena entrati nella camera da letto, Miles andò a inginocchiarsi accanto al corpo della zia e le tastò il polso, nessun battito, ovviamente. Perché l'aveva fatto? Solo per esserne certo, pensò. Per esserne sicuro. Non abbiamo mai voluto che tu ci lasciassi, le disse in silenzio.

Cecily andò a inginocchiarsi anche lei accanto alla zia, le toccò delicatamente il volto poi appoggiò la testa sulla spalla del marito, il viso rigato di lacrime.

Miles si alzò e andò a parlare con Peggy ed Eric. «È evidente quello che è successo. Durante la notte è scesa dal letto, è inciampata ed è caduta.»

Eric annuì. «Non mostrava la sua età, ma mi aveva detto che a volte le facevano male le gambe, milord.»

Miles emise un sospiro. «Eric, potrebbe chiamare il dottor Ottoway a casa sua a Mowbray. Gli dica cosa è accaduto e gli chieda di venire qui al più presto. Gli porga le mie scuse se non lo chiamo di persona, ma devo informare il resto della famiglia.»

«Gli telefono immediatamente.»

«Che facciamo con la zia?» chiese Cecily. «Non possiamo lasciarla sul pavimento. Non dovremmo metterla sul letto? Insieme ce la possiamo fare.»

«Ma certo!» esclamò Miles. «Che sbadato a non averci pensato subito. Non sopporterebbe di essere vista in una posizione tanto indecorosa sul pavimento.»

36

Prima di scendere al pianterreno per informare la famiglia della tragica morte della contessa vedova, Miles e Cecily si fermarono nel salottino della loro camera da letto.

Cecily si gettò tra le braccia del marito e, abbracciati, tentarono di confortarsi a vicenda. Piansero, profondamente addolorati per l'amata zia Charlotte, un'altra Swann che aveva dedicato la vita agli Ingham e a Cavendon.

Charlotte aveva amato due Ingham: ne aveva sposato uno, il padre di Miles, ed era stata come una madre per i suoi figli dopo che la prima moglie l'aveva abbandonato.

In un certo senso, Charlotte aveva fatto da mamma anche ai numerosi Swann che vivevano nei villaggi vicini ed era stata la matriarca di entrambe le famiglie, una situazione che non si era mai verificata prima.

«Non sopporto che zia Charlotte fosse sola, Miles», disse Cecily, dopo essersi sciolta dall'abbraccio. «Avrei voluto che ci fosse stato qualcuno con lei, le avesse stretto la mano.»

«Probabilmente è stata una morte rapida», la consolò Miles, il cuore gonfio di dolore. «Deve essere inciampata, caduta e avere sbattuto la testa contro il bordo di quel parafuoco. Tuttavia, capisco quello che vuoi dire e ora dobbiamo organizzare un funerale per onorare lei e celebrare la sua vita. La sua lunga vita, ottantun anni, una bella età, Ceci.»

«Sì, una vita che ha goduto molto e che ha vissuto appieno.»

«Ora dobbiamo ricomporci, devo scendere e dare la notizia agli altri. Si staranno chiedendo, perché mai siamo scomparsi tanto in fretta.»

«Appena ne saranno tutti informati, dovrò telefonare ai miei genitori», singhiozzò Cecily asciugandosi gli occhi.

«Lo so e io devo avvisare Dulcie, Diedre e Daphne. Dubito che Dulcie riesca ad arrivare in tempo da Los Angeles, ma Diedre tornerà immediatamente da Ginevra. Per quello che riguarda Daphne, non so che dire, ultimamente mia sorella è piuttosto strana.»

«Farai il funerale tra tre giorni? Senza aspettare Dulcie e James?»

«È la tradizione degli Ingham, tesoro. Noi seppelliamo i nostri morti dopo tre giorni, poi passiamo insieme una settimana di lutto. I parenti più prossimi, intendo dire.»

«Scendiamo, prima che ricominci a piangere.»

«Coraggio, Ceci», la esortò lui, stringendole la mano. «Per fortuna, possiamo contare l'uno sull'altra.»

Giunti in sala da pranzo, tutti li fissarono con espressioni preoccupate. «Che cosa è successo? Zio Miles?» domandò Charlie. «Qualcosa di brutto, immagino.»

«Sì, ma vi spiegherò tutto nella biblioteca.»

Miles e Cecily si avviarono, seguiti dagli altri. A Miles tornò in mente che il proprio padre era sempre andato in biblioteca, fermandosi accanto al caminetto, quando aveva qualcosa di importante da annunciare, e così lo imitò. Sto seguendo la tradizione, pensò. Chiese poi a Cecily di sedersi sulla sedia più vicina a lui.

«Temo di avere una notizia molto triste e angosciosa da riferirvi», iniziò, quando tutti si furono accomodati. «Zia

Charlotte ha avuto un incidente durante la notte. Mi dispiace dovervi annunciare che è morta.»

«No! No!» gridò una voce.

Miles si rese conto che era stata sua nipote Annabel a urlare e che ora stava piangendo, ingobbita sulla sedia.

«Che cosa è accaduto esattamente?» volle sapere Charlie, gli occhi umidi, la voce tremante.

«Sembra che durante la notte si sia alzata e sia caduta malamente. È stata Peggy a trovarla questa mattina vicino al caminetto. Immaginiamo che abbia battuto la testa contro il bordo del parafuoco. Ho fatto chiamare il dottor Ottoway che arriverà a breve, esaminerà il corpo e stilerà il certificato di morte.»

Charlie annuì, le guance rigate di lacrime. «Immagino che dovrò telefonare a mia madre e a mio padre a Zurigo, giusto, zio Miles?»

«Fallo Charlie. Parla con loro, informali con delicatezza e di' loro che li chiamerò io stesso più tardi. Devo chiamare Diedre a Ginevra e Dulcie a Los Angeles. E chiedi ai tuoi genitori di venire per il funerale.»

Annabel stava ancora piangendo, chiaramente sconvolta, e Cecily si alzò e andò da lei per confortarla. «Amavo zia Charlotte», singhiozzò Annabel, stringendosi a Cecily, sforzandosi di non scoppiare di nuovo in lacrime. «Voleva sempre che suonassi il piano per lei e io contavo su di lei per tante cose. Per me era come una nonna. Mi mancherà tanto, zia.»

«Mancherà a tutti noi, tesoro, ma ora dobbiamo farci forza, seppellirla con l'onore e la dignità che si merita.»

Alicia era sotto choc, il volto pallido, gli occhi lucidi. «Quando si terrà il funerale, zio Miles?» chiese con voce incerta.

«Fra tre giorni.»

«Ma Dulcie e James non arriveranno mai in tempo!» esclamò, stupita, Alicia.

«Lo so, ma questa è la tradizione della famiglia Ingham. Tre giorni. Ancora regge e reggerà sempre. Devo mettermi in contatto con tutti i nostri figli e nipoti, all'università e al college, dire loro che devono tornare a casa immediatamente.»

«C'è altro che posso fare per te, zio Miles?» domandò Charlie che desiderava rendersi utile.

«Sì, potresti telefonare alle pompe funebri locali prima di chiamare i tuoi genitori. Grazie per esserti offerto, Charlie, te ne sono grato.» Miles sapeva che era un bene tenere tutti impegnati, affinché non sguazzassero nel dolore.

«Che posso fare io?» chiese Alicia, riprendendosi e ricordando che era una Ingham. Una guerriera.

«Penso che Cecily e Alice avranno bisogno di te per i fiori da mettere in chiesa.» Miles lanciò un'occhiata alla moglie.

«Certamente, Miles», concordò Cecily, che poi si rivolse ad Annabel: «Annabel, puoi consigliare tu a Miles quale musica suonare durante la funzione in chiesa? Tu e zia Charlotte avevate gli stessi gusti musicali e alcune musiche preferite».

«Lo farò», replicò Annabel. «E mi piacerebbe suonare il piano in chiesa.»

«Posso fare anch'io qualcosa?» si offrì Adam. «Tutti hanno compiti, tranne me.»

«Forse tu e Alicia potreste stilare un elenco delle persone che parteciperanno al funerale oltre agli Ingham e agli Swann. Per esempio, Felix e Constance Lambert che amavano zia Charlotte e desidereranno partecipare, ne sono certo. Potresti contattarli tu per me.»

«D'accordo», rispose Adam. «E desidero esprimere le mie condoglianze, Miles. Mi dispiace tanto che zia Charlotte sia morta. Era una signora adorabile.»

* * *

Il dottor Ottoway arrivò con una delle sue infermiere e Cecily li accompagnò nella camera di zia Charlotte. Dopo avere spiegato loro che Peggy aveva trovato il corpo vicino al caminetto sul presto quel mattino, li lasciò a eseguire la visita.

Andò poi a telefonare a sua madre cui diede la notizia con grande delicatezza. «Vuoi che venga da te, mamma?» chiese nel sentire Alice ricacciare indietro le lacrime. «Per starti vicina?»

«No, no, Cecily, verrò a Cavendon. Voglio vedere Charlotte prima che le pompe funebri portino via il corpo. Quando arriveranno?»

«Non lo so. Miles ha chiesto a Charlie di telefonare all'impresa. Perché tu e papà non venite qui subito? Poi potremo mangiare qualcosina tutti insieme.»

«Non potrei mangiare...» Alice s'interruppe e iniziò a singhiozzare.

«Ti capisco, mamma», ammise Cecily sottovoce. «Vi aspetterò, ci conforteremo a vicenda. Miles ha informato il personale e ora è con Harry.»

Dopo avere appeso, Cecily andò nell'ufficio di Eric, che alzò lo sguardo nel vederla entrare, si raddrizzò e si alzò.

«Come va, Eric?» gli domandò Cecily. Lui era suo cugino, uno Swann. «È stata una mattinata dura per lei.»

«Per tutti noi, milady. Era la mia zia prediletta ed era sempre stata buona con me fin da quando ero ragazzo.» Deglutì, poi soggiunse: «È successo tanto all'improvviso, lo choc mi ha steso. Mancherà a tutti quanti, ne sono sicuro».

«Lo so.» Dopo un attimo di silenzio, lo fissò intensamente. «Noi Swann dobbiamo stare uniti ed essere coraggiosi.»

«Lo so, lo siamo e lo saremo.»

«Ne abbiamo passate tante insieme, lei e io, Eric, e ce la siamo sempre cavata.»

«L'ho detto a Percy e lui ha diramato la notizia nei tre villaggi. Ci sarà una grande partecipazione. Sua signoria dovrà usare la chiesa di Little Skell. Dato che il funerale verrà celebrato al mattino, come è tradizione degli Ingham, possiamo tenere una veglia funebre per gli abitanti dei villaggi nella sala parrocchiale? Anche questa è una tradizione.»

«Chiederò a Miles, ma sono sicura che accetterà la veglia. Mia madre domanderà ai membri del Women's Institute di preparare da mangiare.»

«Ci saranno ospiti per la notte, milady?»

«Questo è uno dei motivi per cui sono venuta qui, Eric. A quanto ne so, saranno in tre. Il signore e la signora Lambert in rappresentanza di sir James e di lady Dulcie e la signora Chalmers. Ma questa è solo una mia ipotesi, più tardi ne saprò di più. Serviremo un pasto leggero per la famiglia e gli ospiti.»

Gli occhi le si riempirono di lacrime e Cecily scosse il capo, disorientata. «Non riesco a credere che sto organizzando questo funerale con lei, Eric. Ieri ho preso il tè con zia Charlotte. Mi pare impossibile che non ci sia più.»

Cecily si stava dirigendo verso la biblioteca, quando scorse il dottor Ottoway e l'infermiera scendere lo scalone.

«Vorrei vedere sua signoria, lady Mowbray», chiese il dottore. «Potrebbe gentilmente accompagnarmi da lui?»

«Naturalmente», rispose lei, lanciando un'occhiata all'infermiera.

«La signora Frayne può attendere qui, milady?»

Cecily annuì, sorrise all'infermiera e le indicò una sedia.

«A quanto pare il dottore ha terminato la visita», annunciò Cecily avvicinandosi al marito.

«Dottor Ottoway», lo salutò Miles alzandosi, «andiamo a sederci vicino al caminetto.»

«Credo che la sua ipotesi di una caduta sia corretta, lord Mowbray. Non può essere successo altro.»

«Capisco. Uno sfortunato incidente.»

«Proprio così. Due settimane fa la contessa vedova era venuta da me per un checkup di routine e mi aveva confessato di avere a volte dei capogiri e di sentirsi un po' vacillante, le gambe affaticate. L'avevo esaminata per le vertigini, ma non ne soffriva. Penso che quei piccoli sintomi avessero molto a che fare con l'età.»

«Sono d'accordo con lei, anche se non dimostrava i suoi anni. Era mentalmente vigile quanto lo sono io e piena di energia.»

«Lo so, lord Mowbray, la debolezza delle gambe e uno sporadico senso di vertigini possono essere riconosciuti soltanto da un medico.»

«Desidero ringraziarla per essere venuto qui tanto rapidamente, dottor Ottoway. Io e lady Mowbray lo apprezziamo molto e vorremmo che lei partecipasse al funerale mercoledì mattina con sua moglie. Se non fosse di troppo disturbo, naturalmente.»

«La signora Ottoway e io ci saremo, milord. Desidero anche farle le nostre più sincere condoglianze per la sua perdita. So quanto la contessa vedova vi mancherà, era una donna eccezionale.»

«Grazie», risposero all'unisono Miles e Cecily.

«Credo che la morte della contessa vedova sia stata causata da un colpo alla tempia dovuto alla caduta. Dato che era venuta da me poco tempo fa, posso dire che i sintomi che mi aveva descritto sono coerenti con un attacco di vertigini e una caduta. Ecco il certificato di morte.»

* * *

La chiesa di Little Skell era piena all'inverosimile. Tutti gli abitanti del villaggio e di High Clough e Mowbray si erano radunati lì sul presto.

Alice Swann aveva invitato Ginevra e l'intera famiglia rom che si erano uniti agli altri abitanti dei villaggi in fondo alla chiesa.

Sulle prime panche sedevano Ingham e Swann, assieme ai Jollion, imparentati grazie al matrimonio di Paloma con Harry Swann. Victoria sedeva accanto a Harry con Christopher Longdon sulla sedia a rotelle dall'altra parte. Christopher aveva incontrato spesso zia Charlotte, erano diventati amici e per questo aveva chiesto di poter assistere al suo funerale.

Greta Chalmers, zia Dottie Swann Pinkerton e suo marito Howard occupavano una panca dall'altro lato della navata principale. Con loro sedevano Felix e Constance Lambert e molti membri delle nobili famiglie locali.

La prima fila era occupata da Miles, Cecily e i loro figli, David, Walter, Venetia e Gwen che era seduta accanto alla zia, lady Diedre, a zio Will e a suo cugino Robin. Chiudevano la fila Charlie Ingham Stanton, sua sorella Alicia, i gemelli, Thomas e Andrew, e la sorella minore Annabel.

Adam era come sempre elegantemente vestito. Appariva composto e calmo, ma in testa gli risuonava un ronzio e temette che stesse per avere uno di quegli attacchi che parevano rendergli dura la vita. Sperò non fosse così.

Per un momento non si rese conto di ciò che stava accadendo attorno a sé. Sentiva la voce di Jack Trotter che gli mormorava di badare a che quei piccoli attacchi non s'impossessassero di lui... *Devi essere forte, ragazzo. Prendi il controllo di te stesso. Sei intelligente. Puoi sfondare... assumi il controllo...*

Era ciò che avrebbe fatto. Non riusciva comunque a capire come mai tutti dicessero che zia Charlotte era caduta.

Non aveva voluto che lei lo accusasse. Tutti i suoi piani sarebbero svaniti se l'avesse fatto...

Annabel gli stava dicendo qualcosa.

«Scusami, Annabel, non ti ho sentita», disse, traendo un profondo respiro e concentrandosi su di lei.

«Stavo spiegando che ora devo alzarmi. Continua a entrare gente, ma io devo andare a suonare.» Andò al pianoforte sistemato a un lato dell'altare. Pochi attimi dopo stava suonando un inno che lui riconobbe vagamente: era Jerusalem.

Riaccomodandosi contro lo schienale della panca, Adam fece ciò che aveva detto Jack. Riprese il controllo. Guadandosi attorno, si stupì nel vedere così tante persone.

Cecily, sua madre Alice e Alicia avevano decorato la chiesa con composizioni floreali. Harry aveva voluto aiutarle, perché lui e Charlotte si erano sempre dedicati ai giardini di Cavendon e alle decorazioni all'interno della casa per le occasioni speciali. Ciò che avevano creato era straordinario, sull'altare si erano superati. Le composizioni dietro, attorno e sopra la bara erano magnifiche.

Una volta che tutti si furono sistemati, Annabel smise di suonare e il vicario parlò per alcuni secondi.

Miles pronunciò l'elogio funebre, toccando vari aspetti della vita di Charlotte e quanto importante fosse stata per tutti loro. Sapeva tuttavia di non dover superare il tempo a sua disposizione, perché altri avevano chiesto di poter parlare.

Quando Miles scese dal pulpito, il prossimo fu il padre di Cecily, Walter Swann. Charlotte era stata sua cugina e lui parlò dei suoi legami famigliari, di quanto si fosse sempre occupata degli Swann che vivevano nella tenuta. Harry, il fratello di Cecily, raccontò alcuni aneddoti divertenti sulle loro avventure di giardinieri e tra le lacrime si confusero delle risate.

Quando toccò a Charlie parlare, lui pronunciò parole calorose sulla loro matriarca. Continuò poi spiegando che sua madre, lady Daphne, che era stata tanto vicina alla zia, si era ammalata per questa inattesa dipartita e che per questo non aveva potuto compiere il viaggio dalla Svizzera a Cavendon. Lui e i suoi fratelli erano lì anche in rappresentanza dei loro genitori.

Su richiesta di Miles, Charlie aggiunse anche che lady Dulcie, suo marito sir James e i loro figli erano assenti, perché si trovavano ancora a Los Angeles e non sarebbero mai riusciti ad arrivare in tempo per il funerale.

Toccò infine a Cecily salire sul pulpito. Con voce chiara e amorevole, parlò di Charlotte Swann come sua mentore, la donna che l'aveva messa sulla strada giusta e l'aveva aiutata a rincorrere e afferrare il suo sogno. Era stata inoltre la prima Swann a sposare un conte, a unire le due famiglie in matrimonio prima di Cecily. Infine chiese di poter recitare il salmo preferito dalla zia Charlotte, «Il Signore è il mio pastore», prima che Annabel suonasse il suo inno preferito, «Amazing Grace».

Mentre Miles guardava sua moglie, ascoltando la sua voce melodiosa, ricordò che Diedre aveva recitato lo stesso salmo al funerale della prozia Gwendolyn durante la guerra. Un'altra grande matriarca, pensò, e ora tocca alla mia adorata Cecily prendere il loro posto. So che ce la farà, che le renderà orgogliose.

37

ALICIA era stanca morta, quasi incapace di muoversi. Seduta su una sedia vicino al caminetto, in vestaglia, sorseggiava del tè al limone.

Si chiese se non stesse per ammalarsi, forse d'influenza, poi si rese conto che la stanchezza dipendeva dagli eventi degli ultimi giorni.

Il funerale tenutosi il giorno prima era stato pesante per tutta la famiglia. Addolorati, scioccati e affranti, avevano dovuto tenersi dritti come fusi e salutare cordialmente i numerosi ospiti e le persone venute a dare l'ultimo saluto a zia Charlotte.

Bussarono alla porta con tanta forza che sobbalzò. Sbigottita, appoggiò la tazza e si alzò. La porta si aprì ed entrò Adam.

Lei lo osservò, stupita nel vederlo indossare un abito blu scuro, camicia bianca e cravatta, pronto, a quanto pareva, per tornare a Londra.

La fissò costernato nel vedere che lei era ancora in vestaglia. «Perché non sei pronta?» le chiese in tono seccato. «Ti avevo detto di essere pronta per le undici! E sono già le undici e trenta. È da mezz'ora che ti aspetto dabbasso.»

«Calmati e abbassa la voce, per favore», replicò Alicia

che non era abituata a sentirsi rivolgere la parola in modo tanto aspro, ma neppure voleva che scoppiasse una lite violenta.

«Quanto ti ci vorrà per vestirti?» la incalzò, in collera, ma abbassando la voce. «In altre parole, quando possiamo partire?»

«Io non parto, Adam, e te l'ho già detto parecchie volte in questi ultimi giorni. Per consuetudine, gli Ingham osservano il lutto per una settimana dopo il funerale. I parenti stretti, intendo.»

«Allora vuoi che resti?»

«No. In ogni caso non potresti, non fai parte della famiglia.»

«Non faccio parte della famiglia!» gridò, perdendo il controllo. «Sono il tuo fidanzato! Siamo fidanzati! Io faccio parte della famiglia.»

«Mi dispiace, ma no, lo sarai solo quando saremo sposati. È così che si fa da queste parti, un sacco di tradizioni e regole che risalgono a centinaia di anni addietro. E noi ancora le seguiamo.»

Lui non replicò, ma rimase a fissarla con rabbia e lei comprese che era infuriato. Se provocato, il suo brutto carattere emergeva e ultimamente succedeva spesso. Lei indietreggiò verso il caminetto.

«Tornerò a Londra la prossima settimana», tentò di calmarlo Alicia, «e trascorreremo insieme il fine settimana nel tuo bell'appartamento di Brynanston Square. Noi due soli.» Gli sorrise e aggiunse: «Ti piacerà, non è vero?»

In un angolo della sua mente Adam sentì la voce di Jack Trotter. *Calmati, ragazzo. Non si catturano le mosche con l'aceto.* Avrebbe voluto zittire quel ronzio e cercò di calmarsi, ma la rabbia ebbe il sopravvento. «Ho bisogno di te a Londra. Questa sera! E tu lo sapevi. Devo vedermi con il nuovo finanziatore Terrence Vane, e lui si aspetta di conoscerti. Vestiti immediatamente, dobbiamo partire.»

Alicia indietreggiò ancora un po', fissandolo. Il viso di Adam era livido di rabbia e quegli occhi che lei tanto amava erano freddi come ghiaccio. Duri, spietati.

All'improvviso ne ebbe paura, e, avvicinandosi ancor più al focolare, rovesciò il porta attrezzi che, cadendo, fece un gran clangore.

Il rumore parve spezzare l'atteggiamento furioso di Adam, che scosse la testa, le sorrise e le sfiorò il braccio.

«Mi dispiace tanto, Alicia», si scusò in tono più conciliante. «Non era mia intenzione urlare e parlarti tanto bruscamente. Temo che il fatto che Terrence Vane desideri finanziare *Revenge* mi abbia esaltato troppo. E lui era davvero emozionato all'idea di conoscerti stasera. Non importa. Sono certo che capirà che sei in lutto per la povera zia Charlotte.»

«Lo spero», disse Alicia, sforzandosi di essere gentile, ma desiderando solo che se ne andasse.

Adam fece un passo avanti, l'abbracciò e la baciò sulla bocca.

Alicia rabbrividì e si staccò da lui. «Fissa un appuntamento con Terrence Vane per il prossimo venerdì e ci sarò», gli promise.

«Brava la mia ragazza.»

No, non sono affatto la tua brava ragazza, pensò lei. Non più. «Perché non lo portiamo al *Zigi's Club* di cui sono socia?»

La camera da letto di Alicia dava sull'ingresso di Cavendon Hall e lei andò alla finestra e, separando le tende, guardò fuori. Nel vedere l'auto di Adam scomparire lungo il viale d'accesso si sentì sollevata.

Dopo avere rimesso a posto gli attrezzi per il caminetto, sprofondò nella poltrona, provando un enorme sollievo che non la sorprese. Il comportamento di Adam l'aveva turbata da settimane e la sua presenza nella propria casa di famiglia era stata a volte insopportabile. Mai prima d'ora aveva passato un periodo ininterrotto con lui.

Lui aveva passato il segno in diverse occasioni, si era preso troppe confidenze con alcuni membri della famiglia e si era comportato in un modo che l'aveva preoccupata. Inoltre, quel suo essere tanto possessivo era soffocante, la sua gelosia immotivata e il suo comportamento instabile sia allarmante sia inquietante. E poi c'erano quegli scatti d'ira.

Poco prima aveva addirittura avuto paura di lui. Per la prima volta, a dire il vero, ma ciononostante la paura l'aveva fatta indietreggiare, l'aveva spinta a mettere una certa distanza tra loro.

Tornò con la mente al suo arrivo il venerdì scorso. Si era mostrato gentile e affascinante, era andato d'accordo con tutti durante il tè del pomeriggio e più tardi a cena. Tutti l'avevano accettato con cordialità.

Ma, sotto sotto, a sua zia, lady Diedre, Adam non era piaciuto. Non che l'avesse detto apertamente, era troppo educata per farlo, ma istintivamente Alicia aveva sentito che Diedre non era rimasta colpita da Adam Fennell.

Quella sera avevano fatto all'amore e lui era stato appassionato e sensuale come sempre e lei aveva risposto con altrettanta passione. Il giorno seguente, tuttavia, aveva dovuto ammettere che il suo desiderio sessuale per lui si era attenuato.

Si chiese ora come avesse potuto passare da una passione stratosferica a questo inatteso calo di desiderio. Era l'inizio dell'indifferenza? Era perché lui era possessivo e difficile? Quelle caratteristiche avevano diminuito il suo fascino?

Di colpo lo vide come era stato poco prima, il volto arrossato dalla furia, i grigi occhi duri e freddi come ghiaccio.

Le si affacciò l'idea che non fosse come appariva. Il fascino era una facciata che nascondeva un uomo difficile, turbato e complesso e pensò che, per temperamento, non erano fatti l'uno per l'altra.

Si rese conto, con occhi obiettivi, che Adam Fennell non era l'uomo giusto per lei. Ripensando a quando aveva iniziato a girare il film in settembre, si rese conto che era stata emotivamente fragile a causa della rottura con Bryan Mellor.

Chiaramente Adam se ne era accorto e si era concentrato su di lei con gentilezza, piccoli doni, affetto e lampante ammirazione.

La reciproca attrazione sessuale era reale, travolgente, e si era sviluppata rapidamente. Dovette ammettere che era stata una partner pronta nei loro sfrenati, appassionati e soddisfacenti amplessi.

Le sfuggì un profondo sospiro. Si alzò e andò in bagno a prepararsi per la giornata. Fissò il meraviglioso anello, lo rigirò sul dito e si chiese come rompere con lui: non ne aveva idea.

Poco prima di pranzo, Alicia entrò nel salotto bianco e azzurro e con gioia vide che Cecily era già lì con Alice Swann. Alice era stanca e tirata, Cecily pallida e cupa.

Alicia le salutò con affetto e andò a sedersi sul divano accanto ad Alice. «Sono tanto contenta che sia ancora qui, signora Alice. È un conforto avere la famiglia attorno in questi giorni tristi.»

«Lo è davvero, Alicia. Sono sempre quelli che restano che soffrono di più e l'appoggio della famiglia è importante», concordò Alice, picchiettandole la mano.

«Vorrei soltanto che i miei genitori fossero potuti venire.

Specialmente mia madre. È sempre stata tanto legata a zia Charlotte.»

«Lo so e sono d'accordo con lei», convenne Alice. «Era stata Charlotte a salvarle la vita, a farle superare alcuni momenti difficili...»

«Come hai fatto anche tu, mamma», s'intromise rapidamente Cecily. «Non ho dimenticato quello che hai fatto. Non la lasciavi quasi mai sola quanto era... ammalata.»

«Per l'affetto che la legava a Charlotte», continuò Alice, sorridendo alla figlia, «posso solo pensare che lady Daphne fosse troppo sconvolta per affrontare il viaggio, come ha detto il signor Hugo.»

Dopo un attimo di silenzio Alicia lanciò a Cecily un'occhiata d'intesa. «A meno che mia madre sia realmente ammalata. Intendo dire, che soffra di una qualche malattia reale. L'anno scorso, prima che partisse per Zurigo con mio padre, avevo notato alcuni segnali.»

«Quali?» domandò Cecily, sorpresa.

«A volte le tremavano le mani e dimenticava le cose. Le chiedevo di un appuntamento che avevamo fissato e lei pareva sorprendersene. Capivo che stava cercando di ricordare, scartabellando nella mente.»

«Non sta implicando che soffre di un inizio di demenza, vero?» domandò Alice Swann, allarmata, fissando Alicia. «Per favore, non ci pensi nemmeno.»

«Le sto dicendo la verità sul comportamento di mia madre, signora Alice, ma non insinuo affatto la demenza né il morbo di Parkinson. Francamente, non so perché si comportasse in quel modo. Charlie e io ne abbiamo discusso spesso e lui pensa che fosse veramente stressata ed esausta quando se ne è andata in luglio.»

«Spero vivamente che tu abbia ragione!» esclamò Cecily, un'espressione preoccupata sul viso.

«So quanto è impegnata nella preparazione del nuovo

film, Alicia», riprese Alice dopo un attimo di silenzio, «ma non pensa che forse lei e Charlie dovreste andare a trovare i vostri genitori a Zurigo? Anche solo per un giorno? Scoprire se lady Daphne è veramente ammalata? Potrebbe mettervi il cuore in pace. E sarebbe un conforto per lei in questo triste momento.»

«Potrei, se Charlie fosse libero. Non vorrei andarci senza di lui.»

«Ma che mi dici di Thomas e Andrew?» s'informò Cecily. «Credevo che i gemelli andassero spesso a trovare i vostri genitori. Non hanno detto nulla sulla salute di vostra madre?»

«Dicono che sta bene, che è stanca, ma contenta di essere a Zurigo. Lontana da Cavendon. Ma quei due non sono affidabili. Sono troppo giovani, non prestano attenzione. E lavorano per nostro padre, gestiscono la sede londinese della sua società. Sentiranno solo quello che lui dice loro, non faranno mai domande.»

In quel momento Miles entrò con Walter Swann, il padre di Cecily, David, il figlio maggiore, e Walter, il minore. David, ormai ventenne, era tornato a casa da Oxford per il funerale come il diciottenne Walter che aveva appena iniziato l'università.

«Andiamo in sala da pranzo», le invitò Miles, dopo avere salutato le tre donne. «Ho visto che gli altri stanno indugiando nell'ingresso con Diedre, Will e Robin.»

Alicia si unì ai famigliari dirigendosi verso la sala da pranzo, felice di essere sola con loro. In quell'istante si rese conto di quanto fosse sempre stata consapevole della presenza di Adam, osservando tutto ciò che faceva e diceva.

«Dato che iniziamo la settimana di lutto per zia Charlotte», cominciò Miles, quando tutti furono seduti attorno alla tavola ed Eric ebbe versato il vino, «desidero farvi sapere quanto gradisca questa tradizione di tanto tempo fa. Per alcuni giorni ci offre l'opportunità di confortarci a vicenda, di adattarci al dolore e di ricordare Charlotte con amore. Poi potremo tornare alle nostre vite di sempre, circondati dall'amore della famiglia e da un senso di serenità.»

Tutti sollevarono i loro bicchieri e Gwen chiese: «Posso brindare con l'acqua, papà?»

«Naturalmente, è più che adatta», rispose lui, sopprimendo una risata. «E scordati di ricevere del vino bianco, per cui non ci pensare.»

Tutti scoppiarono a ridere e, notando che Gwen sembrava delusa. Diedre, che era seduta accanto alla nipotina, le domandò: «Come sta la tua gattina, mia cara?»

Gwen le sorrise raggiante. «Sta meglio. Domani la visiterà il veterinario e sono sicura che dirà che è in forma. Mi sono occupata molto bene di lei, zia Diedre.»

«Sì, è vero», confermò Cecily. Poi cambiò argomento e iniziò a parlare dell'affluenza al funerale e quale tributo a zia Charlotte fosse stata quella partecipazione.

Alicia, seduta tra Will Lawson e il proprio fratello minore Andrew, chiacchierò con loro durante la prima portata, poi cadde in silenzio.

Persa nel turbinio dei suoi pensieri, rispondeva quando le rivolgevano la parola, ma per lo più rimase a osservare e oggi vide la sua famiglia sotto una nuova luce. Stava guardando tutti attraverso occhi estremamente obiettivi e critici.

Non c'era nulla da criticare e così tanto da ammirare, decise. Nel soffermarsi su Walter Swann, riconobbe in lui non solo Harry ma anche il nipote omonimo, il figlio diciottenne di Cecily. Sorrise quando si soffermò sul suo preferito, suo fratello Charlie.

Sebbene sapesse che era profondamente triste, era lo stesso di sempre, pronto a chiacchierare allegramente con tutti.

Aveva un bell'aspetto, pensò, per la verità era decisamente bello con quei morbidi capelli mossi e gli occhi intensi.

Indossava un blazer nero e un dolcevita bianco, il completo che prediligeva. Lei lo prendeva spesso in giro per questo, dicendo che assomigliava al comandante di un U-boat tedesco e lui aveva avuto sempre il buonsenso di ridere.

I suoi occhi si soffermarono sugli uomini seduti alla tavola e si rese conto che erano tutti vestiti in modo semplice, vecchie giacche sportive in tweed, alcuni con cravatte in lana. Miles indossava una camicia azzurra con un foulard azzurro scuro in seta e un blazer blu scuro. Nessuno di loro appariva presuntuoso o viscido.

Alicia si ricordò di un'osservazione fatta da Diedre venerdì sera, un commento che aveva sentito per caso. Ora decise di approfondire con la zia quell'osservazione e di chiederle il suo parere su Adam Fennell. Dopo pranzo.

38

ALICIA raggiunse lady Diedre, mentre quest'ultima attraversava l'atrio mano nella mano con Gwen, ascoltando con attenzione quello che le stava raccontando la piccola.

«Scusami se ti interrompo, zia Diedre, ma ho bisogno di parlare con te. Se sei impegnata con Gwen, possiamo trovare tempo più tardi, per favore?»

«Non ti dispiace, se ci vediamo tra poco nella sala da pranzo del personale, Gwen?» domandò Diedre, voltandosi e vedendo l'espressione turbata sul volto di Alicia.

«Va bene, zia Diedre.» Alzando lo sguardo su Alicia, domandò: «Verrai anche tu a vedere Cleopatra ora che sta tanto meglio?»

«Certamente, tesoro», accettò Alicia. «Quindici minuti e scenderemo entrambe, d'accordo?» Guardò Diedre che annuì.

«Va tutto bene, Alicia?» chiese la zia, una volta rimaste sole, lo sguardo fisso sulla nipote. «Che c'è?»

«Sto bene, mai stata meglio, a dire il vero. Ma devo prendere alcune decisioni importanti e ho bisogno del tuo consiglio. Poi scenderò davvero a vedere la gattina», conclude.

«Allora, dove possiamo andare per parlare in privato? Gli altri si sono trasferiti nel salotto bianco e azzurro per il caffè, ma Miles potrebbe sempre entrare nella biblioteca, se avesse bisogno di qualcosa.»

«Ti spiacerebbe salire nella mia camera da letto, zia Diedre?» Possiamo chiacchierare lì.»

«Buona idea.» Diedre si avviò immediatamente su per lo scalone diretta all'ala sud.

Mentre seguiva la zia, Alicia non poté fare a meno di notare la figura slanciata e le belle gambe della zia. Niente male per una donna di cinquantasei anni, pensò, ammirandola.

«Veniamo al dunque», tagliò corto Diedre, appena si furono accomodate nelle due poltrone di fronte al caminetto. «Perché ti serve il mio consiglio?»

«Ci arrivo in un momento, ma prima devo farti una domanda. Venerdì ti ho sentita dire a zio Will che *è tutto brillantina, colonia e poco più*. Non stavo origliando, ti ho sentita per caso. Stavi parlando di Adam?»

Per un attimo Diedre pensò di mentire, ma poi cambiò idea. Era suo dovere, quale membro più vecchio della famiglia, dire ad Alicia la verità, inoltre era quello il suo modo di fare. Era sempre stata sincera.

«Mi dispiace, Alicia. È vero, mi stavo riferendo ad Adam Fennell. *Brillantina e colonia* davvero. Sono stata scortese, ma secondo me non vale niente.»

«Avevo capito che non ti piace», mormorò Alicia.

«È vero, non mi piace e non piace neppure a Will. Fennell non è degno di te.»

«Grazie per la tua sincerità, zia Diedre. Adam ha cominciato a irritarmi ed è instabile...»

«In che senso?» la interruppe Diedre, inarcando un sopracciglio, all'erta.

«Pare sempre controllato, poi esplode in modo imprevedibile, si arrabbia. Di solito per il lavoro, per questioni economiche, perdere un finanziatore, cose così.» S'interruppe. Stava inconsciamente rigirando l'anello sul dito. «In ogni

314

caso, per arrivare al punto, ho intenzione di rompere con lui.»

Diedre emise un sospiro di sollievo. «Mi fa veramente piacere sentirtelo dire e so che Will approverà questa tua decisione. Lui pensa che Adam sia viscido, un opportunista e parecchie volte mi ha chiesto di dirti di stare in guardia, di non avere fretta di sposarti.»

Diedre fissò il fuoco per pochi secondi, poi afferrò la mano di Alicia. «C'è così tanto in ballo, Alicia. A dire il vero tutta la tua vita. Non puoi restare incatenata a un uomo come lui. E certamente non hai bisogno delle seccature di un divorzio e tutto quello che comporta.»

«No, hai ragione. Devo ammettere che non posso biasimare che me stessa. All'inizio l'avevo trovato affascinante, c'era una forte attrazione...»

S'interruppe di nuovo, alzò le spalle. «È stata una cosa intensa per entrambi, non so come spiegare quell'attrazione travolgente.»

«Non ne hai bisogno, Alicia, so di che parli. Molti anni fa, prima della guerra, tua zia DeLacy aveva avuto una relazione con un certo Peter Musgrove, un uomo molto simile ad Adam Fennell. Aspetto da divo del cinema, vestito sempre alla moda, un po' dandy. Io non lo potevo sopportare, ma lei era innamorata di lui. Al tempo, avevo pensato si trattasse della stessa attrazione di cui stai parlando adesso.»

«Che cosa successe a quell'uomo?»

«Lei riuscì a liberarsene. Poi lui fu chiamato alle armi e partì per la guerra. Musgrove apparteneva a un'ottima famiglia, Eton e tutto il resto. Aveva anche aiutato DeLacy nella galleria. Era un mercante d'arte eccellente e le aveva mandato dei clienti. Ma...» Diedre s'interruppe e guardò le fiamme. Rialzò poi lo sguardo su Alicia. «Era un uomo ordinario. Uno qualsiasi.»

«È questo che pensi di Adam Fennell?»

«Sì. Un tipo ordinario, quale che sia la sua origine, da qualsiasi luogo provenga. Hai preso la decisione giusta. Hai bisogno del mio consiglio per qualcos'altro?»

«Sì, zia Diedre. Pensi che Charlie e io dovremmo andare a Zurigo a trovare i nostri genitori? Per scoprire esattamente cosa sta succedendo, specialmente a nostra madre?»

«Credo sia una buona idea. Ho chiamato spesso tuo padre in questi ultimi sei mesi, chiedendogli semplicemente, se Will e io potevamo andare da loro per un fine settimana, ma Hugo mi ha sempre scoraggiata, sostenendo che Daphne era ancora sconvolta per quello che lui chiama *il pasticcio a Cavendon.*»

Diedre scosse la testa. «È come parlare a un muro. Sai bene quanto me che tuo padre preclude ogni via, odia la mia interferenza. Sembrano decisi a non avere più niente a che fare con quelli di noi che trascorrono ancora del tempo qui.»

«Quando Charlie o io chiediamo ai gemelli cosa sta succedendo, ci hanno sempre risposto che va bene tutto, ma loro sono come foche ammaestrate.»

Il tono in cui parlò Alicia era tanto buffo che Diedre scoppiò a ridere. «Se decidete di andare», l'ammonì, «non dite loro che state arrivando.»

«D'accordo. Ora andiamo a vedere la gattina di Gwen, come le abbiamo promesso.»

«Oh, sì, ci conviene, altrimenti non ci lascerà più in pace. Se c'è mai stata una vera guerriera Ingham, quella è Gwendolyn. La nostra piccola ha una volontà di ferro e non molla l'osso, proprio come le sue antenate.»

Quello stesso giorno, poco prima di cena, Alicia bussò alla porta di Charlie. «Sono io.»

Charlie spalancò la porta, attirò la sorella tra le sue braccia e la strinse a sé. «Sono tanto felice che uno dei nostri antenati abbia avuto l'idea di una settimana di lutto. Stare in famiglia aiuta veramente, non lo pensi anche tu?»

«Sì.» Seguì Charlie nella camera da letto. A parte la giacca, era pronto come lei per scendere a cena. «Sono salita per dirti una cosa», iniziò la sorella, poi esitò, prima di continuare con voce ferma: «Ho deciso di rompere con Adam. Mi sono resa conto che non desidero sposarlo... che non funzionerebbe».

Charlie la fissò attonito.

«Sono sorpreso, eppure non lo sono. Adam mi piace, ha un certo fascino ed è ben educato. Ed è piuttosto bravo nel suo lavoro. Ma in questi ultimi giorni, ci sono stati dei momenti in cui ho provato una strana sensazione...» Charlie lasciò che la frase scivolasse via.

«Che intendi dire?»

«Avevo pensato che, sepolto sotto tutto quel carisma e quella sua cordialità, ci fosse un caratteraccio e, di tanto in tanto, mi ero chiesto, se la sua mente non fosse distratta. Era come se non mi prestasse attenzione quando parlavo, come se non fosse concentrato.»

«Più che vero. Tu *sai* che la nostra è stata un'ardente storia d'amore. Ma ora tutto questo sta svanendo. Glielo dirò la prossima settimana, quando saremo tornati a Londra. Penso che dovremmo andare a Zurigo per vedere cosa sta accadendo a mamma. Ne ho parlato con zia Diedre e lei è d'accordo con me.»

«Che ha detto esattamente?»

Alicia glielo ripeté e aggiunse anche l'opinione che Diedre aveva di Adam Fennell.

«Mi fido del suo giudizio più di quello di chiunque altro, vista anche la sua lunga attività al War Office.»

«Verrai con me a Zurigo, non è vero, Charlie?»

«Niente potrebbe impedirmelo.»

39

NEL suo solito modo preciso ed efficiente, Adam Fennell aveva fatto piani speciali per la cena con Alicia. La settimana di
lutto era finita e lei era tornata a Londra la sera prima.

Dato che era venerdì e che lui voleva essere solo con lei,
aveva dato al personale di casa il fine settimana libero a partire dalle cinque del pomeriggio. La governante gli aveva
detto di avergli preparato dei piatti freddi e che li avrebbe
trovati nel frigorifero, avesse avuto fame.

Era tornato a casa dall'ufficio molto presto, aveva fatto un bagno e si era cambiato come al solito. Ora, seduto
alla scrivania nella biblioteca, pensava al loro incontro. In
quell'ultima settimana si era arrabbiato spesso con se stesso
per come era stato stupido a litigare con Alicia, a perdere la
pazienza. Che cosa ridicola da parte sua. Controllo. Con lei
non devo mai perderlo.

Risentì la voce di Jack Trotter: *Comportati bene, ragazzo.
Sii sempre gentile. Gli scatti di rabbia non funzionano mai.*

Ed era proprio quello che aveva fatto per tutta la settimana. Le aveva inviato fiori. Le aveva telefonato ogni giorno. Il
suo atteggiamento era passato dall'essere dispiaciuto e con-
trito all'essere tenero e affettuoso.

Lei era stata carina come sempre ed era stata lei che aveva

proposto di incontrarsi quella sera. Era stata lei a suggerire di vedersi sul presto, alle cinque.

Sorrise a se stesso, compiaciuto e sicuro di sé. Era riuscito a sistemare ogni cosa ed era evidente che Alicia non vedeva l'ora di rivederlo. Sapeva inoltre che nel giro di cinque minuti l'avrebbe attirata nel suo letto dove sarebbe stata sua. Lui ne avrebbe avuto il totale controllo. Sapeva come eccitarla, come stuzzicarla, come trattenersi, finché lei non si metteva a gridare, implorandolo. *Eh sì, Rosie, la cameriera al* Golden Horn *l'aveva istruito per bene. Come pure Jack Trotter.* Il ronzio nella testa riprese a infastidirlo e lui avrebbe voluto che scomparisse.

Mantieni la calma. Controllati. Non innervosirti. Trasse un profondo respiro, andò in camera da letto e si osservò nello specchio dello spogliatoio.

Non aveva mai avuto un aspetto migliore. Le sarebbe stato difficile resistergli.

Pochi minuti dopo suonò il campanello e lui si affrettò alla porta e l'aprì con un grande sorriso sul volto.

«Ciao Adam», lo salutò Alicia. «Temo di essere un po' in anticipo.»

«Prima è meglio è, mia cara», rispose lui, tirandola dentro casa.

Nel farlo non poté evitare di notare che lei indossava un completo con camicetta in seta e non uno di quei vestiti attillati che a lui piacevano tanto e che lei teneva nell'appartamento. In ogni caso non avrebbe avuto bisogno di vestiti. Represse un sorriso, pensando al fine settimana che lo aspettava.

Adam la prese tra le braccia e la baciò sulle labbra. «Adam, possiamo andare nella biblioteca, per qualche minuto?» gli chiese staccandosi da lui. «Ho bisogno di parlarti di una cosa piuttosto importante.»

Il suo tono era così serio che le lanciò una breve, ma intensa occhiata. Alicia era comunque sorridente e pareva normale.

Annuendo, la condusse nella biblioteca. Lei andò subito a sedersi su una sedia di fronte alla scrivania e lui prese posto di fronte a lei.

«Perché questa improvvisa formalità?» le chiese. «Di che si tratta?»

Alicia trasse dalla borsetta due scatole rosse di Cartier che appoggiò sul ripiano della scrivania davanti a lui. «Adam, mi spiace dovertelo dire, ma non posso sposarti. Ti rendo quindi l'anello e gli orecchini di diamanti che mi avevi regalato a Natale.»

Lui la guardò stupito, risentito e completamente ammutolito, mentre tentava di digerire quello che gli aveva detto.

«Mi dispiace molto rompere il nostro fidanzamento, ma non posso sposarti, Adam. Vedi, so che non funzionerebbe e la cosa migliore è separarci amichevolmente.»

Infuriato, balzò in piedi, aggirò la scrivania e le si piazzò accanto fissandola con sguardo truce.

«Non puoi rompere il nostro fidanzamento! Non ti permetterò di umiliarmi, di prenderti gioco di me davanti al mondo intero. Tutti sanno che siamo fidanzati. Siamo *la* coppia e tu questo lo sai. *Non ti permetterò di farmi questo.*»

Stava gridando e lei vide l'espressione fredda negli occhi, la durezza sul volto, la mandibola serrata e capì che stava ribollendo di rabbia. Doveva andarsene alla svelta.

In qualche modo riuscì ad alzarsi, strinse la borsetta e si allontanò da lui prima che potesse bloccarla. In piedi si sentì più al sicuro. Negli occhi di Adam brillava ora una luce mortale e lei notò che stava fremendo di rabbia.

«Devo andare, Adam», gli disse, cercando di girargli intorno per raggiungere l'atrio, ma lui la bloccò, afferrandole con forza il braccio.

320

«Se mi lasci, ti distruggerò», ringhiò Adam. «Ti rovinerò la carriera. Distruggerò la tua vita. Niente sarà più come prima per te.»

«Non puoi fare niente», replicò Alicia con calma e in tono grave. «Per piacere, non cercare di intimorirmi. Io sono una Ingham e le donne Ingham sono senza paura.»

«Ingham. Sempre i maledetti Ingham. Chi diavolo credete di essere? Tu sei la figlia di una prostituta. Di una famosa prostituta. Hugo Stanton non è tuo padre», sibilò. «Nessuno sa chi sia tuo padre, miss Alicia Altezzosa Stanton. Aspetta fin quando riferirò questa storia ai giornali. Vedo già i titoli. Eccone uno... Alicia Stanton è la figlia di una sgualdrina.»

Le rise in faccia. «Ti impartirò una lezione che non dimenticherai mai, fottuta puttana. Non mi umilierai, non mi farai diventare uno zimbello.»

«Non so di che stai parlando. Sono solo assurdità. Hugo Stanton è mio padre.»

«No, no, non lo è! Chiedi a tua madre. E nel frattempo, se vuoi che mantenga celato il tuo scandaloso segreto, dovrai pagarmi. Un sacco di soldi. Ma prima ti scoperò. Sai che ti piace. Proprio come a tua madre.»

Prima che lei potesse schivarlo, lui le agguantò il braccio e la trascinò in camera.

La spinse sul letto, si gettò sopra di lei, tentando di baciarla, tirandole su la gonna con una mano.

Alicia lottò disperatamente, riuscì a schiaffeggiarlo con forza sul viso. Lui si staccò di colpo, attonito. Lei spinse un ginocchio contro il suo inguine e lui gridò per la rabbia e il dolore. Si chinò su di lei, uno sguardo di ghiaccio negli occhi. Rapidamente lei strinse il pugno della mano destra e lo colpì al mento. Nella fretta di scendere dal letto, Alicia scivolò e cadde, ma, essendo in ottima forma, si alzò e corse nell'atrio, solo per essere catturata un attimo dopo.

«Conosco il tuo segreto», le sibilò Adam in tono freddo e

controllato, stringendole le braccia con forza. «Posso diffonderlo al mondo intero o dimenticarmene. Ma devi pagarmi. Voglio ventimila sterline. Sì o no? Sta a te decidere.»

Alicia lo fissò, gli occhi socchiusi, e comprese immediatamente che i suoi sospetti sulla scomparsa dei finanziatori erano corretti. Non aveva più soldi e ne aveva un gran bisogno.

«Non ho ventimila sterline», disse dopo aver fatto un profondo respiro. «Non pagherò mai un ricatto.» Poi per prendere tempo: «Forse Charlie potrà aiutarmi».

Adam iniziò a ridere, gustando questa trattativa. «Chiamiamolo, allora! Sono sicuro che è a Londra. Il fratellino non è mai molto lontano da te. Mi sono fatto spesso domande su questa strana relazione che hai con lui.»

«Hai ragione nel dire che non è mai molto lontano da me», replicò lei, ignorando quella ridicola provocazione. «Di fatto è proprio qui fuori, apri la porta e lo vedrai.»

Adam, sapendo che in nessuno modo lei poteva uscire dal suo appartamento, la lasciò e andò alla porta. Aveva detto la verità. Charlie era appoggiato alla sua auto, una sigaretta tra le labbra.

«Entra, Charlie», lo invitò Adam. «La tua sorellona ha bisogno di te.»

Mentre Charlie entrava e si chiudeva la porta alle spalle, emerse il suo istinto di giornalista. Si guardò in giro, assimilando ogni particolare.

Entrambi erano scompigliati, come se si fossero azzuffati e l'atmosfera era molto strana. Era sollevato nel vedere che Alicia era incolume, ma pareva molto pallida e spaventata.

Notò che Adam era calmo, ma, gli occhi calcolatori e la rigidità della bocca gli fecero intuire che stava ribollendo di rabbia.

«Allora, perché mia sorella avrebbe bisogno del mio aiuto, Adam? Alicia desidera solo rompere il fidanzamento Accetta la sua decisione, prendila da gentiluomo.»

«Oh, lo farò, non temere. Ma ho appena informato la tua cara sorella che rovinerò la vostra famiglia per quello che mi ha appena fatto. Vedi, conosco un segreto... il grande segreto di Cavendon.»

«Davvero? Vuoi condividerlo con me?» Charlie fece scorrere lo sguardo da Adam ad Alicia, che inarcò un sopracciglio e scosse la testa.

«È tutta un'assurdità, Charlie. È pazzo e infuriato.»

«Io non solo desidero condividerla con te», affermò Adam, ignorando il commento di Alicia, «voglio condividerla con il mondo intero. E a *te* non piaceranno i titoli, ne sono sicuro.»

«E cosa sarebbe questo gran segreto?»

Adam glielo disse.

Charlie rise, scosse la testa e ricominciò a ridere.

«Tua madre è rimasta incinta nella primavera del 1913», spiegò Adam. «Non ha mai rivelato il nome del padre. Aveva solo diciassette anni e andava con molti uomini. Per questo forse non sapeva chi l'aveva messa incinta. Poi ecco arrivare sul palcoscenico di Cavendon Hugo Stanton, il cugino che non si vedeva da molto tempo. Il cugino che desiderava tornare all'ovile. Un improvviso, rapido matrimonio con lady Daphne poche settimane dal suo arrivo che sorprese molti Ingham. Una bambina nata nel gennaio del 1914, apparentemente prematura. Una bambina che chiamarono Alicia.»

«Niente di più falso. Chi ti ha raccontato questa stupida storia?» domandò Charlie, furibondo.

«Bryan Mellor mi aveva detto che uno della famiglia gli aveva parlato in confidenza della nascita di Alicia, quando lui la stava corteggiando.»

«È ridicolo, Adam. Pensi veramente che un qualsiasi giornale di Fleet Street pubblicherebbe una storia tanto vergognosa? Io sono uno di loro, per l'amor di Dio, e benvoluto dai miei colleghi. La riterrebbero un mucchio di stupidaggini.»

«Ci sono sempre fogli scandalistici e un giornalista con la mano tesa. Riuscirò a farla pubblicare. E tutto il mondo saprà che genere di gentaglia sono gli Ingham.»

Charlie rimase in silenzio, la mente un turbinio di pensieri. Stava ricordando strani stralci di pettegolezzo che aveva sentito scambiare tra i membri della famiglia nel corso degli anni. L'improvviso arrivo di suo padre a Cavendon. Le nozze repentine dopo solo poche settimane dal loro incontro. La cosiddetta nascita prematura.

Sapeva che sua madre non era stata promiscua e che i suoi genitori si erano veramente innamorati, ma sapeva anche che il mondo era un luogo pericoloso. Poteva rischiare di andarsene via con Alicia sottobraccio? Ricatto, pensò. Adam vuole ricattarci e potrebbe anche non fermarsi lì. Posso mettere in pericolo la nostra reputazione? Quella di Alicia? Il fango rimane appiccicato, questo lo sapeva.

«Quanto vuoi per il tuo silenzio?» domandò Charlie, calmo, anche se dentro di sé era infuriato, e non solo con Adam, ma anche con se stesso per cedere alle richieste di quell'individuo spregevole. Ciononostante, intuì di non avere altra scelta.

«Ventimila sterline», rispose lui, una nota trionfante nella voce.

«Non penso che dovremmo farlo, Charlie», esclamò Alicia, fissando il fratello. «È un ricatto e la storia non è vera.»

«Hai ragione, Alicia, d'altra parte ha ragione anche lui nel sostenere che ci sarà un giornale scandalistico che la pubblicherebbe. E il fango resta appiccicato. Per noi è importante proteggere il buon nome della famiglia. In questo sei d'accordo con me?»

324

Lei annuì. «Vado a prendere la mia borsetta.» Corse in camera da letto e tornò un attimo dopo.

«Non ti pagherò la cifra che richiedi, non posso», disse Charlie ad Adam mentre Alicia non era presente. «Ti darò quattromila sterline, ma questo è tutto.»

«Io pagherò la metà», dichiarò Alicia.

«Voglio gli assegni ora. E non pensate di annullarli lunedì. Se lo farete, andrò dai giornali e voi dovrete affrontare lo scandalo.»

«Abbiamo lottato, Charlie, e io l'ho respinto. Ha cercato di violentarmi», raccontò Alicia, appoggiandosi al fratello sul sedile posteriore dell'auto con autista. «Saresti stato fiero di me. Gli ho rifilato un gancio destro al mento.»

«Sono fiero di te, come sono contento che ci eravamo accordati perché ti aspettassi fuori casa sua. E sono felice che tu stia bene.»

«Sono un po' sottosopra e in disordine, ma lieta che sia tutto finito. Sfortunatamente, Charlie, abbiamo fatto un pessimo affare. Adam è un ricattatore.»

«E, secondo me, malato di mente», aggiunse il fratello, stringendola a sé. «Grazie a Dio ti sei ricreduta su di lui, l'hai visto per quello che era. Temo che siamo stati tutti ingannati dal suo fascino.»

«Avevo intuito che stava per perdere i suoi finanziatori. Sono certa che ha bisogno di denaro.» Si mordicchiò il labbro. E pensare che era stata fidanzata a quell'uomo.

«Grazie a Dio ce l'ho fatta a ottenere due posti sull'ultimo volo per Zurigo. Adam non riuscirà a trovarci questo fine settimana e tu sarai al sicuro. Atterremo sul tardi, per cui passeremo la notte al *Baur au Lac Hotel*, il che ci offre l'opportunità di riflettere su questa faccenda e su come gestire Adam prima di andare a trovare i nostri genitori domani mattina. Non gli hai detto dove avevamo intenzione di andare, vero?»

«No. Ho parlato solo del fidanzamento. Che sollievo. Come zia Charlotte usava dire: *era destino.*»

«Se Fennell ha un disperato bisogno di soldi», disse all'improvviso Charlie quella sera durante il volo verso Zurigo, «con quattromila sterline non otterrà molto.»

«Lo so, ma io gli ho reso l'anello con diamante e gli orecchini. Sono molto preziosi. Li venderà e cercherà nuovi finanziatori per *Dangerous* e per l'altro film, *Revenge.*»

«Quindi pensi che resterà a Londra?»

«È più che probabile, si è fatto un nome.» Un brivido involontario la scosse. «Tutto quello che desidero è che stia lontano da me.»

«È per questo che ho pagato il riscatto. Sapevo che avrebbe trovato un tabloid scandalistico che avrebbe pubblicato la sua storia. Un uomo tanto disperato farebbe qualsiasi cosa per sopravvivere. Non potevo rischiare, defilandomi, Alicia. Dovevamo uscire dal suo appartamento sani e salvi.»

«Lo so, ma so anche che i ricattatori tornano sempre alla carica, Charlie. Sii preparato.»

40

«So che il motivo che ci ha spinti a venire a Zurigo era quello di scoprire la verità sulla salute della mamma», iniziò Charlie, «anche se papà sembra non volerne parlare.» Allontanò la tazza di caffè e allungò la gamba artificiale. «Ora però abbiamo un altro motivo per essere qui e cioè chiedere loro chi è il tuo padre biologico. Hugo o no?»

«Charlie, che stai dicendo? Non crederai che quell'odioso Fennell si sia imbattuto in qualcosa di concreto, vero?» domandò Alicia, la voce stridula dalla paura. «Non può essere vero. Tu non pensi che sia vero, giusto?» La colazione era rimasta intatta, tutta quella storia le aveva fatto passare l'appetito.

Charlie non rispose subito. I due fratelli erano seduti nella splendida sala da pranzo del *Baur au Lac* che dava sul giardino e sul lago. «No, non credo sia vero», rispose infine, «ma, per essere sincero, nel corso degli anni ho sentito alcuni pettegolezzi sulla famiglia.»

Alicia si raddrizzò e con aria preoccupata chiese: «Intendi su nostra madre? Su nostro padre? O su di me?»

«Mai su di te. E i pettegolezzi non si riferivano a chi fosse tuo padre, piuttosto alla rapidità di tutta quella vecchia faccenda.»

«Per piacere, Charlie, raccontami tutto.»

«Non c'è molto da dire oltre a questo. Hugo Stanton era tornato a Cavendon nel 1913. Aveva vissuto in America, dove aveva lavorato con un importante imprenditore immobiliare, Benjamin Silver, ed è stato lì che ha creato il suo patrimonio. Aveva anche sposato la figlia del suo capo, così per dire, Loretta, la sua prima moglie...»

«Vuoi dire che papà era già stato sposato?» Alicia fissò incredula il fratello.

«Sì. Ma zia Charlotte mi aveva detto di non farne mai cenno. A quanto pare a nostra madre non piaceva si sapesse che aveva avuto una moglie prima di lei.»

«Che è successo a Loretta?»

«Dopo la morte del padre di lei, Hugo e Loretta si erano trasferiti in Svizzera. Lei era ammalata di tubercolosi ed è morta. Hugo ha ereditato anche il patrimonio e la villa che il padre aveva lasciato alla figlia diventando così molto ricco.»

«Vuoi dire che villa Fleurir era appartenuta a Loretta?»

«Credo di sì.»

«Però! Ma perché hanno dovuto tenere segreto il fatto che papà aveva avuto una prima moglie?»

«Chissà. Ma torniamo all'arrivo di Hugo a Cavendon. A quanto pare, a lui bastò una sola occhiata a lady Daphne, un vero *coup de foudre*. Pare abbia chiesto a nostro nonno il permesso di corteggiarla e il sesto conte aveva parlato con Daphne che aveva accettato. E così, di botto, scoprirono il vero amore e, diciamolo, la loro unione perdura ancora.»

«Ma che c'è di sbagliato in questo? Perché qualcuno deve spettegolarci sopra?» domandò Alicia, sconcertata.

«Si erano sposati in fretta. Alcuni membri della famiglia, specialmente le donne, si erano chieste il perché di tanta urgenza. Sarebbe parso un matrimonio riparatore.»

«Forse avevano pensato che lei era una svergognata, che era andata a letto con Hugo ed era rimasta incinta.»

«È una possibilità, soprattutto perché tu sei nata prematura.»

«Davvero?» Corrugò la fronte. «Perché non me ne hai mai parlato prima?»

«Perché niente di tutto questo era importante. È stato un caso che ne abbiamo parlato perché avevo detto qualcosa a proposito di villa Fleurir e zia Charlotte mi aveva corretto. E così era venuta fuori la storia su Loretta, nulla di specifico, davvero.»

«E nessuno mi ha mai chiamata bastarda?»

«Non essere sciocca, certo che no. Sinceramente credo che tu e io abbiamo lo stesso padre biologico.»

«Allora suppongo che dovremo chiedere loro la verità», disse Alicia dopo un attimo di silenzio. «Se non altro per bloccare la minaccia del ricatto. Lascerai che tiri in ballo io l'argomento, vero, Charlie? Devo sentire la verità dalle loro labbra.»

«Ti capisco e la sentirai.»

«Ho noleggiato un'auto con autista», la informò Charlie, mentre attraversava l'atrio dell'albergo *Baur au Lac*. «Non voglio dipendere dai genitori e dalla loro tipica organizzazione.»

«Mi fa piacere. Ma prima di uscire e salire in macchina, ripassiamo il nostro modus operandi.»

«Buona idea. Dopo avere chiesto della salute di mamma, sarò io a dire che siamo venuti a Zurigo per fare loro alcune domande a causa di alcune voci che ho sentito sulla tua nascita. D'accordo?»

«Poi ti fermi e chiedo io a papà, se lui è mio padre. O se io sono una bastarda.»

«Non vorrai usare esattamente quella parola, vero?»

«No, ma potrebbe essere necessario per sconvolgerli. So

329

che vivono in un mondo loro di sogni. Esistono l'uno per l'altra. Mi stupisce che abbiano avuto dei figli.»

Charlie scoppiò a ridere. «È quello che succede quando si passa tutta la vita a fare all'amore.»

Alicia sorrise. «Ricordi che da piccoli non riuscivamo a capire, perché fossero sempre a letto? Tu mi avevi detto che forse avevano bisogno di dormire tanto, perché erano più vecchi di noi.»

«Sì, me ne ricordo. Ma ora andiamo e affrontiamo i leoni nella loro tana.»

Quando Charlie e Alicia arrivarono a villa Fleurir, fu Anna, la governante, ad aprirgli la porta e a salutarli con enorme sorpresa. Fu sul punto di parlare, ma Charlie si portò un dito alle labbra. «Shhh. Non sanno del nostro arrivo.»

Anna annuì sorridendo e spalancò la porta. «Sono seduti nella loggia», sussurrò a Charlie. «È una giornata tanto bella.»

Un attimo dopo, i loro genitori li guardarono attoniti. Lady Daphne non riuscì neppure ad alzarsi, mentre Hugo balzò in piedi e corse ad abbracciare Alicia e Charlie. «Perché non ci avete avvisato che stavate arrivando?»

«Volevamo farvi una sorpresa», spiegò il figlio.

A quel punto si alzò pure lady Daphne e andò a baciare Charlie e poi la figlia, l'espressione sorridente. «Sei deliziosa, Alicia, e tanto primaverile nel tuo abitino rosa.»

«Grazie», mormorò Alicia.

Charlie e Alicia si accomodarono su un divanetto di fronte ai genitori e scambiarono convenevoli, mentre Anna portava caffè e dolcetti. Nessuno menzionò Cavendon, si limitarono a parlare dei film di Alicia e del lavoro di Charlie.

Alicia non riusciva a capacitarsi di quanto bene stesse sua madre: rilassata, riposata, al massimo della bellezza, anche se aveva passato i cinquant'anni. Tanto bene da poter viaggiare per il funerale di Charlotte, pensò, stizzita, chiedendosi, perché mai sua madre l'avesse evitato. Charlotte era stata un'amica molto vicina a Daphne. E abbastanza bene per recarsi a Cavendon per Natale. Si rese conto di non riuscire a partecipare alla conversazione e le sue emozioni minacciavano di straripare.

Dopo una pausa naturale, Charlie parlò per primo.

«Volevamo venire a trovarvi in ogni caso, ci chiedevamo come stavate. È passato così tanto tempo dall'ultima volta che ci siamo visti», esordì. «Però c'è un altro motivo. Vorremmo farvi un paio di domande, perché Alicia e io abbiamo sentito alcune chiacchiere inquietanti, dei commenti, se volete, sulla nascita di Alicia.»

Alicia, che stava osservando attentamente la madre, notò che le parole di Charlie l'avevano turbata e che il suo sguardo era corso sul marito che, chiaramente sorpreso quanto Daphne, esclamò: «Non sono sicuro di averti capito, Charlie. Che genere di chiacchiere?»

Prima che Charlie potesse rispondere, Alicia si sentì sommergere dalle emozioni ed esclamò: «Mi è stato detto che tu non sei mio padre biologico. È vero?»

Lo choc sul volto di lady Daphne fu evidente e l'espressione amorevole di Hugo si trasformò in una di totale orrore. Nessuno dei due parlò, ma fissarono a bocca aperta i figli.

«Un sacco di assurdità», rispose infine con veemenza Hugo, scuotendo la testa. «Io *sono* tuo padre, Alicia.»

«Hugo sta dicendo la verità?» chiese Alicia fissando la madre. «È veramente mio padre? O hai avuto un amante che ti ha messa incinta?»

Si rivolse poi a Hugo e continuò con lo stesso tono duro. «E poi sei arrivato tu, il cavaliere nella sua scintillante armatura, e l'hai sposata in gran fretta per salvare il buon nome degli Ingham. È andata così, non è vero, *papà*?»

«Chiunque ti abbia detto questo», esclamò con rabbia Hugo, che era impallidito e tremava leggermente, «ha mentito. *Io sono tuo padre.*»

Sebbene Alicia avesse avuto dubbi sulla storia di Fennell e fosse venuta a Zurigo senza preconcetti, c'era qualcosa in sua madre che la disturbò.

L'apparente buona salute della madre? Il fatto che non fosse venuta al funerale? O l'espressione sul suo viso?

«Ho bisogno di sentire la verità da te, mamma. Penso di meritarmi di sapere chi mi ha procreata.»

Dopo un lungo silenzio lady Daphne iniziò a parlare, bloccando con la mano Hugo che aveva cercato di interromperla.

«Ascoltami, Alicia, e sforzati di capire quello che sto dicendo. È facile piantare semi in un giardino, ma quando quei semi iniziano a crescere, devi prendertene cura, occuparti di loro, addirittura amarli e...»

«Non voglio una lezione di giardinaggio», la interruppe bruscamente lei. «Dimmi solo chi ha piantato il suo seme dentro di te.»

«Per piacere, Alicia, calmati!» esclamò Charlie. «Non infuriarti prima di conoscere i fatti. Fa' la brava.»

«Va tutto bene, Charlie», sussurrò lady Daphne. «Dirò a tua sorella ciò che ha bisogno di sapere. È suo diritto.»

«Avevo diciassette anni», continuò dopo avere tratto un profondo respiro. «Ero giovane, innocente e inesperta. Ma avevo un amico, Julian Torbett, che viveva nelle vicinanze. Un pomeriggio di primavera ero andata a trovarlo, ma lui era uscito, e così ero tornata a casa attraverso il bosco. Ero a metà strada quando avevo sentito qualcosa colpirmi la schiena, come un enorme sacco di patate. Ero caduta in avanti e avevo sbattuto la faccia su alcune pietre, poi delle mani rudi mi avevano girata e io avevo visto un uomo grande e grosso in abiti pesanti, il viso e la testa avvolti in una sciarpa scura.

A stento ero riuscita a vedergli gli occhi. Lui mi aveva strappato la giacca e la camicetta e poi mi aveva stuprata. Prima di andarsene, mi aveva detto che, se avessi detto a qualcuno che ero stata violentata nel bosco di Cavendon, lui avrebbe fatto uccidere mamma e Dulcie.»

Lady Daphne s'interruppe ed emise un profondo sospiro. Nessuno parlò. Sapevano che il suo racconto non era terminato.

«Rimasi a terra, incapace di muovermi. Mi sentivo contusa e a pezzi. Lui mi aveva palpata tanto rudemente e io ero in stato di choc. Più tardi delle mani delicate mi stavano toccando la faccia, ripetendo dolcemente il mio nome. Era Ginevra, la ragazza rom. Mi aiutò a sistemare alla bell'e meglio i vestiti, poi mi accompagnò fuori dal bosco, reggendomi. Aveva iniziato a piovere e lei mi asciugò il viso con la sua sciarpa e mi accarezzò la mano per calmarmi. Prima di allontanarsi mi ammonì di dire che ero caduta, l'aveva ripetuto più volte. In seguito, mi resi conto che aveva assistito all'aggressione.»

Charlie, inorridito, lanciò un'occhiata ad Alicia e poi a Daphne. «Che cosa terribile, mamma. Come hai potuto sopportare una simile aggressione? Come hai fatto a riprenderti?»

«Con l'aiuto di Alice Swann e di Charlotte. Lo sapevano solo gli Swann, nessun altro, neppure i miei genitori. Ma quando scoprii di essere incinta, dovemmo dirlo loro. Ancora una volta furono Alice e Charlotte ad aiutarmi a superare quel calvario. Charlotte aveva addirittura escogitato un piano per far nascere il figlio all'estero. Ma non fu necessario. Perché Hugo Stanton, il cugino di mio padre, era tornato in quel momento a Cavendon dopo una lunga assenza. Lui si era innamorato di me e io di lui. E questa è tutta la storia.»

Lady Daphne si mise comoda, gli occhi azzurri gonfi di lacrime.

«Non proprio l'intera storia», aggiunse Hugo, la voce ora ferma e sicura. «Io mi ero innamorato a prima vista della splendida lady Daphne e avevo chiesto a Charles il permesso di corteggiarla. Lui ne aveva parlato con Daphne e lei aveva accettato, ma prima mi aveva parlato dello stupro e di cosa le era successo nel bosco di Cavendon. Aveva ritenuto giusto che io sapessi che era incinta di un altro uomo. Mi aveva anche detto che non avrebbe ceduto il bambino in adozione, perché era suo, un Ingham.»

Guardò Alicia e concluse dolcemente: «Ti ha amata ancor prima che tu nascessi, Alicia, e ti ha voluta, e io sapevo che non ti avrebbe mai abbandonata. Eri sua figlia. Ti prego, questo devi capirlo. E io accettai che il figlio che portava dentro di sé sarebbe stato *nostro*».

Alicia rimase seduta, immobile come una pietra. Era sbalordita e non poté evitare di chiedere: «Ma perché nessuno di voi due mi ha mai raccontato la verità? Quando ero abbastanza grande per conoscerla? Avrei capito.»

«Forse avresti capito, sei molto intelligente, una vera Ingham sotto ogni aspetto. Ma perché caricarti di questo fardello? Perché far rivivere tutta questa storia a tua madre?»

Hugo si avvicinò ad Alicia, le prese le mani e la tirò in piedi. «Ti avevo presa tra le mie braccia solo pochi minuti dopo la tua nascita e avevo visto quelle nuvolette di capelli biondi, gli occhi azzurri e mi ero innamorato di nuovo. *Di te*. Ti ho amata per tutta la tua vita. Sai, mia cara, qualsiasi uomo può piantare rapidamente e facilmente il suo seme in una donna, ma è ciò che fa dopo la nascita del figlio che lo rende un vero padre. Un buon padre, o un cattivo padre. Io ho cercato di essere un buon padre per te e penso di esserci riuscito. Lo spero almeno.»

Alicia vide le lacrime negli occhi di Hugo e anche i suoi si riempirono di lacrime. Andò da sua madre, si sedette su una sedia, e prese la mani di Daphne nelle proprie. «Mi dispiace di avere parlato in tono tanto duro, tanto aspro. Mi spiace veramente. E ora che conosco la tua storia penso che tu sia stata molto coraggiosa. Ho solo altre due domande, se ti andasse di rispondere.»

«Ci proverò, tesoro.»

«Chi era l'uomo che ti aveva violentata?»

«Sapevo che era stato Richard Torbett, il fratello del mio amico Julian, ma non l'ho mai detto a nessuno, tranne che a tuo padre. E lui ha mantenuto il segreto.»

«Vive ancora là.»

«No. Per caso tuo padre ha saputo che era stato ucciso nelle trincee francesi durante la prima guerra mondiale.»

Alicia fece cenno di sì con il capo, continuò a tenere strette le mani della madre e cominciò a capire così tanto sui suoi genitori e la loro vita insieme.

41

CHARLIE percorse il corridoio diretto alla redazione servizi speciali del *Daily Mail* dove adesso lavorava Elise Steinbrenner, bussò alla porta ed entrò.

Lei, seduta alla scrivania, alzò gli occhi e gli sorrise. «Ciao Charlie.»

«Come stai, paperetta? Spero che il nuovo lavoro ti piaccia.»

«Sì, ma non so perché continui a chiamarmi così.»

«È affettuoso e mi piace. A te no?»

«Visto che lo usi tu, sì, molto.»

«Ho bisogno del tuo aiuto, urgentemente», andò subito al dunque Charlie, sedendosi. «Sei impegnata con un servizio al momento?»

«Jimmy me ne ha assegnati una serie sul Festival della Gran Bretagna che avrà luogo l'anno prossimo. Dai lavori di costruzione che sono in corso, come il South Bank, alla ristrutturazione delle zone bombardate nelle città, quel genere di cose. Ma posso aiutarti. Di che cosa hai bisogno?» gli domandò, girandosi sulla sedia.

«Vorrei che tu facessi alcune ricerche su Adam Fennell e...»

«Il fidanzato di Alicia? Perché?» lo fissò perplessa.

«Non sono più fidanzati. Mia sorella ha rotto il fidanzamento la settimana scorsa. Ma non parlarne a nessuno, d'accordo? Almeno per ora. Fennell non ha preso molto bene la rottura.»

«Pensi possa creare dei problemi? Mi è sembrato uno a posto quando l'ho visto da Greta.»

«È talmente affascinante che potrebbe vendere ghiaccio agli eschimesi, come si usa dire. Anche se io preferisco dire che con il suo fascino è capace di far perdere la testa a qualunque donna. Penso sia un Casanova, inoltre sospetto che...» S'interruppe, sorrise e concluse: «Gli manchi qualche rotella. Non credo sia pericoloso, ma non si può mai dire, ti pare?»

«Hai ragione e noi due, da giornalisti, ne vediamo delle belle. Non siamo reporter di cronaca nera, ma il nostro mestiere ci porta a conoscere molte informazioni segrete e il mondo è un posto pericoloso.»

«Per la correttezza, dovresti dire a Jimmy Maze che mi stai dando una mano», consigliò Charlie.

«Nessun problema, davvero. Jimmy è gentile e alla mano e io gli piaccio, per questo mi ha fatto venire qui. E per te, Charlie, farebbe qualsiasi cosa.»

«Ecco di cosa ho bisogno. Tutto ciò che riesci a sapere su Fennell. Da dove viene, quale scuola ha frequentato, quale università, come è entrato nel mondo del cinema, chi sono i suoi finanziatori, del passato e attuali. Alcune cose le so. Per esempio che ha lavorato con sir Alexander Korda per un paio d'anni e che va spesso a New York. Se qualcuno ti chiedesse perché stai scrivendo un articolo su di lui, potresti dire che è per la prossima uscita del suo ultimo film, *Broken Image*. Potrebbe essere una buona copertura di base.»

«Intesi. Nel caso Adam sentisse odore di bruciato.»

«Brava.»

«Inizierò da qui, dalla raccolta di ritagli di giornali, per vedere cosa è già stato scritto su di lui.»

«Grazie Elise. Se avessi bisogno di andare da qualche parte, usa i taxi e semplificati la vita. Coprirò io tutte le spese, ovviamente.»

Si alzò, attraversò la stanza, le diede un bacio sulla guancia e tornò nel proprio ufficio.

Si sedette alla scrivania e rifletté su Fennell e sugli assegni che gli avevano dato lui e Alicia. Era sicuro che sarebbe tornato alla carica, chiedendo altri soldi. Era così che si comportavano i ricattatòri. Anche se Charlie li avesse avuti, non gliene avrebbe dati altri. Non ne aveva più e neppure Alicia. Avrebbero dovuto attingere ai loro risparmi.

Controllò l'ora. Era mezzogiorno. Doveva uscire immediatamente e recarsi alla Grill Room del *Savoy Hotel* dove avrebbe incontrato l'ispettore Howard Pinkerton di Scotland Yard. Per tutti loro, zio Howard, sposato a una Swann, zia Dottie, che lavorava con Cecily e Greta Chalmers.

Charlie aveva chiesto un tranquillo tavolo d'angolo e il maître, che lo conosceva bene, l'aveva accontentato. Era arrivato nel foyer del *Savoy* nello stesso momento in cui Howard scendeva dal taxi ed erano entrati insieme, ridendo del loro tempismo perfetto.

«Aspetto con ansia di leggere la tua ultima fatica su Dunkerque», disse Howard, dopo avere ordinato un Martini e avere chiacchierato su questioni famigliari e sul lavoro di storico di Charlie. «Avrà un grande successo. Esce nel momento giusto, a cinque anni dalla fine della guerra. In ogni caso, alla tua, Charlie, e tanta fortuna al tuo libro. Ma mi hai invitato perché dovevi parlare di qualcosa di importante. Forza, in che modo posso esserti di aiuto.»

«Non ti dispiace, se prima ordiniamo? La storia è... diciamo un po' complessa.»

«Per me va bene tanto so già cosa ordinerò. Il loro carrello degli arrosti.»

«E per cominciare?»

«Salmone affumicato, per piacere. Non gli resisto.»

«Ti va del vino?» domandò Charlie.

Howard scosse il capo. «Per me un Martini, nient'altro. È il mio giorno libero, ma non mi piace esagerare.»

«Okay.» Charlie bevve un sorso del suo cocktail, quindi fissò attentamente lo zio. «So che non sei uno Swann, ma ne hai sposata una. Vorrei da te la stessa riservatezza che esiste tra gli altri Ingham e gli Swann. Me l'assicuri?»

«So che dovevi chiedermelo, Charlie, ma va da sé che manterrò tutti i tuoi segreti. Tutto è iniziato con la tua prozia Gwendolyn, sai. O forse non lo sai. Lei e io insieme abbiamo risolto molti problemi per la famiglia Ingham. Allora, di che si tratta?»

Charlie lo ragguagliò sulla rottura del fidanzamento, sullo strano comportamento di Adam Fennell, sul sospetto che covavano sia lui sia Alicia sullo stato mentale di Fennell. Poi gli parlò dell'assurda storia svelata da Fennell riguardo la nascita di Alicia e il fatto che Hugo non fosse il padre biologico della sorella, attento a far suonare il tutto come incredibile. Menzionò la minaccia di Fennell di rivelare quella favola a un giornale scandalistico per infangare il nome degli Ingham. Titoli a bizzeffe, così s'espresse Charlie.

In ultimo, prendendo il coraggio a due mani, gli confessò che lui e Alicia avevano dato a Fennell del denaro, affinché sparisse.

Howard ascoltò con attenzione e, dopo avere sentito la parte sul ricatto, rimase in silenzio. Ora, con la sua mente ben addestrata, rifletté su tutte quelle informazioni. «Vorrei non gli aveste dato quegli assegni, ma quel che è fatto è fatto. Potrebbe ripresentarsi. I ricattatori lo fanno sempre. Se accadesse, fissa un appuntamento, e fammelo sapere. Ci sarò e gli farò venire una paura del diavolo. Allora, perché lo hai pagato, Charlie?»

«So quanto possano essere dannosi gli articoli dei giornali, specialmente quelli scandalistici. Sono anche consapevole che il fango rimane appiccicato e che potrebbe nuocere ad Alicia. C'erano poi state delle chiacchiere anni fa, quando mio padre era tornato a Cavendon. Tutti sappiamo che il loro era stato un colpo di fulmine, che si erano sposati in fretta, troppo in fretta per qualcuno, temo. Con ogni probabilità avevano pensato che Hugo l'avesse messa incinta.»

«Ne sono al corrente e so che un pettegolezzo può gonfiarsi all'inverosimile, apparire come qualcosa di totalmente diverso. I giornali adorano gli scandali degli aristocratici o qualsiasi cosa riguardi un'attrice come Alicia. Ma concentriamoci su Fennell. Che sai di lui?»

«Non molto. In realtà, potrei dire che non ne so nulla. Oltre al fatto che è attraente, di bell'aspetto, un po' dandy e apparentemente un uomo di successo nel mondo del cinema. Alicia si era innamorata di lui ed era piaciuto a tutti noi, ora guarda dove questo ci ha portati.»

«Le vittime di un imbroglione intelligente, sospetto. Sarò a Scotland Yard per il resto della settimana, e scaverò un poco, cercherò di scoprire qualcosa su di lui. Qualcosa di criminale, intendo.»

«Grazie, zio Howard. Voglio solo proteggere Alicia.»

«Pensi che sia pericoloso?» chiese lui, lanciandogli una strana occhiata.

«Non lo so. In ogni caso a volte si comporta in modo strano e ha un brutto carattere.»

«Dimmi tutto quello che pensi di lui, disegnami un suo profilo. Sei brillante, lo sai fare meglio di chiunque altro.»

Charlie lo ragguagliò al meglio. Tra una portata e l'altra,

si lambiccò, sforzandosi di ricordare ogni più piccolo dettaglio che aveva notato in Adam Fennell.

«Tutto qui, zio Howard», concluse.

«Mi hai appena disegnato il profilo di uno psicopatico», dichiarò Howard, fissandolo con espressione grave.

«Uno psicopatico?» ripeté Charlie, preoccupato. «Oh, mio Dio.»

«Dov'è Alicia? A Londra?»

«No, a Cavendon.»

«Dille di restarci. Voglio saperne di più su Fennell. Lo farò pedinare. Dove vive?»

«Non pensi che Alicia sia in pericolo, vero?» gli domandò Charlie dopo avergli riferito l'indirizzo.

«No, penso di no, non al momento, almeno. Ciononostante, è meglio essere prudenti.»

Alicia e Cecily si erano appena sedute per il tè nel salotto giallo, quando Gwen entrò con la gattina Cleopatra.

«Se non metti a terra quella gatta e la lasci camminare, la manderò all'orfanotrofio dei gatti», disse Cecily. «E allora che farai?»

«Andrò con lei nell'orfanotrofio. Dov'è?» chiese Gwen.

«Non essere insolente, Gwen, sai che non sopporto la maleducazione. Fai del male a quella gatta.»

«Cioè?» chiese la piccola, di colpo preoccupata.

«Un gatto o un cane è simile a un essere umano. Noi abbiamo le gambe e loro hanno le zampe e tutti dobbiamo camminare», s'intromise Alicia. «Se non lo facciamo, diventiamo rigidi, i nostri muscoli s'indeboliscono e presto diventiamo invalidi. Di certo non vorrai che Cleo diventi debole, vero?»

«No, le voglio tanto bene, Alicia.»

«Allora mettila a terra. In ogni caso non dovrebbe starti in grembo, mentre mangiamo. È maleducazione.» Alicia lanciò un'occhiata a Cecily.

«Ben detto», concordò Cecily e sorrise tra sé nel vedere Gwen mettere a terra la gatta, anche se con riluttanza.

«Vedi, sta già correndo via!» gridò Gwen e fece per alzarsi.

Alicia impedì alla cuginetta di alzarsi. «Smettila di comportarti in modo tanto sciocco, di essere tanto possessiva. Lei deve correre e saltare ed essere felice. Tenerla stretta a te la rende *infelice*.»

«Oh.» Gwen guardò la gattina che correva per la stanza, saltava poi in cima al divano e si sedeva fissandole.

«Visto, non è andata via. È qui e ti sta guardando, perché anche lei ti ama.»

Gwen sorrise e rimase seduta sulla sedia, con grande sollievo di Cecily, mentre Eric entrava per servire il tè.

«Quando tornerà da Londra zio Miles?» chiese Alicia a Cecily tra una sorsata e l'altra.

«Domani mattina, in tempo per il pranzo. Lui e Harry sono andati a trovare Christopher Longdon, perché vorrebbero assumere altri reduci. Nella tenuta ci sono ancora molte fattorie vuote.»

«Lo zio mi ha detto che le due famiglie che si sono insediate stanno diventando brave.»

«Proprio così e hanno fatto una grande differenza per la produzione agricola.»

«Può lasciare qui il piattino dei sandwich, Eric», lo ringraziò Cecily. «Ci serviremo da sole, e lasci qui pure i dolcetti.»

«Va bene, milady.» Sorrise e uscì dal salotto.

«Ho compilato la lista della spesa, mamma, come mi avevi chiesto», disse Gwen tirando fuori della tasca un pezzo di carta. «Vuoi che te la legga?»

«Se proprio devi», mormorò Cecily, grata ad Alicia per

essere intervenuta sulla mania di Gwen di tenere sempre in braccio la gattina, cosa che faceva infuriare Miles.

«Ho bisogno di due camicette bianche in cotone, due paia di calze bianche e un nuovo paio di pantofole. Oh, anche papà ne ha bisogno. Le sue sono logore.»

Perplessa, Cecily fissò la figlia e corrugò la fronte. «No, non lo sono. Le sue pantofole sono nuove.»

«No, sono vecchie», insisté Gwen. «Le ho viste. La notte quando zia Charlotte è morta...»

«Che cosa vuoi dire a proposito della notte della morte di zia Charlotte?»

Gwen si mordicchiò il labbro, un espressione timorosa sul volto. «Per favore, non arrabbiarti, mamma. Dimmi che non lo farai.»

«Non mi arrabbierò, parlami soltanto delle pantofole di papà. Su, tesoro, non fare la sciocchina. Non me la prendo.»

«In quei giorni Cleo non stava bene e io scendevo di continuo in cucina per controllarla, su e giù per la scala di servizio. Una volta, quando stavo per tornare giù, mi ero inginocchiata per chiudere la porta e ho visto papà uscire dalla camera di zia Charlotte.»

«Ho capito, Gwen. Ma papà ti ha vista?»

«No e io non ho visto lui, solo le sue pantofole. Poi ho chiuso la porta e sono corsa giù in cucina. Ed erano delle vecchie pantofole», si ostinò la piccola.

Alicia stava per dire qualcosa, ma poi s'interruppe e guardò Cecily. «Non mi sento bene», mormorò. «Pensi che Gwen possa andare a chiedere a Eric un bicchiere d'acqua? Credo sia in sala da pranzo.»

Cecily annuì, intuendo che c'era qualcosa che non andava. Alicia era impallidita e pareva inquieta. «Gwen, per favore, trova Eric e chiedigli di portare un bicchiere d'acqua per Alicia.»

«Sì, mamma.»

«Che succede, Alicia?» domandò Cecily appena furono sole. «Sei bianca come un cencio, non ti senti bene, stai per svenire?»

«Era Adam Fennell quello che Gwen ha visto uscire dalla camera della zia Charlotte», dichiarò Alicia dopo un attimo di silenzio. «Vedi, aveva preso quelle vecchie pantofole dalla cesta per l'Esercito della Salvezza.»

Cecily la guardò a bocca aperta, incredula. «Non dirai sul serio. Perché mai un uomo come Fennell prenderebbe delle vecchie pantofole? E per quale motivo?»

«Perché sopra c'era lo stemma della nostra famiglia. Mi ero infuriata quando l'avevo notato, ma lui non aveva voluto rimetterle nella cesta. Le ha tenute.»

«Mi sarei arrabbiata pure io. Stava collezionando trofei, giusto? Voleva essere come un conte. Oh, mio Dio! Ora capisco. Che ci faceva Adam Fennell nella camera della zia? Nel bel mezzo della notte?» Colpita, Cecily capì cosa volesse dire, quali erano le implicazioni. «Dove sono ora quelle pantofole, Alicia? Lo sai?»

«Probabilmente nella stanza che gli era stata assegnata. L'avevo ammonito di non portarle via», borbottò Alicia, turbata da questo nuovo sviluppo.

«Stai pensando quello che penso io?» le chiese Cecily.

«Sì. Potrebbe avere fatto del male alla zia Charlotte. Forse la sua morte non è stata affatto un incidente. Forse è stato lui a ucciderla.»

In quel momento Eric tornò con un bicchiere d'acqua e lo porse ad Alicia. «Al telefono nella biblioteca c'è il signor Charlie, vostra signoria. Desidera parlare con lei e con la signorina Alicia.»

«Grazie Eric.» Poi guardò Gwen che aveva seguito Eric nel salotto giallo. «Torniamo tra un attimo, tesoro. Finisci il tuo tè.»

«D'accordo, mamma. Posso avere una focaccina dolce?»

«Sì», rispose Cecily frettolosamente e corse dietro Alicia.

«Bado io a lady Gwen», la rassicurò Eric.

«Grazie, Eric.»

«Ciao, Charlie, sono Cecily», rispose sedendosi alla scrivania.

«Ciao, zia Ceci, volevo solo chiederti, se domani zio Howard può venire a Cavendon. C'è stato uno strano sviluppo a proposito di Adam Fennell.»

«Naturalmente, ma perché zio Howard vuole venire qui?»

«Vorrei parlare prima con Alicia, se non ti dispiace. Devo dirle una cosa piuttosto importante.»

«È qui accanto a me.» Cecily si alzò e passò il ricevitore ad Alicia.

«Che cosa è successo, Charlie?»

«Adam Fennell non esiste», rispose Charlie.

«Che intendi dire, spiegati, Charlie.»

«Ho chiesto a Elise Steinbrenner di indagare su di lui. Tra i ritagli di giornali al *Daily Mail* non c'era molto, solo alcuni articoli sui suoi film, sulla sua carriera. Da brava reporter qual è, Elise ha deciso di andare alla Somerset House che ospita l'ufficio dell'anagrafe. Lì è possibile acquisire una copia di qualsiasi certificato di nascita, matrimonio e morte, e tutti possono fare ricerche...»

«E non ha trovato alcun certificato di nascita per Adam Fennell? È questo che stai dicendo?»

«Sì. Oggi ho pranzato con zio Howard, gli ho parlato del comportamento di Fennell, del fatto che ci ha ricattati. Sebbene fosse il suo giorno libero, è tornato a Scotland Yard per verificare se il suo nome fosse collegato a qualche forma di criminalità. Non ha trovato niente, ma il fatto che lui non sia chi aveva detto di essere ha destato i sospetti di zio Howard. Vuole venire a Cavendon per vedere se riesce a scoprire qualcosa di più su di lui.»

«Okay, ma ora senti questo.» Alicia raccontò a Charlie dei vagabondaggi notturni di Gwen e delle vecchie pantofole.

«Mio Dio, questa informazione cambia le cose! Può essere che Fennell le abbia fatto del male? Ma perché mai avrebbe dovuto trovarsi nella camera da letto di zia Charlotte?»

«Zia Cecily e io non siamo ancora riuscite a capirlo. Ora te la passo, Charlie, racconta anche a lei ciò che hai detto a me.»

Dopo avere passato il ricevitore a Cecily, Alicia andò a prendere il bicchiere d'acqua: si sentiva male e le era venuto un forte mal di testa.

Andò a sedersi su una poltrona e chiuse gli occhi. E se Fennell avesse ucciso la zia? Sarebbe stata colpa sua, l'aveva portato lei nella propria famiglia. Come avrebbe mai potuto perdonarsi? Ma perché avrebbe ucciso zia Charlotte? Per quale motivo? Alicia capì che, se non avesse trovato risposta a queste sue domande, non avrebbe avuto pace per il resto dei suoi giorni.

42

Cecily tornò nel salotto giallo, lasciando Alicia nella biblioteca ancora al telefono con Charlie. «Non volevo turbarti con la storia delle pantofole, mamma», disse Gwen appena la vide.

«Non mi hai turbata, tesoro. Anzi, sei stata molto utile e ti ringrazio.»

«La signorina Clegg si scusa per non averla salutata», disse Eric, che era entrato con una teiera di tè caldo. «Era in ritardo, vostra signoria. Ha lasciato i compiti di lady Gwen nella sala giochi al piano di sopra.»

«Grazie, Eric, e grazie anche per il tè caldo. Può chiedere ad Alicia di raggiungermi qui?»

«Certamente, milady.»

«La signorina Clegg mi piace di più della signora Plumpton, è più brava», commentò Gwen.

«In che senso?» le chiese Cecily.

«La signorina Clegg è più intelligente e parla chiaramente, mi dice le cose in modo comprensibile. È una brava insegnante ed è più giovane.»

In quel momento Alicia entrò, più pallida e tirata che mai. «Che choc sentire che una simile persona non esiste. Mi ha colta di sorpresa.»

«Hai parlato con Felix e Constance di quella persona?» domandò Cecily, badando a come parlava in presenza di Gwen. «Forse scopriranno qualcosa più di noi e, sì, è stata una vera sorpresa. Un enorme choc, a dire il vero. Siamo stati tutti ciechi, sordi e stupidi?»

«Io di sicuro, ed è tutta colpa mia. Non avrei dovuto portarlo qui.» Alicia guardò Cecily con occhi gonfi di lacrime.

«Posso andare adesso, mamma?» chiese Gwen. «Voglio dare un'occhiata ai compiti. E posso portare Cleopatra con me? *Per piacere.*»

«Sì e sì e ancora grazie, tesoro. Comprerò a tuo padre un nuovo paio di pantofole, così ti tranquillizzerai al riguardo.»

Gwen uscì ridendo e chiamò la gattina.

«Penso di dover dire a Felix e Constance che ho rotto con Adam Fennell, che ne dici?» chiese Alicia una volta sole.

«Se fossi in te, lo farei, meglio far sapere loro questa storia prima che lui insinui che è stato lui a rompere con te. E ora che stiamo scoprendo strane cose su di lui, sono contenta che tu abbia annullato il fidanzamento.»

«Lo sono anch'io. Charlie ha confessato a zio Howard che Fennell ci aveva ricattati, voleva essere sincero con lui, dal momento che aveva chiesto il suo aiuto. Zio Howard gli ha detto che Fennell era un truffatore.»

«Immagino che a zio Howard non sia piaciuto che gli avete dato dei soldi. La polizia è contraria a pagare un ricatto. Quello che non capisco è come Adam Fennell sia venuto a conoscenza dell'aggressione a Daphne di così tanti anni fa.»

«Ci ha detto che è stato Bryan Mellor a menzionarla e che Mellor l'ha saputo da un membro della famiglia Ingham.»

«Ma, Alicia, nessuno sapeva che Daphne era stata violentata a diciassette anni. Solo mia madre, mio padre e zia Charlotte. Solo tre Swann e io l'ho saputo, perché mi avevano dovuto chiedere di creare dei vestiti per lei, abiti che nascondessero la gravidanza. Oh, e naturalmente i suoi genitori.»

«Che cosa tremenda per mia madre e proprio a Cavendon, a casa sua.» Gli occhi di Alicia si riempirono di nuovo di lacrime e si asciugò le guance con un fazzoletto.

«Sono molto contenta che tu sia andata a trovare i tuoi genitori, Alicia e che fortuna che avevate già pianificato il viaggio a Zurigo per verificare lo stato di salute di Daphne.»

«L'avevo fatto notare a Charlie e gli avevo ricordato cosa diceva sempre zia Charlotte quando succedeva qualcosa di strano: *è il destino*. Lui mi aveva risposto che era stata solo una *coincidenza*. Ma tu pensi che Adam possa avere capito che i registri degli Swann erano in solaio? Senza saperlo realmente, una sorta d'intuizione?»

«Non lo so, ma anche se l'avesse saputo, non poteva aprire il baule, è chiuso a chiave...» Cecily s'interruppe e balzò in piedi. «A proposito del baule, voglio andare a controllare immediatamente. Vuoi venire con me?»

«Sì.»

Pochi attimi dopo salivano le scale che portavano al solaio dell'ala ovest. Dopo avere acceso la lampada sul soffitto, Cecily corse al baule e con grande sollievo vide che era chiuso. Scrutando più attentamente la serratura, si rese conto che era graffiata. «Aspetta qui, disse ad Alicia raddrizzandosi. «Vado a prendere la chiave.»

«Qualcosa non va?»

«La serratura mi sembra graffiata, come se qualcuno avesse cercato di forzarla.»

Tornò pochi minuti dopo, s'inginocchiò davanti alla cassapanca e infilò la chiave nella serratura. «Credo che l'abbiano manomessa», esclamò, cercando di aprirla. «Ecco, ce l'ho fatta. Finalmente!»

Cecily sollevò il coperchio, osservò la fila superiore di registri e comprese di colpo che qualcuno li aveva toccati.

Li sistemava in una precisa sequenza e ora erano leggermente sfasati. Il suo cuore perse un battito quando, per un secondo, non riuscì a trovare il registro pertinente. Poi lo vide, sistemato nella parte anteriore del baule, sotto due strati di libri dove lei non lo metteva mai. Era sempre sul retro, sotto un solo strato.

Allungò il registro ad Alicia e si alzò. «Non posso giurare che Fennell abbia frugato tra i registri, ma qualcuno l'ha fatto e di certo sapeva come scassinare una serratura. Il registro è stato rimesso a posto, grazie a Dio, anche se non al *suo* posto.»

«Non riesco a immaginare come Adam sia venuto a conoscenza dei registri e del baule in solaio. Non ne ho mai parlato con lui e nemmeno con Bryan», dichiarò Alicia. «Pensi che valga la pena chiedere a zio Howard di farlo esaminare per le impronte?»

«Sì. Ma stai attenta a come glielo comunichi.» Cecily chiuse la cassapanca, si mise in tasca la chiave e si avviò giù per la scala, per poi fermarsi di colpo. «Vai nel corridoio, chiudi la porta del solaio ed entra nella camera da letto di zia Charlotte», disse ad Alicia. «E ascolta attentamente.»

«Che hai intenzione di fare?»

«Scenderò le scale a passi felpati. Voglio sapere se mi senti.»

«Astuta.»

Cecily scese le scale lentamente, come farebbe chiunque non volesse essere sentito, poi finse di inciampare. Attese un attimo prima di scendere gli ultimi gradini.

Alicia uscì dalla camera da letto di zia Charlotte. «Sei caduta? O hai finto di cadere? Ho sentito un rumore.»

«Buono a sapersi. Perché di tanto in tanto ho visto Fennell frizionarsi il polpaccio della gamba, come se avesse un crampo, ed è ciò che ho fatto: ho simulato un crampo.»

«Non voleva che lo si sapesse», ammise Alicia. «Pensava che la gente l'avrebbe considerata una disabilità. Ma l'ho visto massaggiarsi spesso i polpacci. Pensi sia questo che è successo?»

«Non saprei, ma guarda le due porte, sono una di fronte all'altra. E c'è un'altra cosa, Alicia, zia Charlotte stava leggendo, cosa che faceva sempre fino a tarda ora. In solaio mi sono ricordata che, quando siamo entrati nella sua stanza dopo che Peggy l'aveva trovata, sul suo letto c'erano gli occhiali e un libro aperto. Forse era sveglia e stava leggendo quando Fennell era salito lassù e l'aveva sentito sulle scale.»

«Se era lui», mormorò Alicia.

«E tu non hai mai visto niente con sopra un altro nome, Alicia?» le chiese l'ispettore Howard Pinkerton. «Nessuna lettera o documenti legali? Che mi dici del suo passaporto?»

«No, non sono mai andata all'estero con lui. A dire il vero, non ho mai viaggiato, se non per venire qui. Ma lui deve avere un passaporto, zio, dato che va spesso a New York.»

«Charlie me l'ha detto ieri e io ho verificato subito con l'ufficio passaporti. Non esiste alcun documento a nome Adam Fennell. È un nome inventato e io vorrei tanto trovare un modo per scoprire chi sia veramente.»

«Che mi dici delle impronte digitali?» domandò Cecily.

«Non ho nulla con cui raffrontarle. Ho voluto comunque che i miei ragazzi le raccogliessero nel bagno e nella camera da letto che ha usato qui e ora, dietro tuo consiglio, anche nella camera di zia Charlotte.»

«E poi c'è *questo*», aggiunse Cecily, mettendogli davanti il registro. «È il registro Swann del 1913 e 1914 e, se Fennell l'avesse toccato, sopra ci sarebbero le sue impronte. Le altre saranno solo le mie e quelle di Charlotte.»

«Bene. Nel frattempo voglio che sappiate che ho affidato ad alcune persone il compito di controllare Fennell, di scoprire qualsiasi cosa sul suo lavoro, la sua vita sociale. Da quello che sono venuto a sapere, pare sia piombato nell'industria cinematografica come se fosse arrivato da un altro pianeta. Nessuno aveva sentito parlare di lui né l'aveva conosciuto fino a quel giorno di circa dieci anni fa. È l'uomo del mistero.»

«A me ha raccontato di essere di Londra e di avere vissuto da bambino sull'altro lato di Bryanston Square e che suo padre era un ginecologo. Un vedovo che l'aveva allevato da solo. Diceva di non avere mai vissuto in altri posti...»

Alicia smise di parlare e guardò fuori dalla finestra, come se stesse ascoltando qualcosa che nessun altro sentiva.

Howard scambiò un'occhiata interrogativa con Cecily, inarcando un sopracciglio; Cecily alzò le spalle e scosse la testa, perplessa quanto lui.

«Io ho un buon orecchio per le voci e gli accenti, forse perché sono un'attrice e nei meandri della mia mente c'è una strana eco della voce di Adam», disse infine Alicia. «L'accento che salta fuori quando è infuriato o frustrato. Grida e strilla e in quel momento ne emerge un'altra con un accento che ho riconosciuto.»

Alicia s'interruppe per bere una sorso d'acqua. «Penso che potrebbe essere cresciuto nel Nord dell'Inghilterra, probabilmente a Manchester», concluse.

«Un bel talento il tuo, mia cara.» Howard la fissò con ammirazione. «Manderò la sua foto alla polizia metropolitana di Manchester. Non si sa mai, potrebbe non avere una fedina penale, ma a volte un poliziotto riconosce una faccia, la faccia di... una persona sospetta, diciamo. È qualcosa su cui indagare e, naturalmente, abbiamo le pantofole. Che lady Gwen le abbia viste ai piedi di qualcuno all'una di notte è una specie di miracolo. Una bambina con spirito d'osservazione, direi. E in base al certificato di morte del dottor Ottoway, zia Charlotte è morta attorno a quell'ora.»

«Esatto», confermò Cecily. «E io potrei accompagnarti dal dottor Ottoway, se fosse necessario.»

«Buona idea. Ma ora torniamo di sopra. Mi piacerebbe fare di nuovo un giro e potremmo anche vedere come se la cavano i miei ragazzi con i rilievi.»

Entrarono nella camera da letto che Adam aveva occupato e dove ora i poliziotti avevano finito di lavorare. Era vuota. Howard aprì l'anta dell'armadio, vide subito le pantofole e lanciò un'occhiata ad Alicia che non se l'era sentita di entrare, ma era rimasta sull'uscio. «Non sopporto la puzza della sua acqua di colonia», aveva confidato a Cecily.

«Sostieni che le indossava solo in questa stanza?» le domandò Howard.

«Sì, non gli avrei mai permesso di andarsene in giro con quelle ciabatte né di portarsele a Londra. Le aveva rubate, sai o almeno così l'avevo vista io, e mi aveva messa in imbarazzo. Ah, mi è venuta in mente una cosa, zio Howard. Credo che Eric l'abbia visto tirarle fuori dalla cesta.»

«Più tardi parlerò anche con lui. Ora le farò mettere in un sacco, devo portarle via.»

«Certo», annuì Cecily nel vedere che si era rivolto a lei. «Faremo qualsiasi cosa per aiutarti.»

Howard sbirciò nell'armadio. «Ha lasciato qui alcune camicie, due, e una giacca. E la sua penna!»

«Non posso crederci!» esclamò Alicia. «Fammela vedere. Se fosse la penna che penso sia, sarebbe la miglior fonte di impronte digitali, perché non permetteva a nessuno di toccarla. Adorava quella penna. Ha un pennino speciale e la riempiva lui stesso con l'inchiostro, era tanto pignolo in questo.»

«Allora è preziosa.» Howard prese un fazzoletto bianco e pulito e sollevò con cura la penna dal taschino interno della giacca scura.

Reggendola con il fazzoletto, gliela mostrò.

«È la sua. Sono sicura che sopra ci sarà una sola serie di impronte. Le sue.»

«Questa allora sarà la mia fonte, visto che ci sono solo le sue. La mia squadra le comparerà con le impronte nelle due camere e identificherà quelle di Fennell grazie alla penna.»

«Un bel colpo di fortuna», commentò Cecily. «Ma ora saliamo in solaio e diamo un'occhiata al baule.»

Quattro settimane dopo Elise sedeva con Charlie e Howard Pinkerton a un tavolo d'angolo a *Le Chat Noir*. Charlie li aveva invitati per ringraziarli del loro aiuto e per ricapitolare le loro scoperte. In sottofondo suonava un piano e il piccolo bistrot ronzava di chiacchiere e risate.

«Non che ora ne sappiamo molto di più su chi sia realmente», esordì Elise. «Siamo però consapevoli che potrebbe essere un assassino, sospettato della morte di zia Charlotte.»

«Ho già emesso un mandato d'arresto, così potremo interrogarlo come sospettato di omicidio, se riuscissimo a trovare quel bastardo», annunciò Howard. «Elise, sei stata fantastica a scovare così tanto su di lui. Mi hai facilitato il lavoro.»

«Sono d'accordo», s'intromise Charlie. «Sei un diavolo di giornalista investigativa. Grazie davvero. Voglio solo dire che non so come sei riuscita a portare a termine i pezzi sul Festival della Gran Bretagna in tutto questo. Jimmy Maze è entusiasta del tuo lavoro.»

«Mi alzavo alle quattro del mattino per lavorare su quegli articoli», ammise lei sorridendo a entrambi, «poi andavo a intervistare i cosiddetti amici di Fennell. È stato molto furbo. Nessuno ha mai sospettato che fosse un ciarlatano. Proprio l'opposto.»

«Non riuscivo a crederti quando mi hai detto che il suo appartamento era vuoto e che era in affitto», ammise Char-

354

lie dopo un sorso di Chardonnay. «Deve essere partito in fretta di notte.»

«O è stato Wilson a svuotare l'appartamento», suggerì Elise. «L'ho visto la prima volta che sono andata in Bryanston Square, quando mi ha detto che Fennell era all'estero, ma la seconda, quando sono tornata, l'appartamento sembrava chiuso, con i mobili ricoperti da teli.»

«Quando uno dei miei ragazzi è andato a cercare Wilson, dietro tuo suggerimento, Elise, il padrone di casa ha detto che l'appartamento era di nuovo in locazione», continuò Howard. «Il maggiordomo si è eclissato alla svelta e con ogni probabilità Fennell si è reso conto che lo stavamo cercando.»

«Anche il suo ufficio in Wardour Street era vuoto», ricordò loro Elise. «Un giorno la receptionist era lì a raccontare a tutti la stessa storia e il giorno dopo era scomparsa. L'ufficio era chiuso.»

«Fennell ha tenuto tutti all'oscuro», continuò Charlie. «Felix e Constance sono rimasti sconcertati nel sentire che Adam aveva chiuso l'ufficio e se ne era andato all'estero.»

«Constance mi ha confessato che lo stimavano e rispettavano e il fatto che Alicia e la sua famiglia siano stati imbrogliati da lui, e che abbia creato loro tanto problemi, li ha devastati. Chissà dove diavolo sarà adesso.»

«Non a New York», disse Charlie. «Solo poche ore fa ho parlato con il mio amico Oliver Kramer, un giornalista freelance molto in gamba che ha indagato un po' per me. Mi ha detto che non lo si vede più da Natale e ora siamo in marzo.»

«Forse non tornerà più», sussurrò Elise, guardando Howard.

«È probabile», ammise Howard. «Ma se scoprissi dove è, Scotland Yard cercherà di farlo interrogare e possibilmente estradare in Gran Bretagna. Ora è sospettato in un'indagine per omicidio.»

«Capisco», mormorò Charlie. «A parte il desiderio di vedervi entrambi per ringraziarvi, devo dirvi che ritengo sia giunto il momento di abbandonare il caso. Secondo me non c'è altro che possiamo fare. Tu che ne pensi, Elise? Howard?»

«Prima le signore», disse Howard rivolgendo un caloroso sorriso a Elise.

«Sono d'accordo, Charlie.» Per un attimo l'espressione intelligente di Elise parve assorta. «Ma lasciami dire che sono sempre qui, in caso di bisogno», aggiunse.

«Dovremmo smettere, hai ragione, Charlie. Abbiamo fatto tutto il possibile. Per il momento. La vita è strana. Non si sa mai cosa potrebbe saltar fuori. Si pensa di avere chiuso un caso e poi all'improvviso si apre di nuovo.»

«A quanto pare Adam Fennell è sparito nel nulla. D'altra parte, potrebbe capitare qualcosa che ci riveli dove si nasconde», riassunse Charlie.

«È capitato spesso nei miei anni a Scotland Yard», confermò Howard. «Ma, cambiando discorso, mi sono emozionato nel leggere tutte quelle splendide recensioni che Alicia ha ricevuto per *Broken Image*. I critici sono impazziti per lei.»

«E il film ha successo», sottolineò il fratello. «Il che l'ha rallegrata. La morte di zia Charlotte e avere presentato Fennell alla famiglia l'aveva depressa. Sensi di colpa, naturalmente. Miles e Cecily, anzi, tutti noi le siamo stati vicini e il produttore di *Broken Image*, Mario Cantonelli, le ha offerto una parte nel suo nuovo film. E lui non è per niente un ammiratore di Fennell.»

«Alicia me lo ha detto», intervenne Elise, «ma Mario è decisamente un suo ammiratore e lei ha un altro ruolo da protagonista in questa nuova produzione. Inizierà le riprese più avanti quest'anno. S'intitola *Prophecy*.»

«Ecco il mio pronostico», giudicò Howard. «Alicia si riprenderà. È una Ingham e le donne Ingham sono delle vincenti. Superano qualsiasi avversità capiti loro. E con successo.»

Elise guardò prima Howard e poi Charlie, quindi annunciò timidamente: «Ho alcune notizie che mi riguardano. Mi sto per fidanzare con Alistair. Ci sposeremo in autunno».

«Ma che mi dici della tua carriera in Fleet Street?» esclamò Charlie, stupito, prima di riuscire a frenarsi. «Significava tanto per te.»

«Ad Alistair non importa, se continuerò a lavorare per alcuni anni, Charlie. Fin quando non metteremo su famiglia.»

«Congratulazioni», disse Howard, imitato da Charlie.

«Tra due settimane, a metà aprile, Greta darà una festa di fidanzamento e spero che verrete tutti e due e zia Dottie, ovviamente.»

«Cascasse il mondo, non mancherò», esclamò Charlie.

«Sai benissimo che verremo.» Howard le strinse il braccio con affetto. «Dottie aveva accennato che c'era qualcosa nell'aria, che stava per accadere qualcosa di speciale.»

«La mia altra buona notizia è che Alicia ha accettato l'invito, grazie a Cecily che l'ha persuasa. Sappiamo tutti che se ne sta sempre chiusa in casa», mormorò Elise.

«Le cose stanno tornando alla normalità per lei.» Charlie alzò il bicchiere, imitato da Howard.

«Congratulazioni, Elise», le augurarono all'unisono i due uomini, facendo tintinnare i loro bicchieri contro il suo.

43

COME al solito, Greta Chalmers fece un rapido giro della casa in Phene Street prima dell'arrivo degli ospiti, per controllare che tutto fosse a posto.

Dal momento che Christopher sarebbe rimasto al pianterreno, Greta prestò particolare attenzione alla biblioteca di fronte alla sala da pranzo.

Dalla morte del padre, quella stanza veniva usata raramente, ma vista l'occasione, all'inizio della settimana era stata pulita a fondo. Aveva anche sistemato un vaso con solo tre rose rosa su un ripiano della libreria, e per disporlo in bella vista, aveva spostato una fotografia.

In quel momento suonò il campanello: era Arnold Templeton con il fratello Alistair e lei li accompagnò di sopra nel salotto, dove un cameriere servì ai due uomini dei drink.

«Torno tra un minuto», li informò Greta. «Elise scenderà a breve, Alistair, sta finendo di vestirsi.»

«So che siamo in anticipo», si scusò lui con un sorriso, «ma non vedevo l'ora di essere qui. E grazie per averci offerto questa festa di fidanzamento, Greta.»

«E non dimenticarti di ringraziare pure *me*», commentò Arnold in tono faceto, guardando il fratello. «Dopotutto sono stato io a presentarti Elise.»

Scherzarono ancora un po', poi Greta si affrettò a scendere al pianoterra. Nella biblioteca accese alcune candele sulle mensole della libreria, si guardò in giro ancora una volta, finalmente soddisfatta, poi infilò la testa in cucina. «Sono certa che qui è tutto a posto, giusto?»

«Sono in orario e non ho ancora bruciato niente, signora Chalmers», le rispose Minnie Harris, del nuovo servizio di catering.

Greta rise, apprezzando il senso dell'umorismo della donna. Quando il campanello suonò di nuovo, si sorprese nel vedere entrare tutti insieme Cecily, Miles, Alicia e Charlie. Si scambiarono saluti affettuosi, poi lei li invitò a trasferirsi nel soggiorno.

Mentre gli Ingham salivano, la porta si riaprì e Victoria entrò e abbracciò Greta. Indossava uno splendido abitino a fiori con gonna a ruota che si allargava attorno alle gambe lunghe e snelle e il viso sprizzava di felicità. Sull'anulare scintillava l'anello di fidanzamento con smeraldo.

Dalla strada c'erano solo due gradini per arrivare alla porta e Alex Poniatowski, maneggiando con perizia la sedia a rotelle, spinse Christopher nell'atrio. Greta si chinò per dargli un bacio sulla guancia e strinse la mano ad Alex. Negli ultimi mesi aveva avuto modo di conoscerli bene e le piaceva molto il loro cameratismo. «Venite in biblioteca», li invitò. «Tutti gli altri scenderanno a momenti. Desiderate qualche cosa da bere?» I due uomini chiesero del whisky, ma Victoria rifiutò. Greta andò nella sala da pranzo e ordinò a un cameriere i drink. «Cecily e Miles sono di sopra con Charlie e Alicia», informò Victoria, tornando nella biblioteca, «se vuoi andare a salutarli.»

Victoria rivolse a Greta un'occhiata d'intesa e annuì. «Torno tra un minuto», disse a Christopher. «So che Alex muore dalla voglia di conoscere Alicia Stanton.»

«Oh, per favore, non farne una questione», esclamò Alex, tacitamente contento.

Christopher iniziò a ridere. «Alex, sei arrossito.»

Le due donne si ritirarono nell'atrio e Victoria sussurrò: «Forse ad Alicia non piacerà, mi ha confidato che dopo Adam non vuole più saperne degli uomini».

«Cecily mi ha chiesto di non dimenticarmi di presentare Alex ad Alicia, solo per vedere come reagirà a una faccia nuova. Si è espressa proprio così. Nessuno sta combinando niente, Victoria, ma Cecily e io vogliamo solo far capire ad Alicia che il mondo è grande e sconfinato.»

«Un mondo di uomini, eh?» Victoria rise divertita.

«E alcuni sono gentili, come immagino sia Alex, e ovviamente non tutti sono come quell'odioso Fennell», ribatté Greta. «Ma non farla scendere subito. Aspettiamo fino all'ora di cena. L'ho messa accanto a lui.»

«Vado solo su a salutarli. È questo che vuoi che faccia, giusto?»

«Giusto.» Greta vide entrare zia Dottie con Howard e un'amica scultrice di Victoria tanto bella che tutti pensavano fosse una modella.

Dopo i soliti abbracci, Victoria scortò al piano superiore la sua amica, dicendole che aveva una sorpresa per lei.

Salutò Miles, Charlie, Cecily e Alicia, prima di presentare loro l'amica. «Lei è Phoebe Bellamy. Credo che alcuni di voi già la conoscano, perché sua sorella è sposata con Harry, ma non credo che tu l'abbia mai incontrata, Charlie.»

Tutti sorrisero nel vedere Charlie fissare l'alta ragazza dai lunghi capelli ramati e il viso lentigginoso, come se fosse rapito.

Charlie non aveva mai visto una donna tanto bella. «Lei è la famosa Phoebe che Harry Swann aveva fatto cadere a Cavendon anni fa?» chiese Charlie dopo un lungo momento di silenzio.

«Proprio io», rispose Phoebe ridendo. «Ma non sono famosa come lei, Charlie, e, per la cronaca, adoro i suoi libri.»

«Davvero? Posso portarle una coppa di champagne?» si offrì.

«Grazie, ma se non le dispiace l'accompagno e l'aiuto a portare i drink.»

Si diressero al bar e Cecily guardò Alicia. «Chissà, forse abbiamo finalmente trovato la ragazza giusta per Charlie.»

Accadde dopo cena nella biblioteca, dove alcuni di loro si erano riuniti per il caffè. Alex era accanto a Christopher e Alicia era in piedi, la schiena rivolta alla libreria. Victoria, Charlie e Phoebe si erano accomodati sul divano dall'altra parte della stanza.

Erano tutti sereni e allegri e la cena aveva avuto successo. Cosciotto di agnello da Cavendon, patate novelle e piselli dell'orto portati da Cecily e Miles e una zuppa inglese che, a detta di Elise, era la zuppa inglese che avrebbe fatto impallidire tutte le altre. Tra brindisi, scherzi e risate, era stato per tutti un momento piacevole.

Dato che la biblioteca era troppo piccola, gli altri ospiti erano saliti nel salotto, dove venivano serviti caffè e liquori.

Victoria lanciò un'occhiata ad Alicia e notò che sembrava andare d'accordo con Alex. I due stavano chiacchierando amabilmente e ridendo, quando Alicia fece un passo indietro e si avvicinò alla libreria.

Gettò indietro la testa e i suoi capelli biondi, ora più lunghi, s'impigliarono nelle rose. Mentre cercava di liberarli, fece cadere a terra il vaso e con l'aiuto di Alex, riuscì a districarli dalle spine e dai fiori.

Mentre raccoglieva il vaso e si raddrizzava, Alex si ritrovò a fissare la foto incorniciata, rimasta fino a quel momento nascosta dal vaso.

«Come mai su questa foto con lei e gli Ingham c'è quell'uomo?» domandò scrutando la fotografia.

Alicia seguì il suo sguardo, chiedendosi come mai quella foto fosse ancora in casa di Greta. Era stata scattata a Cavendon la prima volta che Adam Fennell era andato là.

«Conosce Adam Fennell?» gli chiese sbalordita.

«Ah, è così che si fa chiamare adesso?»

Charlie, che aveva sentito quello scambio di battute, si alzò di colpo e si avvicinò alla libreria. «Che può dirci di lui?» domandò ad Alex. «Ci ha procurato un mucchio di guai.»

Nella stanza cadde il silenzio e Charlie invitò lui e Alicia a seguirlo in un angolo più tranquillo.

«Che succede?» volle sapere Victoria. «Qualcosa non va?»

«No, no, Vicki, tutto a posto. Penso che Alex possa esserci d'aiuto, tutto qui. Torniamo tra un momento.» Charlie prese la fotografia e se la mise sotto il braccio.

«Andiamo in sala da pranzo», li invitò Charlie. «In questo momento lì non c'è nessuno. Ho bisogno di parlare a zio Howard, Alex. Lo vado a chiamare e faccio venire qui anche Elise. Alicia, per favore, accompagna Alex in sala da pranzo. Vi raggiungo subito.»

Lei annuì ed entrò nella sala da pranzo, seguita da Alex che le chiese: «Come mai conosce quel tipo? È un poco di buono».

«Charlie le spiegherà», borbottò Alicia, stupita che Alex Poniatowski conoscesse Adam, conoscesse il suo vero nome, per quello che le pareva di aver capito.

Una volta tornato con Elise e zio Howard, Charlie chiuse la porta alle sue spalle. «Alex, come si chiama realmente Adam Fennell?»

«Fred Hicks. Ma come fa a conoscerlo? È un farabutto. Un brutto elemento.»

«Era il produttore associato del mio ultimo film», rispose Alicia. «Abbiamo avuto una relazione e siamo stati fidanzati per alcuni mesi. Ma ho chiuso con lui.»

«Posso solo dire che ha fatto molto bene a lasciarlo. È un criminale.»

«Come mai conosce questo Hicks?» volle sapere Howard.

«Durante la guerra ero nella divisione polacca dell'esercito britannico, mentre un mio grande amico, Giles Saunders, era nell'esercito regolare. Ufficiale di carriera. Ci siamo conosciuti tramite le nostre famiglie. Per farla breve, ho conosciuto Hicks grazie a Giles, perché per un certo periodo sono stati nello stesso plotone. Ci ha raggirato e truffato e proprio quando stavamo per intervenire, ha ucciso un ufficiale e ha disertato.»

«Ha ucciso un ufficiale?» Howard fissò Alex. «È mai stato arrestato? Accusato? Che mi dice della polizia militare? È mai riuscita a catturarlo? Ad arrestarlo?»

«Credo che lo stiano ancora cercando. Giles dovrebbe saperlo, non solo è ancora nell'esercito ma è proprio nella polizia militare.»

«Allora deve farglielo sapere immediatamente», lo incalzò Howard.

«Lo farò. Ma dove è Hicks? Lo sapete? O si è dato nuovamente alla macchia?»

«È scomparso», rispose Charlie e allungò la fotografia ad Alex. «È sicuro che sia lui?»

«Sì. È un po' diverso, stranamente più giovane di come era nel 1940, con capelli più lisci. È diventato una specie di damerino, ma malgrado tutti questi cambiamenti, lo riconosco. E noi dobbiamo occuparci di lui, giusto? Prima che faccia altri danni. Mi dica, perché lo sta cercando?»

«Le cose stanno così», rispose Howard. «Charlie era preoccupato per sua sorella perché Fennell non aveva preso bene la rottura del fidanzamento. Ha temuto che potesse essere pericoloso e ha minacciato Alicia di ricatto. Per questo Charlie mi ha raccontato alcuni particolari e spiegato la situazione e io ho deciso di interessarmene. Le sto spiegando tutto questo, affinché capisca che è diventata un'indagine *ufficiale* di Scotland Yard e non è più solo un controllo personale fatto dallo zio per la famiglia.»

«Mi rendo conto, ispettore», disse Alex, assimilando la gravità della situazione.

«Lei non potrà parlare con nessuno di quello che sto per dirle. È strettamente confidenziale.»

«Capisco. Ha la mia parola.»

«Per continuare, sono andato a Cavendon per parlare con Alicia e, per ogni evenienza, ho portato con me la squadra per i rilievi delle impronte digitali. Non si sa mai quando si può avere bisogno di loro.»

«Voleva comparale con quelle di qualcuno?» domandò Alex.

«In realtà all'inizio non avevo nessuno. Per un colpo di fortuna Fennell aveva dimenticato la sua penna stilografica, da cui abbiamo ricavato una bella serie di impronte, tutte sue. In seguito, dopo averle paragonate con quelle prese nelle altre camere, abbiamo capito esattamente dove era stato nella casa.»

«La penna l'ha inchiodato», sentenziò Alex. «È stato facile per lei verificare in quali stanze era entrato.»

«Esatto. Charlie aveva sospettato che Fennell avesse scoperto un segreto di famiglia da un registro custodito in un baule in solaio. Cecily sostiene che qualcuno aveva forzato la serratura della cassapanca, aveva letto il registro e lo aveva rimesso a posto. Pensa che la zia Charlotte, che leggeva sempre a letto di notte, avesse sentito un rumore e fosse andata a controllare nel corridoio. Vede, la porta che dà sul solaio è di fronte a quella della camera da letto di zia Charlotte.»

«Pensiamo abbia visto Fennell con il registro», intervenne Charlie.

«È quello che pensiamo tutti. Lei avrà chiesto spiegazioni e avranno litigato. In ogni caso zia Charlotte ha avuto la peggio ed è morta», concluse Howard.

«All'inizio avevamo pensato che si fosse trattato di un incidente, che fosse caduta e avesse battuto la testa contro un parafuoco in ottone», s'intromise Charlie.

«Pensate che l'abbia colpita con qualcosa?» chiese Alex fissando Howard.

«È possibile. Abbiamo trovato le sue impronte su una cassa e su una sedia in legno nella camera da letto di zia Charlotte, era decisamente entrato là dentro. E abbiamo trovato le sue impronte anche sul registro.»

«E così ha ucciso per la seconda volta», esclamò Alex. «Domani per prima cosa mi metterò in contatto con il mio amico nella polizia militare. Penso che voi due dobbiate incontrarvi.»

«Grazie e io informerò l'Interpol.»

«Bene, forse così arriveremo un po' più vicini alla verità», affermò Charlie, rivolgendosi poi a Elise: «Se non hai nulla da aggiungere, dovremmo tornare dagli altri. Alistair si starà chiedendo cosa sta succedendo, vero, Elise?»

«Hai ragione, volevo solo aggiungere che questa importante notizia è come la ciliegina sulla torta. Spero che tutto il nostro duro lavoro dia i suoi frutti.»

Il fatto che negli ultimi due mesi l'indagine non avesse fatto passi avanti aveva sorpreso Elise.

Lei, Charlie e Howard non ne sapevano più di prima che

Alex Poniatowski rivelasse il vero nome di Fennell. Erano tutti frustrati.

Ancora grazie ad Alex, qualcosa di buono era accaduto. Circa dieci giorni prima si era ricordato che Fred Hicks aveva avuto un fratello di nome Andy, che era morto.

Alex aveva suggerito a Howard che forse Fennell aveva rubato l'identità del fratello quando aveva lasciato l'esercito. Aveva avuto bisogno di un certificato di nascita per poter ottenere un passaporto e non poteva usare il suo, perché aveva disertato.

Elise sapeva che Howard aveva immediatamente informato l'Interpol e la polizia militare, che non aveva smesso di dare la caccia a Fred Hicks. Ancora una volta, non potevano fare altro che aspettare.

Nel frattempo Elise era stata impegnata con il lavoro al giornale; stava anche ristrutturando l'appartamento in cui lei e Alistair avrebbero vissuto dopo il matrimonio in settembre.

Avevano scelto quella data, perché Victoria si sarebbe sposata con Christopher in maggio e non avevano voluto che le due nozze si sovrapponessero.

Elise si ricordò all'improvviso di avere un appuntamento alla Swann nella Burlington Arcade alle cinque per farsi prendere le misure per l'abito nuziale. Cecily aveva disegnato il suo abito e quello di Victoria come regalo di nozze. Elise sarebbe stata l'unica damigella d'onore con lady Gwen e la figlia di Paloma, Patricia, le ragazze dei fiori.

Stava prendendo la sacca e la giacca, quando la porta si spalancò e Charlie entrò, tutto emozionato. «L'hanno trovato, Elise! L'Interpol ha trovato Fred Hicks, cioè Adam, e lui è...»

«È stato arrestato?» lo interruppe lei. «Grazie a Dio!» esclamò nel vedere Charlie annuire. «Ora possiamo finalmente rilassarci, soprattutto Alicia.»

«Hai ragione. Ma l'Interpol non lo ha arrestato, Elise. Ha trovato il suo cadavere in un vicolo di Napoli. Gli hanno sparato, una pallottola nella nuca, a mo' di esecuzione.»

«Che altro ti ha detto zio Howard?» chiese Elise, esterrefatta.

«Non ha ancora tutti i dettagli, sta aspettando un resoconto completo. Mi chiamerà entro qualche ora.»

«Perché diavolo era a Napoli? Che strano posto per lui.»

«Niente affatto. Secondo zio Howard, l'Interpol era stata avvertita da un informatore che un uomo, un inglese di nome Josh Miniver, stava spacciando droga con Cosa Nostra. A quanto pare Fennell aveva tradito *il capo di tutti i capi*, il re indiscusso di un vasto impero criminale in Italia. Pessima decisione da parte sua. L'Interpol ha riconosciuto il tizio che si faceva chiamare Miniver dalle foto.»

«L'avranno identificato anche dalle impronte digitali, immagino.»

«Come aveva detto Alex, inchiodato da una penna stilografica. Sembra che Fennell si fosse legato a una contessa italiana a Roma e che facesse la bella vita.»

«Pensa, si faceva chiamare Miniver, di sicuro per tutti quei film del tempo di guerra con protagonista Greer Garson. Che buffone.»

«E anche psicopatico, secondo Howard», aggiunse Charlie. «Spero che per Alicia questo sia un nuovo inizio.»

44

L ADY Daphne era finalmente tornata a Cavendon con il marito, Hugo Ingham Stanton. Erano arrivati il 15 maggio, un lunedì, e gli ultimi due giorni erano stati piacevoli e colmi d'affetto e nessuno aveva menzionato la sua furiosa partenza dell'estate precedente. Suo fratello Miles e Cecily l'avevano accolta con estremo piacere.

In un certo senso, è come se non fossi mai stata lontana, pensò ora Daphne, mentre passeggiava nei nuovi giardini che rispecchiavano il grande lavoro di Harry.

Erano magnifici. E le stanze che lei aveva arredato e amato con tanto trasporto, non erano state toccate. Nulla era stato toccato, e di questo era sinceramente grata. Il suo duro lavoro nel corso degli anni non era andato perso, non era stato fatto invano.

Lanciando un'occhiata all'orologio, si rese conto che doveva recarsi nel giardino delle rose, aveva chiesto a Cecily di vedersi lì alle tre in punto. «Per una chiacchieratina», le aveva detto il giorno prima. «Ci sono alcune cose che desidero condividere con te.»

Cecily aveva accettato prontamente. «Hai reso mia madre molto felice, decidendo di assistere al matrimonio di Victoria», aveva aggiunto, «e anch'io sono contenta che tu sia qui, Daphne.»

Al loro arrivo, lei e Hugo erano rimasti colpiti dalla bellezza di Victoria. Nell'ultimo anno la ragazza che Alice amava come una figlia era maturata ed era diventata una giovane donna.

La piccola profuga, tanto timida e diffidente era sbocciata come un fiore dei giardini di Harry. Il tempo trascorso a Londra l'aveva affinata e fatto emergere il suo carattere vivace e la sicurezza in sé. E tra dieci giorni avrebbe sposato uno dei più valorosi eroi di guerra della Gran Bretagna. Che Dio la benedica, pensò Daphne. È sempre stata una brava ragazza, gentile e premurosa.

Quando Daphne scese i gradini che portavano nel giardino delle rose notò che alcune delle precoci rose primaverili erano già fiorite e il loro profumo era tanto familiare che fu sul punto di piangere... così tanti ricordi in quel giardino e in tutta Cavendon.

Era qui che era nata, cresciuta e aveva vissuto tutta la sua vita coniugale. Poi era fuggita da tutto questo. Non avrebbe mai dovuto abbandonare questo posto né la gente che ci viveva. Aveva sbagliato. Doveva rimediare.

Daphne vide Cecily scendere i gradini e la salutò con la mano. Il suo cuore si strinse quando notò i fili grigi nei folti capelli rossi e le sottili rughe attorno agli occhi. Non molte, a dire il vero e non dimostrava affatto la sua età. Cecily aveva festeggiato il suo quarantanovesimo compleanno la prima settimana di maggio; Daphne ne aveva cinquantatré e non era niente male neppure lei. Abbiamo resistito bene al passare del tempo, lei e io. E abbiamo superato così tante cose insieme. Spero che mi perdoni per come mi sono comportata l'anno scorso.

Appena Cecily si sedette accanto a lei nel giardino, Daphne comprese che non covava alcun risentimento nei suoi confronti. Sorrideva e nei suoi occhi c'era una luce amichevole.

«Guarda, ho qui qualcosa da mostrarti, Ceci», esordì Daphne, frugando in un sacchetto e mostrandole delle buste.

Cecily la fissò, sorpresa. «Sono i biglietti e le cartoline che ti ho inviato durante la tua assenza?»

«Sì, e li ho letti tutti, e ho pianto e ti ho amata sempre di più e ho sofferto per averti trattata male. Mi dispiace, Cecily, di averti giudicata con tanta asprezza.»

«Non ho mai saputo se li avevi ricevuti o no, perché non hai mai risposto. Ma ho sperato che li avessi avuti. Non me li stai rendendo, vero?» chiese con voce più acuta.

«Certo che no», esclamò Daphne stringendo a sé la borsa. «Li ho letti e riletti più di una volta. Volevo solo che tu sapessi quanto sono stati importanti per me e quanto lo sono ancora.»

«Diedre e Dulcie sono felici che tu sia qui e non vedono l'ora di vederti questo fine settimana», aggiunse Cecily, con affetto.

Daphne annuì, si accomodò sulla panca e fece scorrere lo sguardo per il giardino e poi sulla grande casa.

«Ha resistito per quasi duecento anni», mormorò, voltandosi verso la cognata, «ed è questo che stai facendo. Ti sforzi di farla durare ancora a lungo, di proteggerla per sempre. Adesso l'ho capito.»

Cecily annuì e si rattristò nel vedere delle lacrime spuntare negli occhi di Daphne. Stava per dire qualcosa, quando Daphne le prese la mano, la portò alle labbra e la baciò con affetto.

«Sono tornata a Cavendon... per morire», disse dopo un attimo. «Se mi lascerai restare.»

«Daphne! Daphne! Cosa stai dicendo?» strillò Cecily, allarmata da quelle parole. Un nodo le strinse la gola. «Per favore, cosa vuoi dire?»

«Ho il cancro. Uno molto aggressivo, Ceci. Ho al massimo sei mesi di vita e desidero morire qui. Questa è casa mia, qui ho sempre vissuto... per piacere, dimmi che posso rimanere.»

«Oh, mio Dio, Daphne, certo che puoi restare! Pensavo tu fossi tornata per rimanere qui per sempre. Non ti terrei mai lontana, tu hai reso Cavendon quello che è. È qui che devi stare. Oh, ti prego, dimmi che possiamo farti visitare da altri medici. Dobbiamo tentare delle cure. Non voglio che tu muoia. Oh, Daphne, Daphne, ti voglio tanto bene...»

Le lacrime scivolarono lungo le guance di Cecily. Era sotto choc, non riusciva a credere a quella conversazione e iniziò a tremare.

Daphne le si avvicinò e la strinse a sé. «Non c'è più nulla da fare. Siamo andati dai migliori specialisti in Svizzera, ma... la situazione è quella che è e io devo accettarla.»

Cecily era angosciata, non riusciva a smettere di piangere. Riuscì infine a calmarsi, si raddrizzò e si asciugò gli occhi. «Da quanto lo sai?» domandò.

«Avevo cominciato a non sentirmi bene l'anno scorso e in ottobre eravamo andati dal mio medico che mi aveva detto la verità, mi aveva dato una cura e per un certo periodo aveva funzionato. Ma ora non c'è più niente da fare.» S'interruppe, si passò le mani sul viso. «Ecco perché non siamo venuti per Natale. Mi sentivo troppo male.»

«Ma perché non me lo hai detto? O a Miles? Saremmo venuti subito da voi. Dovresti sapere quanto bene vogliamo a entrambi. Siete la nostra famiglia e le divergenze non dovrebbero mai intromettersi nei sentimenti che proviamo gli uni per gli altri. Dobbiamo stare uniti nelle avversità.»

«Non volevo caricarvi di un peso.»

«È per questo che non sei venuta per il funerale di zia Charlotte?»

«Sì. Stavo di nuovo male ed era meglio restare a Zurigo. Mi dispiace, forse avrei dovuto dirtelo in quel momento. Perdonami, ti prego.»

«Daphne, mia cara, non c'è nulla da perdonare. E tu rimarrai qui al mio fianco e io mi prenderò cura di te. Te lo prometto. Non c'è nulla da perdonare, perché non hai fatto niente di sbagliato.»

«Grazie, Ceci. C'è un'altra cosa di cui dobbiamo parlare, una questione molto seria: nessuno deve sapere della mia malattia e che sto per morire. Nessuno.»

«Ma devo dirlo a Miles!» esclamò stupita Cecily. «È tuo fratello, il capo della famiglia.»

«Non voglio che altri lo sappiano», insisté Daphne. «Solo tu e Hugo. Non desidero che altri si preoccupino per me, si agitino, voglio vivere gli ultimi mesi come se fossi in buona salute. Non voglio che lo sappiano i miei figli.»

«Oh, Daphne, non sono sicura che sia giusto tenerli all'oscuro.»

«Cecily, ascoltami, questa è l'ultima cosa meravigliosa che puoi fare per me. Per proteggermi. Lasciami vivere questi pochi mesi felicemente. *Per favore.*»

Gli occhi di Cecily si riempirono di lacrime e riuscì solo ad annuire.

«Quando eri una ragazza, forse avevi dodici anni», continuò Daphne, «credo tu abbia fatto un giuramento. L'antica promessa di proteggere gli Ingham con la vita.» Di fronte al silenzio di Cecily, Daphne chiese: «È così, vero?»

«Sì, ho giurato. La lealtà mi vincola.»

«Ecco che l'hai pronunciato di nuovo. Promettimi che mi proteggerai, mantenendo segreta la mia malattia.»

«Penso, però, che Miles dovrebbe saperlo», incalzò dopo un attimo. «Manterrà il segreto. Ne sono più che certa.»

«Stringerò un patto con te, Cecily Swann Ingham», propose Daphne sorridendo. «D'accordo?»

«Che genere di patto?»

«Ah, ora vedo la negoziatrice che è in te», sorrise Daphne, cercando di mostrarsi allegra, di alleggerire il dolore del momento. «Manterrai il segreto, vero? Hugo lo ha promesso. Lo dirò io stessa a Miles dopo le nozze, così da non guastare l'atmosfera per tua madre o per la sposa. D'accordo?»

«Sì. Capisco che non vuoi rovinare il matrimonio di Victoria e Christopher con questa tremenda notizia. Te lo prometto e voglio che tu sappia che io sono qui per te, per qualsiasi cosa tu possa avere bisogno.»

«Allegria, Cecily, e un atteggiamento lieto. Nessuno dovrà minimamente sospettare che sono malata. Dovremo stare sempre all'erta, sai quanto i nostri figli siano acuti e intelligenti.»

«Hai ragione, lo sono. Ma tu lo dirai a Miles dopo che sono partiti per il viaggio di nozze, vero?»

«Hai la mia parola, il mio giuramento. La lealtà mi vincola.»

Alicia cominciava a sentirsi meglio. L'arrivo dei suoi genitori a Cavendon l'aveva tirata su di morale e la notizia dell'«esecuzione» di Fennell, come la chiamava Charlie, aveva allontanato l'ansia che aveva covato per tutto questo tempo.

Charlie aveva sostenuto che era un nuovo inizio e lei sperava che lo fosse veramente. Provava ancora sensi di colpa, per aver portato Adam Fennell in famiglia.

Alex Poniatowski l'aveva presentata a uno psicanalista che era riuscito ad aiutarla ad affrontare quel senso di colpa e aveva allentato l'ansia. Inoltre nessun famigliare l'aveva mai biasimata.

In quel momento stava pensando ad Alex, perché sarebbe venuto per il matrimonio che avrebbe avuto luogo il 27 maggio, una settimana esatta da oggi nella chiesa del villaggio di Little Skell. Sarebbe stato il testimone di nozze di Christopher.

Alzò lo sguardo, quando Victoria entrò nel soggiorno bianco e azzurro, una delizia in un abitino in cotone a righe rosse e bianche.

«Ciao, Alicia», la salutò Victoria dandole un bacio sulla guancia. «Sei stata gentile a propormi questo caffè mattutino insieme.»

«Piacere mio e sono contenta che tu l'abbia accettato. Ho un regalo per te, oltre ai tradizionali doni alla sposa delle amiche.»

Alicia le porse una borsa a quadretti. All'interno c'era qualcosa avvolto in carta velina. Quando Victoria tolse la carta, si ritrovò in mano una vecchia e piuttosto logora scatola in pelle blu.

«Oh, Alicia!» esclamò aprendo il coperchio. «Sono splendide. Non posso prendere questo filo di perle, sono troppo preziose.»

«Certo che puoi, voglio che le abbia tu. Zia Vanessa me le aveva regalate anni fa quando avevo la tua età. E ora sono tue... per augurarti un magnifico matrimonio e per ringraziarti per avermi aiutata a superare queste ultime settimane. Apprezzo l'amore e la gentilezza che mi hai dimostrato. E la tua allegria e il tuo atteggiamento positivo mi sono stati di grande aiuto.»

«Grazie, Alicia, le custodirò per sempre». Dopo un attimo Victoria chiese in tono guardingo: «Che mi dici di Alex Poniatowski? Ti piace? Che sta succedendo tra voi due?»

«Per il momento siamo solo amici, Vicki. È stato lui a presentarmi quello psicanalista che mi sta aiutando molto, come ben sai.»

«Christopher mi ha detto che Alex aveva passato un periodaccio dopo la guerra. Si era arruolato nell'esercito britannico consapevole che stava dando una mano a distruggere il Terzo Reich e che stava combattendo per la libertà e la democrazia, ma più tardi, finita la guerra, era stato colpito dalla depressione e dal senso di colpa del sopravvissuto.»

«È quello che mi aveva raccontato Alex, e che non riusciva a togliersi dalla mente l'immagine della sua famiglia barbaramente trucidata dai tedeschi. In un certo senso abbiamo legato, se vuoi sapere la verità.»

«Voglio che tu sia felice, Alicia e forse quel legame diventerà più... romantico. Forse ti innamorerai di Alex.»

«La signora Alice mi ha fatto un sacco di domande su di lui. Se mi stava corteggiando e io le ho risposto che pensavo lo facesse, ma che per il momento lo teneva per sé. Forse per darmi il tempo di guarire.»

«Tipico di zia Alice. Vuole che tutti si sposino.»

«Le ho domandato, se aveva un consiglio da darmi e sai che ha risposto? Aspetta e vedrai.» Alicia sorrise all'amica più giovane. «È quello che farò.»

Un attimo dopo nel salotto entrò Elise seguita dalla sorella minore di Alicia, Annabel. Le quattro giovani donne chiacchierarono e risero, eccitate per il matrimonio che avrebbe avuto luogo il prossimo sabato. Sarebbero tutte tornate a Cavendon per quel fine settimana.

Eric entrò con Peggy e servì caffè e dolcetti, poi arrivò anche Cecily. «Eccomi qui. Scusate il ritardo, ma non posso fermarmi. Desidero solo darti questo, Victoria.»

Le allungò un pacchetto quadrato e si sedette accanto a lei, mentre Victoria lo apriva.

All'interno della scatola c'era un paio di deliziosi fermagli in tartaruga.

«Qualcosa *in prestito*», spiegò Cecily. «Per fermarti i capelli ai lati, così la coroncina di bianchi boccioli di rosa reggerà il velo.»

«Grazie mille», disse Victoria, puntandosi immediatamente i fermagli nei lunghi capelli. «Intendi così?»

«Sì e sono perfetti, ma *in prestito*.»

Annabel offrì a Victoria una scatolina. «Qui c'è qualcosa di *azzurro*. Scommetto che sai cosa è.»

«Una giarrettiera», gridò Victoria nell'aprire la scatola e nel vedere che aveva avuto ragione. «Grazie Annabel.»

«Questo è da parte mia», disse Elise. «Ed è qualcosa *di nuovo*.»

Nella scatola Victoria trovò un paio di calze in seta. «Grazie Elise, sono molto sexy.»

«E questo è da parte mia.» Alicia mise in grembo a Victoria una busta di carta color argento. «È qualcosa *di vecchio*.» Victoria maneggiò con cura il delicato fazzolettino da nozze ornato di merletto e ringraziò Alicia.

«Lo potrai avere con te durante il matrimonio soltanto infilandolo nella giarrettiera azzurra. O puntandolo sui mutandoni», annunciò Alicia, scoppiando a ridere, imitata dalle altre.

«Lo appunterò sui mutandoni», decise Victoria, come sempre pratica. «Voglio che Christopher veda quanto sono belle le mie gambe con le giarrettiere. Come una di quelle ragazze can-can a Parigi.»

«Non posso restare per il caffè», si scusò Cecily alzandosi. «Devo accompagnare lady Daphne a Harrogate. Faremo un po' di shopping. Ci vediamo più tardi a cena. Sarà un bel fine settimana, con tutte noi insieme, come ai vecchi tempi.»

Alice Swann vide con sollievo che quel pomeriggio di sabato, 27 maggio, era spuntato il sole. Il cielo era stato nuvoloso per tutta la mattinata e lei aveva temuto che piovesse. Ma il vento aveva spinto le nuvole sopra la brughiera e così il giorno delle nozze di Victoria era sfolgorante.

Osservandosi nello specchio in camera da letto, Alice riconobbe di essere molto elegante nell'abito in seta giallo che sua figlia aveva creato per lei e che faceva parte della nuova collezione limitata di Cecily che si annunciava di successo.

Attraversò l'atrio del piano superiore ed entrò nella camera da letto di Victoria, dove Cecily stava aiutando la sposa a sistemarsi il velo in tulle color panna, trattenuto da un cerchietto di boccioli di rosa color bianco crema.

«Sei uno splendore, Victoria», disse Alice. «Fammi vedere il davanti.»

Victoria guardò Cecily con fare interrogativo. «Fatto. Victoria, sei pronta. E sei una sposa radiosa.»

«Grazie», mormorò lei, girandosi lentamente verso zia Alice, i cui occhi si riempirono di lacrime nel vedere la sua piccola sfollata, ora una sposa.

«Christopher non dimenticherà mai il tuo aspetto, Victoria», sussurrò, gli occhi umidi. «Sei semplicemente angelica.»

Cecily sorrise alla madre. «Ha la vita molto alta in stile impero e il tessuto cade a morbide pieghe sul davanti. La scollatura squadrata e le lunghe maniche aggiungono un che di periodo Tudor. Che ne pensi?»

«Ti sei superata, Cecily», rispose la madre, osservando da vicino l'abito. «Come mai la seta color crema sembra luccicare?»

«Sul tessuto sono cucite qui e là delle minuscole perline di cristallo. Volevo che fosse diverso e speciale.»

Walter apparve all'improvviso sull'uscio. «Tu e Cecily dovreste recarvi in chiesa, Alice, per me è quasi giunta l'ora di accompagnare Victoria all'altare.»

Victoria aveva scelto la chiesa di Little Skell, perché era vicina alla casa di Alice e Walter Swann, nel villaggio che l'aveva adottata quando era arrivata come profuga.

Alex Poniatowski era soddisfatto di quella scelta, perché

avrebbe potuto spingere Christopher lungo il viale e dentro la chiesa senza problemi.

«Che bella chiesa, Alex, tanto vecchia e con splendide vetrate colorate», osservò Christopher mentre percorrevano la navata centrale. «E qualcuno si è lasciato prendere la mano con i fiori.»

Scoppiò a ridere, estasiato per tutto ciò che gli stava accadendo quel giorno. Chi avrebbe mai pensato che sarebbe successo? Stava per sposare una donna straordinaria che gli aveva rubato il cuore e l'aveva reso incredibilmente felice.

Sono l'uomo più fortunato sulla terra, pensò, raggiante. Sono sopravvissuto a un tremendo schianto in aereo, l'ho potuto raccontare e ora sto per sposarmi.

«Penso che ci sarà tanta gente», disse ad Alex giunti all'altare.

«Sì. La famiglia Jollion, Harry, Paloma e i loro figli. E così tanti Swann e Ingham che ho perso il conto. E un mucchio di amici tuoi.»

«Cecily mi ha riferito che tutti gli abitanti dei tre villaggi verranno qui a lanciare coriandoli, petali di rose e riso. Una tradizione.»

«Molto inglese, ed è questo che mi piace», commentò Alex.

Improvvisamente in fondo alla chiesa ci fu una certa agitazione: erano arrivati gli accompagnatori dello sposo, Harry e gli amici della RAF, Noel Jollion e Rory, tutti impeccabili con una rosa bianca sul bavero, come Christopher e Alex.

«Prima gli accompagnatori e ora Elise, in rosa, con quelle adorabili bambine, Patricia Swann e lady Gwen, anche loro in rosa chiaro.»

«Spero non abbia portato con sé la gattina», disse Christopher, scoppiando a ridere nel vedere l'espressione di Alex. «Sto scherzando.»

Christopher era impaziente di vedere arrivare Victoria e tenne gli occhi fissi sul portone della chiesa, mentre le panche iniziavano a riempirsi.

Quando, pochi minuti dopo, Victoria arrivò a braccetto di Walter Swann, gli accompagnatori si spostarono per permettere a Victoria e a Walter di rimanere alle loro spalle, come lei aveva chiesto. Non aveva voluto che Christopher la vedesse di sfuggita prima di affrontare la navata e le piacque che in quel momento lei e zio Walter non fossero visibili.

Victoria inspirò, sentendo la fragranza delle rose e degli altri fiori, un profumo quasi inebriante che sovrastava l'odore delle antiche mura in pietra. Le numerose candele accese rendevano l'atmosfera magica, quasi irreale.

Di colpo l'organo iniziò a suonare, facendola sobbalzare. Si aggrappò al braccio di Walter che le chiese: «Tutto bene, tesoro?»

«Tutto molto bene, zio Walter.»

Victoria individuò lady Daphne con il signor Hugo, Alicia e Annabel. Entrarono poi molti uomini di Biggin Hill e alcuni altri amici della RAF di Christopher. Christopher sarà felice di vederli, pensò.

Per un attimo provò la sensazione di volare via, un leggero senso di vertigine, ma poi, nel sentire Walter dirle che stavano per percorrere la navata, tornò in sé.

Si mossero lentamente, con eleganza e al passo, con Walter che la guidava. Nella sua mente si affollarono mille pensieri che scacciò subito. Pensieri sulla sua infanzia non avevano spazio in quel momento. Sapeva che quei tremendi ricordi erano morti e sepolti, cancellati dall'amore di Christopher.

Il futuro era davanti a lei. Con quell'uomo straordinario che l'amava. Sorrise avvicinandosi all'altare e fissò il volto intontito e rapito di Christopher quando finalmente la vide.

Era la stessa occhiata che le aveva rivolto, quando gli aveva detto di essere incinta del loro primo figlio. Solo altre due persone lo sapevano: zia Alice e Cecily che aveva disegnato un abito stile impero proprio per nascondere il pancino.

Un marito e un figlio, pensò. Le due persone che più amo al mondo. Saranno il mio mondo. Mi occuperò di loro e le amerò per sempre.

Poi era arrivata, al fianco della sedia a rotelle di Christopher. Alex fece un passo indietro e Walter mise la mano di Victoria in quella di Christopher che la fissò, gli occhi lucidi. Anche lei stava piangendo, emozionata, ma sbatté le palpebre, appena la cerimonia nuziale ebbe inizio e guardò il prete.

In verità Victoria non sentì quasi niente, a parte la voce di Christopher e la propria e sentì le lacrime bruciarle gli occhi quando pronunciarono le stesse importanti parole: «Sì, lo voglio».

David e Walter avanzarono portando i cuscinetti con gli anelli d'oro che poi brillarono sulle loro dita e l'organo riprese a suonare, la musica che saliva fino alle travi del soffitto.

Alex le fece un cenno e lei si chinò e baciò Christopher, poi camminò accanto a lui, mentre Alex spingeva la sedia a rotelle. La musica cambiò e loro si mossero al suono della marcia nuziale.

«Siamo sposati, Vicki», mormorò Christopher arrivati in fondo alla navata. «Non riesco a crederci, amore mio.»

Lei lo baciò sulla bocca, gli occhi umidi. «E tra non molto sarai padre», gli sussurrò.

«La mia vita è appena iniziata, signora Longdon», disse lui fissandola.

«Anche la mia», ammise lei. E lo intendeva veramente.

Ringraziamenti

Mɪ sento sempre un po' triste quando finisco un romanzo, perché devo salutare tutti coloro che mi hanno accompagnata in questo viaggio: i miei personaggi. Persone per me reali prima che entrino nella pagina e amici quando il libro arriva alla fine. Sono sempre restia a lasciarle andare via.

Fortunatamente un altro gruppo è in attesa dietro le quinte, persone disposte a salire sul palco per prendere vita e raccontare le loro storie. In altre parole, davanti a me c'è una nuova avventura.

Una volta terminato il romanzo, altre persone vengono coinvolte. Voglio ringraziare Lonnie Ostrow della Bradford Enterprises che mi assiste su più fronti, dalla ricerca all'inserimento al computer dei cambiamenti e delle modifiche. Linda Sullivan di WordSmart che elabora un testo senza errori. È un vero piacere per me vedere una pagina pulita.

La mia editor, Lynne Drew, direttrice editoriale alla HarperCollins, è per me la miglior cassa di risonanza, una fucina di idee e consigli che mi ha aiutato a rendere migliore il romanzo. Non esiste per Lynne un grazie sufficientemente grande per tutto quello che fa per me e per esserci sempre. Devo ringraziare anche Charlotte Brabbin, Eloisa Clegg e Penny Isaacs, mie redattrici da molti anni. Un grazie anche a Kate Elton, direttore editoriale esecutivo, Elizabeth Dawson, delle pubbliche relazioni, Oliver Wright, direttore delle vendite in Gran Bretagna, Roger Cazalet, editore associato, Lucy Vanderbilt, Group Rights Director, e Charlie Redmayne, amministratore delegato. È fantastico lavorare con questo team.

Mio marito Bob è sempre stato coinvolto nei miei scritti dal momento in cui prende forma l'idea a quando scrivo l'ultima pagina. Il suo amore e le sue premure, il suo entusiasmo e il suo incoraggiamento sono ineguagliabili e mi consentono di andare avanti anche quando sono in difficoltà con la trama e i personaggi. I film che Bob ha prodotto dai miei romanzi, interpretati da grandi star, sono sia spettacolari sia avvincenti. Devo a lui il mio grazie più sentito per essere un marito tanto amorevole e un partner in ogni campo.